KB174787

Difficulty Swallowing Q&A

제 4 판

입으로 먹을 수 있다

연하장애 Q&A

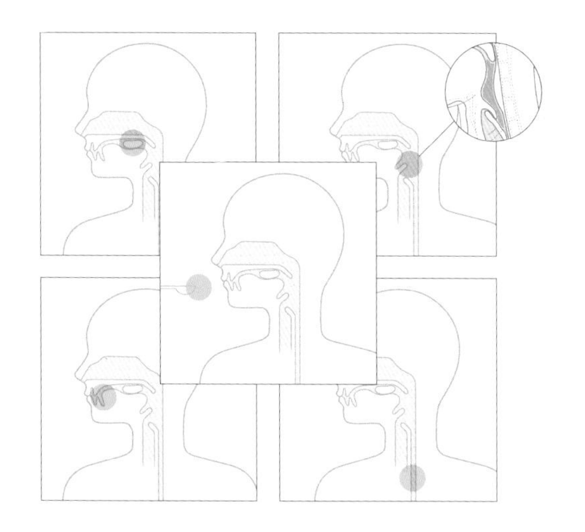

지음 : 藤島一郎　　옮김 : 현홍근

입으로 먹을 수 있다

연하장애 Q&A

첫째판 인쇄 | 2014년 1월 10일
첫째판 발행 | 2014년 1월 15일

지 은 이 후지시마 이치로(藤島一郎)
옮 긴 이 현홍근
발 행 인 장주연
출판기획 이윤희
편집디자인 오선아
표지디자인 김민경
발 행 처 군자출판사
등록 제 4-139호(1991. 6. 24)
본사 (110-717) 서울특별시 종로구 인의동 112-1 동원회관 BD 6층
전화 (02) 762-9194/5 팩스 (02) 764-0209
홈페이지 | www.koonja.co.kr

KUCHI KARA TABERU-ENGESHOGAI Q&A The 4th edition
Text by Ichiro FUJISHIMA
Illustration by Kazuo SHIMIZU

ISBN 978-89-6278-837-2
정가 40,000원

역자서문

초판의 '입으로 먹을 수 있다–연하장애 Q&A'를 출판한 것은 1995년, 신판이 1998년, 제3판이 2002년이었다. 그 이전은 연하장애의 재활이라고 하는 것조차 알지 못하는 분이 많았다고 생각하지만, 그 후의 섭식, 연하장애에 관한 관심이 고조됨은 놀랄 정도여서 이제 어느 시설에서든 어떠한 대처라도 하려고 하게 되었다. 강연회나 학회, 연구회도 많고, 공부하는 책이나 잡지도 늘었다. 치료법에도 조금씩 진보가 보여서 새로운 Q&A도 추가해서 이 책 출간 추진의 계기가 되었다.

'입으로 먹을 수 있다'라고 하는 것은 인간의 근원적인 요구의 하나이지만, 일단 그 기능에 장애가 생기면 재획득한다는 것은 매우 어려운 일이다. 고령자나 인지증 환자은 지시를 따를 수 없기 때문에 안전하게 먹을 수 없다고 하는 경우도 생긴다. 또한 튜브를 빼고 수일간은 먹을 수 있다고 생각해도 그 후 폐렴이 되어 버리는 예도 많다. 오연이나 중증 폐렴의 우려는 치료한 스태프(주치의나 간호사 등)가 아니면 알 수 없다. 오연성 폐렴의 위험이 있다고 생각되는 환자에게 먹게 하는 것은 용기가 필요한 일이다. 한편, 필자도 최근 스스로 튜브를 넣어 보고 위화감이나 고통을 체험해 보았지만 튜브를 넣게 되는 환자의 고통은 참기 어려운 것이다. 무엇이든 안전하고 좋은 방법을 연구, 고안하고 실천하지 않으면 안된다. 튜브를 빼고 입으로 먹을 수 있게 된 때의 기쁨, 환자의 미소는 잊을 수 없다. 경증의 환자는 보다 좋게, 중증의 환자에게는 좋지 않게 되는 대응을 한다고 하는 중증도에 맞춘 대응이라는 시점이 중요하다.

초판에 '연하장애의 치료는 채산성이 맞지 않는다'고 하였던 때의 일을 썼었다. 물론 치료나 간호는 돈을 위해서 하는 것은 아니지만 경제성도 신중하게 고려하지 않으면 안된다. 연하장애 환자의 수는 많고, 사람 수는 부족하고 어렵다. 개호(介護)보험이나 의료보험으로 조금씩 진료보수 체계가 정비되고 있지만, 지금의 상태로는 이제부터 앞으로 나아갈 수 없는 것은 아닐까 생각해 본다. 아직 문제가 산적해 있지만, 하나씩 하나씩 해결하도록 하자고 생각해 본다.

2011년 8월

후지시마 이치로(藤島一郎)

저자서문

모든 사람은 나이가 들면서 장애가 필연적으로 하나 둘 생기게 되고 그중에서도 누구나 나이가 들면 겪게 될 섭식, 연하장애는 인간의 기본적인 욕구를 크게 좌절시키는 장애가 아닐까 생각한다. 대한장애인치과학회에서 홍보이사를 처음 맡게 되었을 때, 우리나라에도 섭식, 연하장애로 고통받는 분들은 많지만 이외로 적절한 교육이나 참고할만한 책이 많지 않음을 알게 되었다.

이후 국제이사를 수년간 맡아오면서 일본장애자치과학회의 학술대회를 계속 방문할 기회가 있었는데, 놀랍게도 이 학회가 일본의 치과관련 학회 중 가장 회원수가 많고 활발한 학회 중의 하나라는 것을 알게 되었고, 학술대회 내용 중 상당 부분이 섭식, 연하와 관련된 것이라는 점에 또 한 번 놀라게 되었다. 이미 일본은 수많은 교육 매체와 연구, 세미나가 이루어지고 관련 식품산업이 발달한 것을 보고 감탄을 금치 못하였으며 또 한편으로는 부럽기도 하였는데 우리나라도 앞으로 이러한 관심이 많아질 수 밖에 없고 필연적인 과정이라는 생각을 하게 되었다. 특히 세계에서 가장 학구열이 높고 똑똑한 우리 국민들과 의료진들에게 올바르고 알기 쉬운 정보를 서둘러 제공하여야 하겠다는 생각으로 소개에 적절한 책을 고르고 또 골라 보았는데, 결국 이 책 '口から食べる-嚥下障害Q&A'가 가장 적합하다고 판단되었다.

이 책은 일본 섭식연하장애의학계에서 가장 유명한 뇌신경외과 전문의이자 재활의학과 전문의인 후지시마 이치로 선생이 쓴 책으로 1995년에 초판이 출판된 이래, 2011년에 개정 4판까지 나온 일본에서 가장 널리 읽혀온 섭식, 연하장애에 관한 매우 인기 있는 책이다. 기본적인 해부학적 지식으로부터 섭식, 연하장애의 질환적 특성, 검사 및 진단법, 치료 및 케어에 대한 지침 및 대처법, 관련 식품 및 요리법, 치과적 처치 그리고 집에서도 할 수 있는 훈련법까지 총 망라하여 초보자라도 내용을 충실히 읽어 가다 보면 충분히 잘 이해할 수 있도록 구성되어 있다. 특히 시미즈 카즈오 선생의 꼼꼼하고 알기 쉬운 일러스트레이션으로 섭식, 연하장애에 관한 기초 지식이 없는 일반 독자들도 쉽게 이해할 수 있는 장점이 있다.

저로서는 본업을 하면서 틈틈이 여가시간을 활용해 번역작업을 하느라 보람과 괴로움이 함께 묻어있는 결과물이다. 모든 것을 만족시켜 드릴 수는 없지만 나름대로는 최선을 다했으니 어떠한 비판이나 충고도 달게 받을 생각이다. 이 책이 부디 가족분들이나 본인께서 섭식, 연하장애가 있어 괴로움을 겪고 있는 분들에게 좋은 정보와 지침서가 될 수 있게 되기를 고대한다. 또한 치과의사, 치과위생사를 포함한 모든 의료진들에게도 조금이나마 진료와 연구에 도움이 되는 내용이었으면 하고 희망한다.

2013년 어느 여름날 연건동 연구실에서

현홍근

CONTENTS

CONTENTS

CONTENTS

CONTENTS

CHAPTER 01

연하장애

이 장에서는 연하의 기전과 용어, 정의 등에 대해 설명합니다. 다소 이론적인 부분도 있지만, 이곳을 확실히 이해하면 응용이 가능하게 됩니다. 여러 번 반복해 읽어서, 그림을 머릿속에 넣어두십시오.

Q1

Difficulty Swallowing Q&A

연하장애라는 것은 무엇입니까?

우리들은 평소 아무렇지도 않게 먹거나 마시고 있다. 그다지 의식하지 않고 먹으면서 살고 있지만, 이 과정은 태어나 모유를 먹기 시작해 이유식으로 연습해 가면서 서서히 획득하게 되는 것이다. 만약 '먹고 싶은데도 혀나 목이 생각대로 움직이지 않아 먹을 수 없고 삼킬 수도 없다'고 한다면 어떨까? 또한, 입으로 잘 먹을 수 있는 것처럼 보이지만 실제로는 음식물의 일부가 폐 쪽으로 흘러들어가고 있을지도 모르는 것은 아닐까?

물과 음식물을 삼키지 못하거나, 폐 쪽으로 들어가 버리는 상태가 되는 것을 '연하장애(嚥下障碍)'라고 한다. 연하장애가 되면 영양분을 얻을 수 없어서 영양실조가 생긴다든지, 폐렴 등으로 호흡기병에 걸리고 만다. 음식 등이 폐로 들어가 버리고 마는 것을 '오연(誤嚥)'이라고 부른다.

연하장애는 원인에 따라, 다음의 두 가지로 크게 나눌 수 있다.

① 종양과 종양 수술 후 염증 등에 의해 삼킬 때 사용하는 혀와 목의 구조에 장애가 있는 경우(기질적 원인)

② 구조물의 형태에는 문제가 없지만, 구조물을 움직이는 신경, 근육 등에 원인이 있는 경우(기능적 원인)

③ 심리적인 원인이 관여하고 있는 경우(표 참조)

또한 의료행위에 의해 일어나는 연하장애가 있어서 '의원성 연하장애'라고 부르고 있다. 약의 부작용과 경비영양튜브, 수술조작 등이 원인이 되고 있다.

일상에서 가장 많은 연하장애는 뇌졸중에 의한 것이어서, 이 책에서는 '뇌졸중에 의한 연하장애'를 중심으로 설명하고 있지만, 대응법의 대부분은 원인별로 나누지 않고 공통으로 다루었다.

연하장애는 삼키는 것만이 장애가 된다는 것을 가리키는 단어이다. 그러나 삼키기 전에 음식물을 인식하고, 입에 넣어 저작하는 것 등에 장애가 있는 환자도 자주 볼 수 있다. 심리적인 원인으로 먹을 수 없게 되는 경우도 이미 언급한 바 있다. 그래서 먹을 수 없는 것을 넓은 의미로 '섭식장애(攝食障碍)'라든지 '섭식·연하장애'라고 부르고 있다.

여기서, 섭식과 연하의 단어 사용 구분을 설명하겠다. 이 책에서는 '삼키는 것'만을 가리킬 때에는 '연하'라고 하고, 일반적으로 '먹는 것'을 의미할 때에는 '섭식'이라고 하는 단어를 사용한다. 또한 '삼키는 것'만이 장애가 되었을 때는 '연하장애'라고 하고, '음식물을 인지하고 입에 넣어 저작하여 식괴를 형성하는 것' 등에 수반하여 '삼키는 것'이 장애가 되었을 때에 '섭식·연하장애'라고 하는 단어를 사용하였다.

또한, 연하에 이용되는 입술, 혀, 인두 등은, 각각 호흡과 발음에도 이용되고 있기 때문에, 연하장애가 있는 사람은 호흡장애와 구음(構音)장애, 발성장애를 동반하고 있는 경우가 많다는 점에 주의가 필요하다.

✚ 연하장애의 원인

A. 기질적 원인

구강·인두	식도
• 설염, 아프타, 치조농루 • 편도염, 편도주위 종양 • 인두염, 후두염, 인후 종양 • 구강·인두 종양(양성, 악성) • 구강인두부의 이물, 수술 후 • 외부로부터의 압박(갑상선종, 종양 등) • 그 외	• 식도염, 궤양 • Web(막), 게실(Zenker) • 협착, 이물 • 종양(양성, 악성), 수술 후 • 식도열공 헤르니아 • 외부로부터의 압박(경추증, 종양 등) • 그 외

B. 기능적 원인

구강·인두	식도
• 뇌혈관 장애, 뇌종양, 두부 외상 • 뇌종양, 뇌염, 다발성 경화증 • 파킨슨병, 근위축성 측삭경화증 • 말초신경염, 길랑바레 증후군 등 • 중증 근무력증, 근디스트로피 • 각종 근염, 대사성 질환 • 약의 부작용 • 그 외	• 뇌간부 병변 • 무이완증(achalasia) • 근염 • 강피증, SLE • 그 외 각종 신경근질환 • 약의 부작용 • 그 외

C. 심리적 원인

- 신경성 식욕부진증(anorexia)
- 인지증
- 심신증
- 우울병, 우울상태
- 그 외

Difficulty Swallowing Q&A

Q2 연하의 기전을 쉽게 설명해 주세요.

삼키기 전의 준비 단계를 포함해서 '입으로 먹을 수 없다'는 것을 넓은 의미로 섭식·연하장애라고 부르지만, 이 섭식·연하의 흐름을 아래 그림과 같이 6개의 단계로 나누어보면 이해하기 쉽다.

다음 각각의 동작을 살펴보기로 하자.

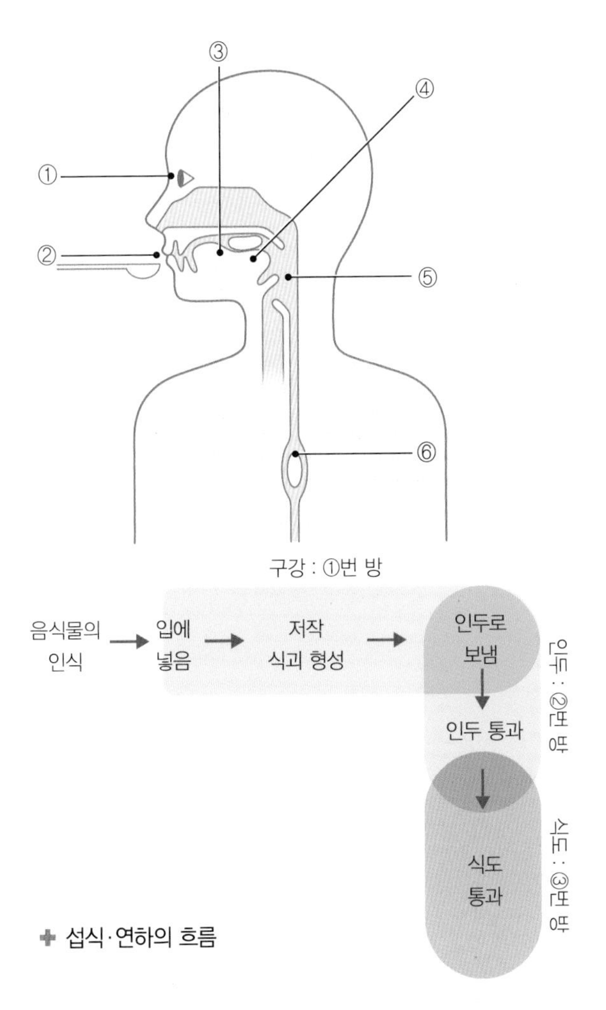

✚ 섭식·연하의 흐름

① 음식물의 인식
② 입에 넣음
③ 저작과 식괴 형성 (①번 방)
④ 인두로 보냄
⑤ 인두 통과, 식도로 보냄 : 연하반사 (②번 방)
⑥ 식도 통과(③번 방)

(①~③: 섭식, ④~⑥: 연하)

▬ 일반적으로는 ③은 준비상, ④는 구강상, ⑤는 인두상, ⑥은 식도상으로 불린다.
또한, 상(phase)이라고 하는 말과 기(stage)라고 하는 말은 거의 구별해서 사용하고 있지 않지만, 엄밀하게 말하자면, 상 : 음식물이 있는 장소, 기 : 연하운동처럼 구별해 생각하면 확실하다.
예를 들어 음식물은 이미 인두에 있어서, '인두상'에 있지만, 꿀꺽하는 '인두기'는 일어나지 않았다고 표현할 수 있다.

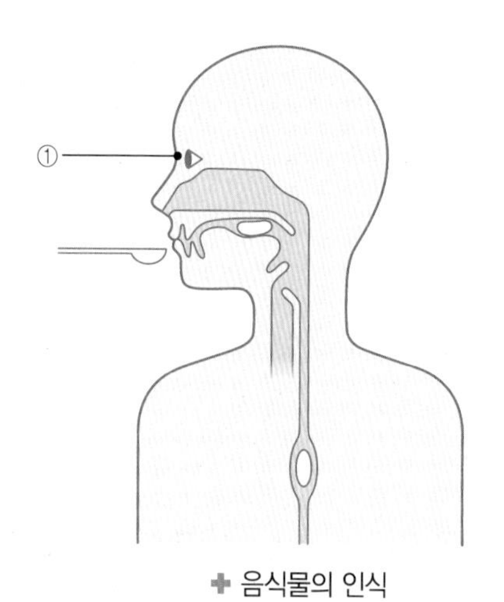

✚ 음식물의 인식

1. 음식물의 인식

인간이 먹을 수 있기 위해서는 잠에서 깨어나 있지 않으면 안된다. 깨어 있는 상태를 의식이 있다고 말하지만, 의학적으로 의식이 있다고 하는 것은 '눈을 뜨고, 주위에 대해 관심을 가질 수 있는 상태'라고 해도 좋을 것이다. 의식이 확실히 있으면 비로소 음식물을 인식할 수 있다.

멍하니 있다든지, 말을 걸지 않으면 잠들어 버리고 마는 등의 의식장애가 있을 때에는 식사를 하기에 부적당하다고 생각할 수 있다.

또한, 의식장애가 있는데도 억지로 먹게 해 사레들고 말아 목이 메어 무척 고통스러워서, 식사를 괴로움의 대상으로 생각하고 있는 경우도 있다. '먹어서 맛있는 것'으로 인식할 수 있을 때 비로소 식사에 대한 의욕이 솟아나, 식사의 기쁨을 알 수 있는 것이다. 섭식·연하의 시작은 '음식물의 인식'이라는 것을 여기서 우선 확인해 두었으면 한다.

✚ 입안에 넣기

2. 입안에 넣기 : 1번 문 ⇨ ①번 방

음식물 인식의 다음 순서는, 입술과 치아로 음식물을 거두어들이는 것이다.

음식물 형태와 식기의 차이에 따라 입에 넣는 방법은 다양하지만, '입술을 연 후에 폐쇄한다'라고 하는 점에서는 공통이다. 입술의 폐쇄 기능에 장애가 있으면, 기껏 거두어들인 음식물이 벌써부터 흘러나오고 만다. 또한, 먹은 것을 부슬부슬 흘린다든지, 침이 흘러나온다든지 한다. 폐쇄기능이 더 나빠지면, 머리를 뒤로 쓰러뜨려서, 음식물을 중력의 힘으로 입 안으로 떨어뜨려 넣지 않으면 음식물을 거두어들일 수 없는 상태가 된다.

3. 저작과 식괴 형성 : ①번 방

입안에 거두어들인 음식물은 혀와 치아를 잘 사용하여 타액과 섞어서 저작한다. 이때에 입술을 폐쇄시키지 않으면, 입에서 부슬부슬 흘러나오고 만다. 입안에 담아 넣을 때는 입술을 닫는 것이 가능하지만, 저작시에 흘러나오고 마는 경우도 있다.

젤리와 페이스트 상태의 음식물은, 혀를 상하전후로 움직여 혀와 구개 사이에 밀어붙여서 '눌러서 저작'을 시행한다. 고형물에서는 더욱 혀를 좌우로 움직여 음식물을 어금니 위에 놓고 '갈아 으깨어 저작'을 시행해, 하악은 상하로 뿐만 아니라 선회(旋回) 운동을 하게 된다.

저작운동을 반복하는 동안 음식물은 타액과 혼합되어, 삼키기 쉬운 형태 = 식괴로 정돈된다. 저작운동, 식괴형성이 잘되지 않으면 음식물을 그대로 통째로 삼키거나, 질질 인두로 흘려넣게 된다.

저작은 입안에서 연하식(嚥下食)[Q36]을 만드는 작업이라고도 말할 수 있을 것이다.

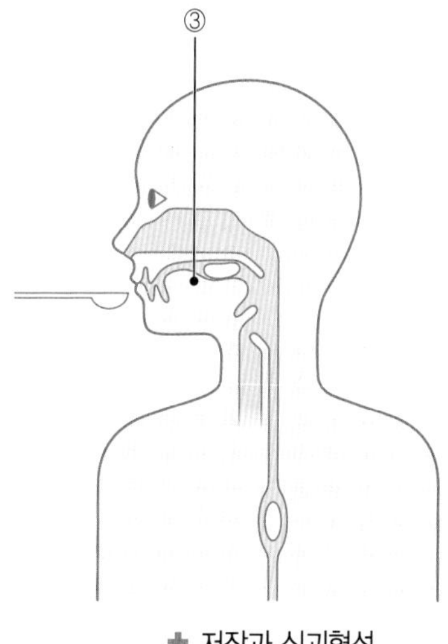

✚ 저작과 식괴형성

4. 인두로 이송 : ①번 방 ⇨ 2번 문

혀의 운동에 의해 식괴는 입안을 입술 쪽에서 혀의 후방(혀 안쪽)으로 이동한다. 구강이라고 하는 ①번 방의 입구에서 출구 쪽으로 보내어지게 된다.

혀 안쪽까지 온 식괴는 혀 안쪽과 연구개로 만들어진 문(2번 문, 구협(口峽))을 통과하여 인두로 보내어진다. 인두로의 이송이 잘되지 않을 경우에는 위쪽을 향한다든지 위를 향해 눕는다든지 해서 중력을 이용하려는 생각이 필요하게 된다.

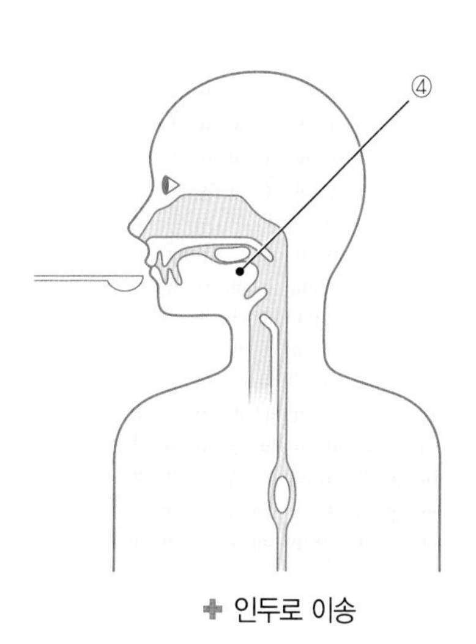

✚ 인두로 이송

5. 인두 통과, 식도로 이송 : 2번 문 ⇨ ②번 방 ⇨ 3번 문

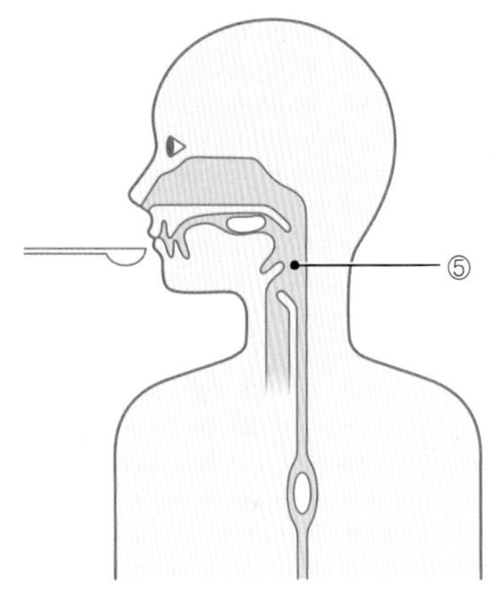

✚ 인두 통과, 식도로 이송

식괴의 인두 통과는 일련의 연하반사로 일어나서 정상적으로는 0.5초 이내에 식도로 보내어지게 된다. 인두 통과는 눈 깜짝할 사이에 끝나고 말지만, 생명의 위험으로 이어지는 '오연(誤嚥)'이 일어나는 경우가 있기 때문에 정말로 연하의 포인트라고도 말할 수 있을 중요한 곳이다.

식괴가 인두에 들어가면, 코와 기관으로 통하는 2개의 창과 입으로 통하는 문(2번 문)이 닫히고 식도로 통하는 문(3번 문)이 열려 일순간에 식괴가 식도로 보내어지게 된다. 설근(舌根)이 인두 후벽에 더욱 밀어붙여져서 인두 내압이 높아지고 인두벽에도 연동운동이 발생해 식괴를 식도로 보내는 원동력이 된다. 이 과정은 '연하반사'라고 불리며 반사적으로 일어난다.

식괴로 이어지는 3번 문(식도 입구부)이 있는 상식도(上食道) 괄약근은 보통은 닫혀 있다가 미주신경의 기능으로 이완되고 후두가 거상됨에 따라 기능적으로 열릴 수 있게 된다. 어떤 원인으로 괄약근이 긴장된 채 문이 열리지 않으면, 식괴를 식도로 보낼 수 없게 된다.

6. 식도 통과 : ③번 방

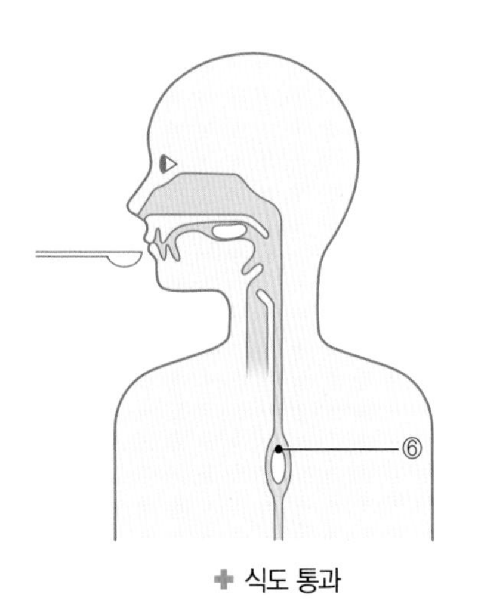

✚ 식도 통과

식도에 식괴를 보낼 수 있게 되면, 역류되지 않도록 식도 괄약근은 완전히 폐쇄되고 이 후 식괴는 연동운동에 의해 위로 운반된다.

식도 괄약근에는 상하로 2개가 있다. 하나는 상식도 괄약근(윤상 인두근)이다. 또 하나는 하식도(下食道) 괄약근으로 식도와 위 사이에 있다.

하식도 괄약근의 폐쇄가 불완전하다면 위식도 역류가

일어나고, 역류성 식도염의 원인이 된다. 또한 상식도 괄약근의 폐쇄가 불완전하다면, 위산, 소화액, 세균을 포함한 음식물이 인두로 역류하고, 오연(誤嚥)한다면 폐렴의 원인이 된다. 이것은 고령자 폐렴의 원인으로 중요한 것으로 생각되고 있지만, 식후 2시간 정도 기좌위(起坐位)를 취하고 있으면 역류를 상당히 예방할 수 있다. 또한 뇌졸중으로 뇌간부에 병소가 있으면, 식도의 연동운동에 장애가 있는 경우가 있다. 역류성 식도염 등 식도의 염증이 있는 경우도 연동운동이 나빠지는 경우가 있다.

여전히 위에서 기술한 3, 4, 5, 6(저작부터 식도 통과까지)의 움직임을 밖에서 관찰할 수 있는 방법은 인두의 거상(결후(結喉)가 위로 올라가는 것)뿐이다. 식사를 하고 있지 않을 때의 구강내와 인두의 모양을 관찰하여 연하운동을 상상하는 것은 어느 정도 가능하지만, 식괴의 운동과 내부 기관의 운동을 보기 위해서는 X선(연하조영)과 내시경(연하 내시경) 등의 검사가 필요하게 된다[Q21, 22].

COLUMN

어린이는 입에서 잘 흘린다!

사람은 태어나서 우선은 젖을 먹으며 성장한다. 이때를 '유아형 연하'라고 부르며 성인과는 다른 연하를 하고 있다. 유아형 연하에서는 저작은 없고, 턱(하악)과 입술은 같은 운동을 하며, 입술을 다물고 턱만 움직이는 것은 할 수 없다. 그 후 이유식을 먹기 시작하면 턱과 입술이 따로 움직일 수 있게 된다. 이 성장과정에서는 입술을 잘 다물 수 없는 시기가 있어서, 부슬부슬 입에서 흘리게 된다. 성인이라도 가성구마비(假性 球痲痹)로 구순폐쇄가 특히 불량하게 되어 어린이처럼 부슬부슬 흘리는 상태가 되고 마는 경우가 있다.

3개의 문과 3개의 방, 그리고 2개의 창

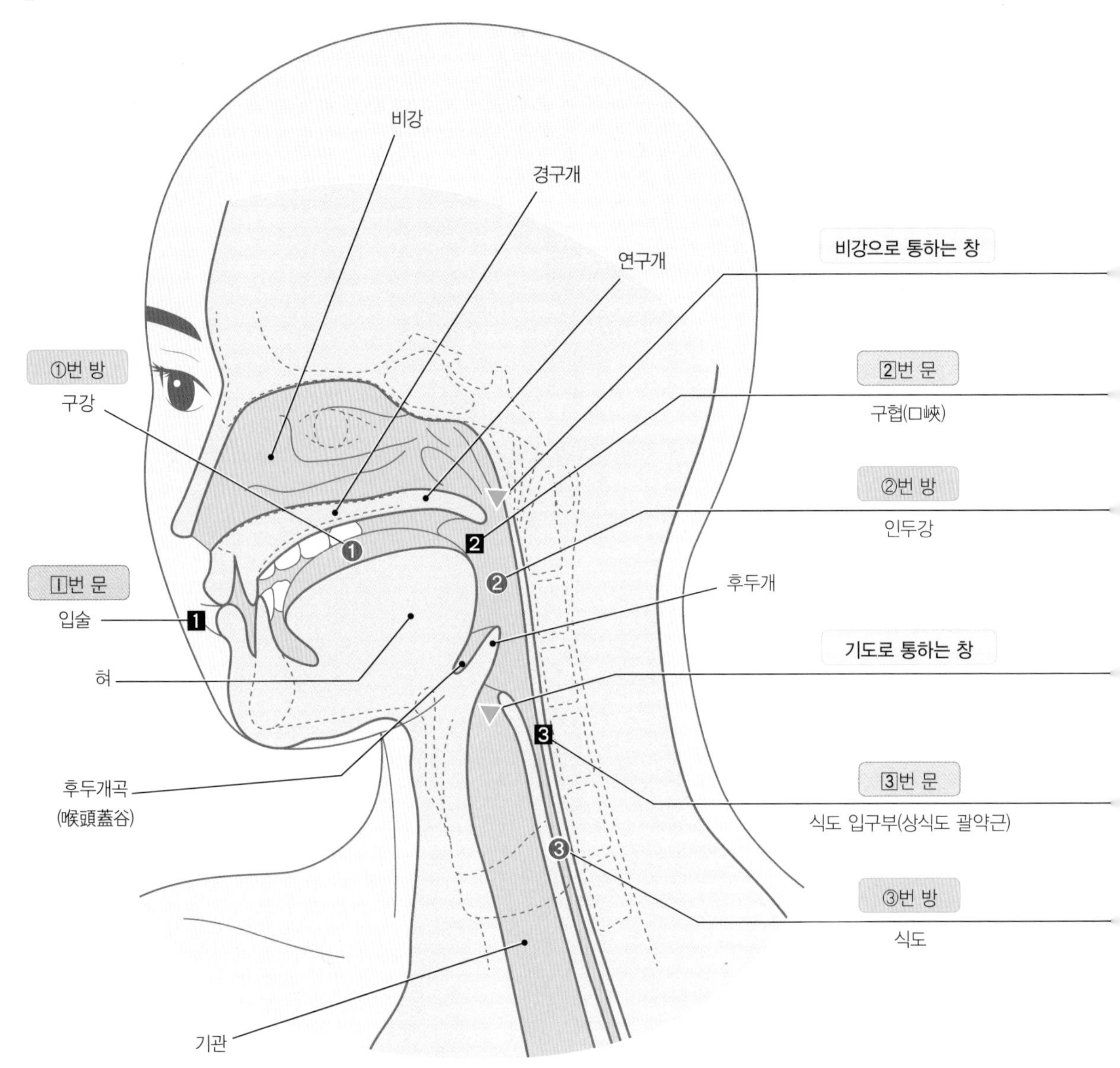

✚ 옆에서 본 모습

음식물을 삼키기 위해서는 '3개의 문'과 '3개의 방'을 통과하지 않으면 안된다.
3개의 문이라고 하는 것은, ① 입술 ② 인두 입구부(정식으로는 구협이라고 부른다) ③ 식도 입구부(상식도 괄약근)이다.
3개의 방으로는 ① 구강 ② 인두 ③ 식도이다. 이 3개의 문과 3개의 방을 음식물이 부드럽게 통과하는 것이 정상적인 연하운동이다.
또한, 구강으로 이어지는 ②번 방이 있는 인두에는 입과 연결되는 입구(2번 문)과 식도로 이어지는 출구(3번 문) 외에도, 비강으로 연결되는 창과, 기관으로 연결되는 창인 '2개의 창'이 있다.

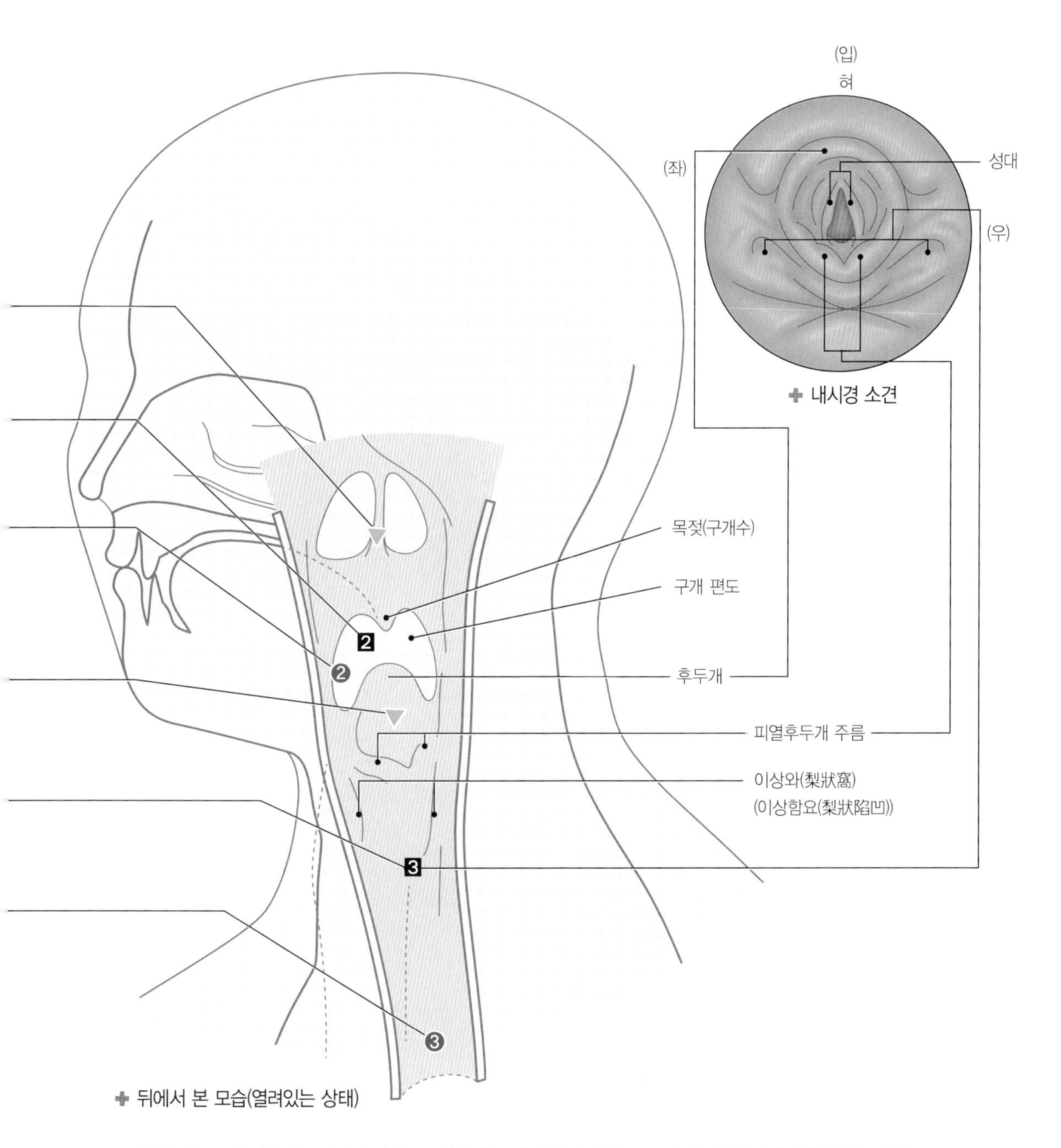

식괴가 인두로 통과할 때는 비강과 기관으로 연결되는 2개의 창이 닫히고, 그 사이 호흡은 정지된다(연하성 무호흡).
비강으로 연결되는 창은, 연구개가 후상방으로 움직여 인두 후벽에 닿아서 폐쇄되지만, 이 창이 잘 폐쇄되지 않든가 폐쇄 불충분이 있다면 음식물이 코로 역류하고 만다.
기관으로 연결되는 창은 후두개에 의해 폐쇄된다. 후두개는 스스로 움직일 뿐만 아니라, 후두가 거상됨에 따라 반수동적으로 기관을 폐쇄한다. 기관에 음식물이 들어가면(오연) 위험하기 때문에 기관으로 이어지는 창은 확실히 닫힐 필요가 있다.

1. 음식물의 인식

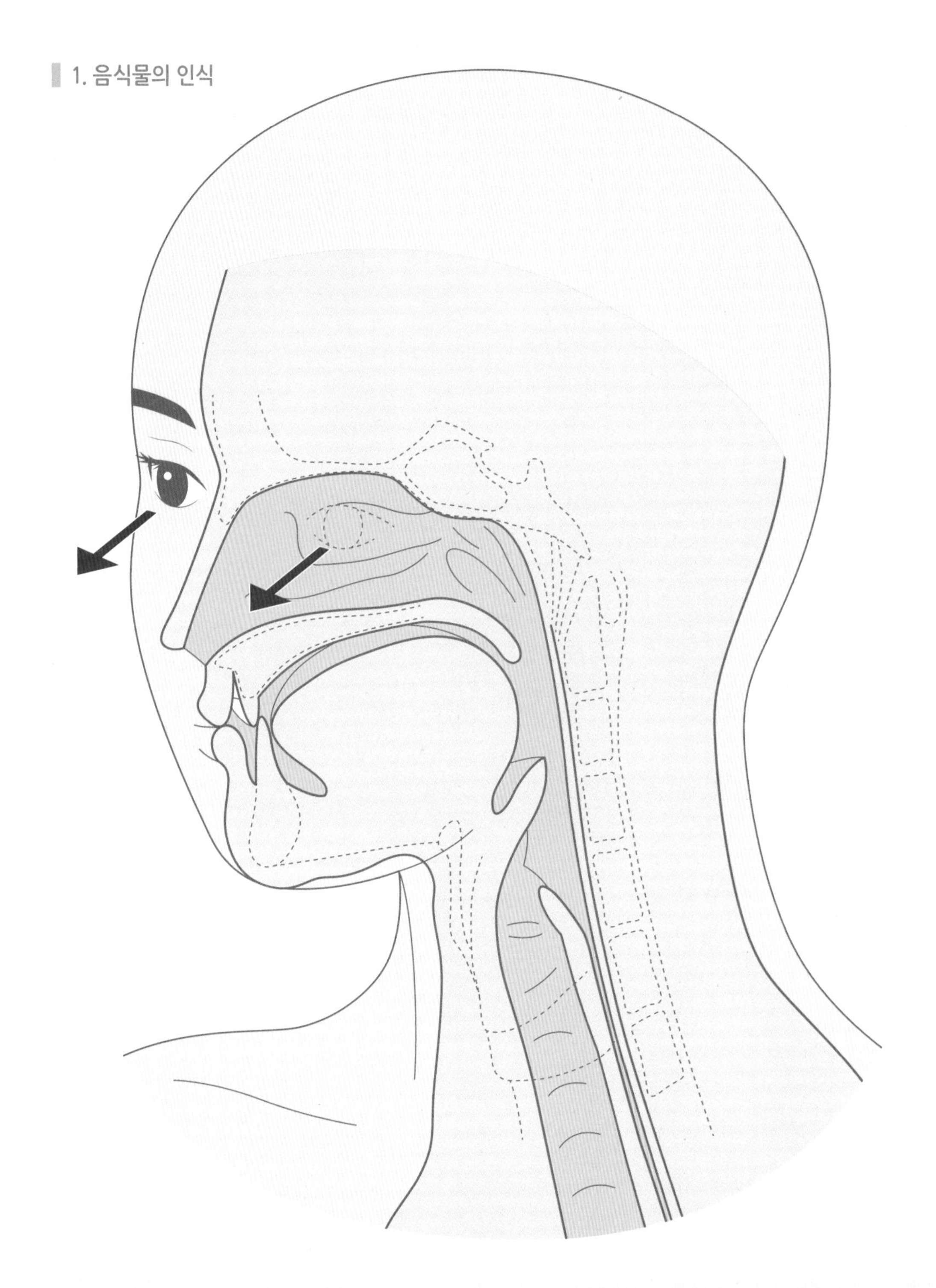

눈앞에 있는 것이 '음식물이다'라고 인지함에 따라 타액과 위액의 분비가 왕성해지고, 음식물을 받아 넣으려는 몸의 준비가 시작된다.

2. 입안에 넣기

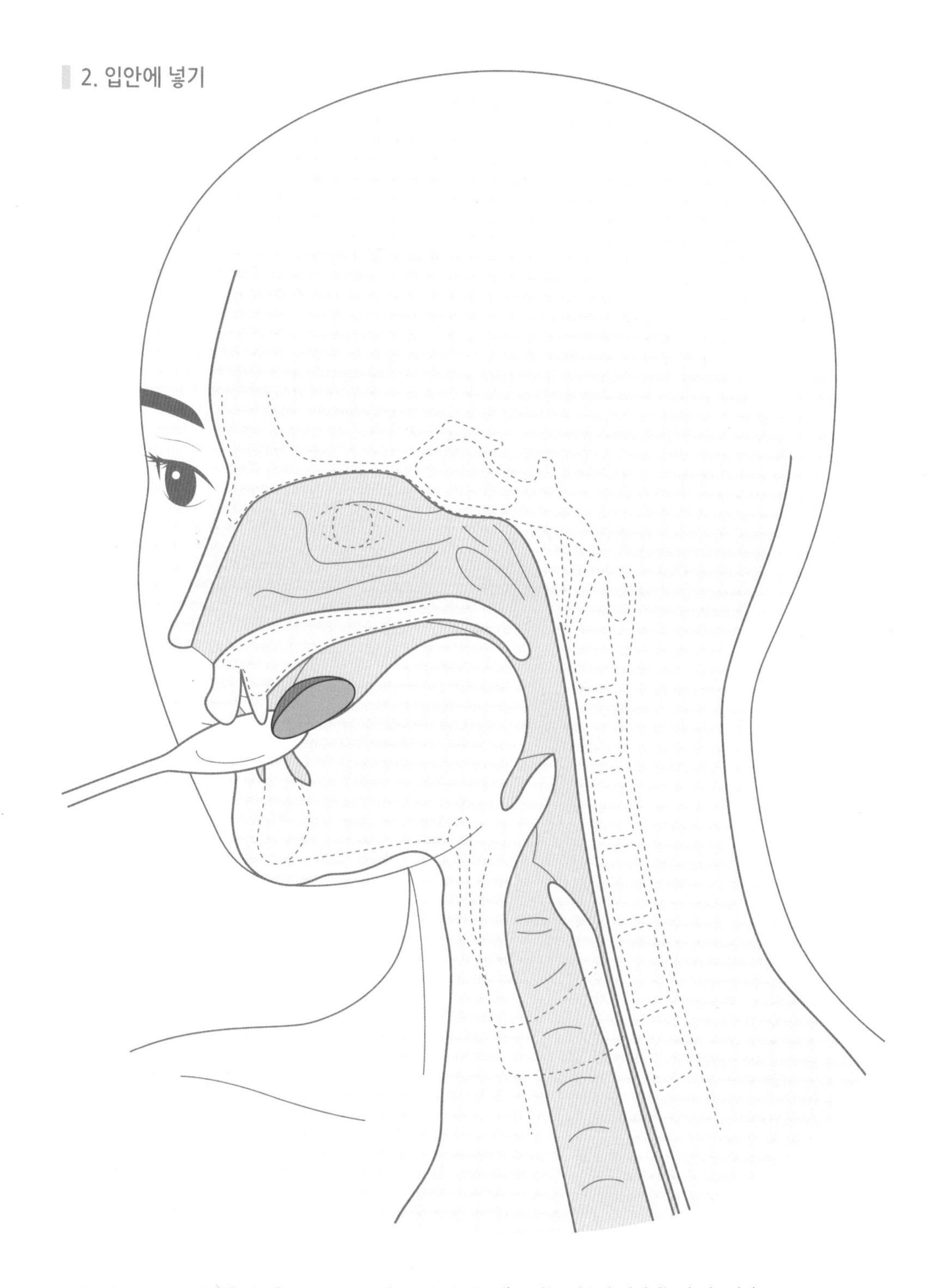

입술과 치아로 입안에 음식물을 넣는다. 이 때 '열린 후에 닫는다'고 하는 입술의 폐쇄기능이 필요하다.

3-1. 저작

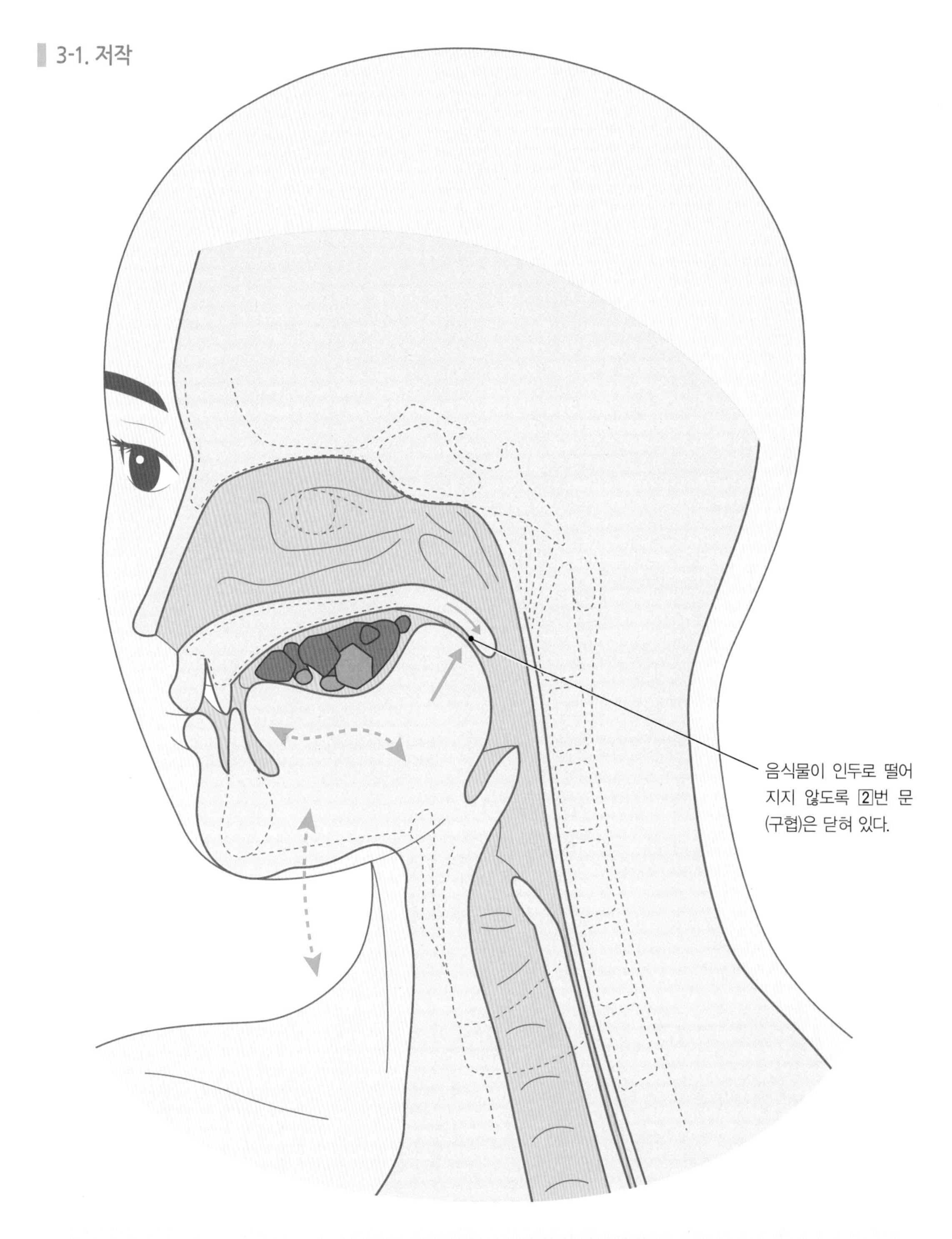

입에 넣어진 음식물은 치아로 저작된다. 부드러운 음식물은 혀와 구개로 '눌러서 저작'한다.

3-2. 식괴형성

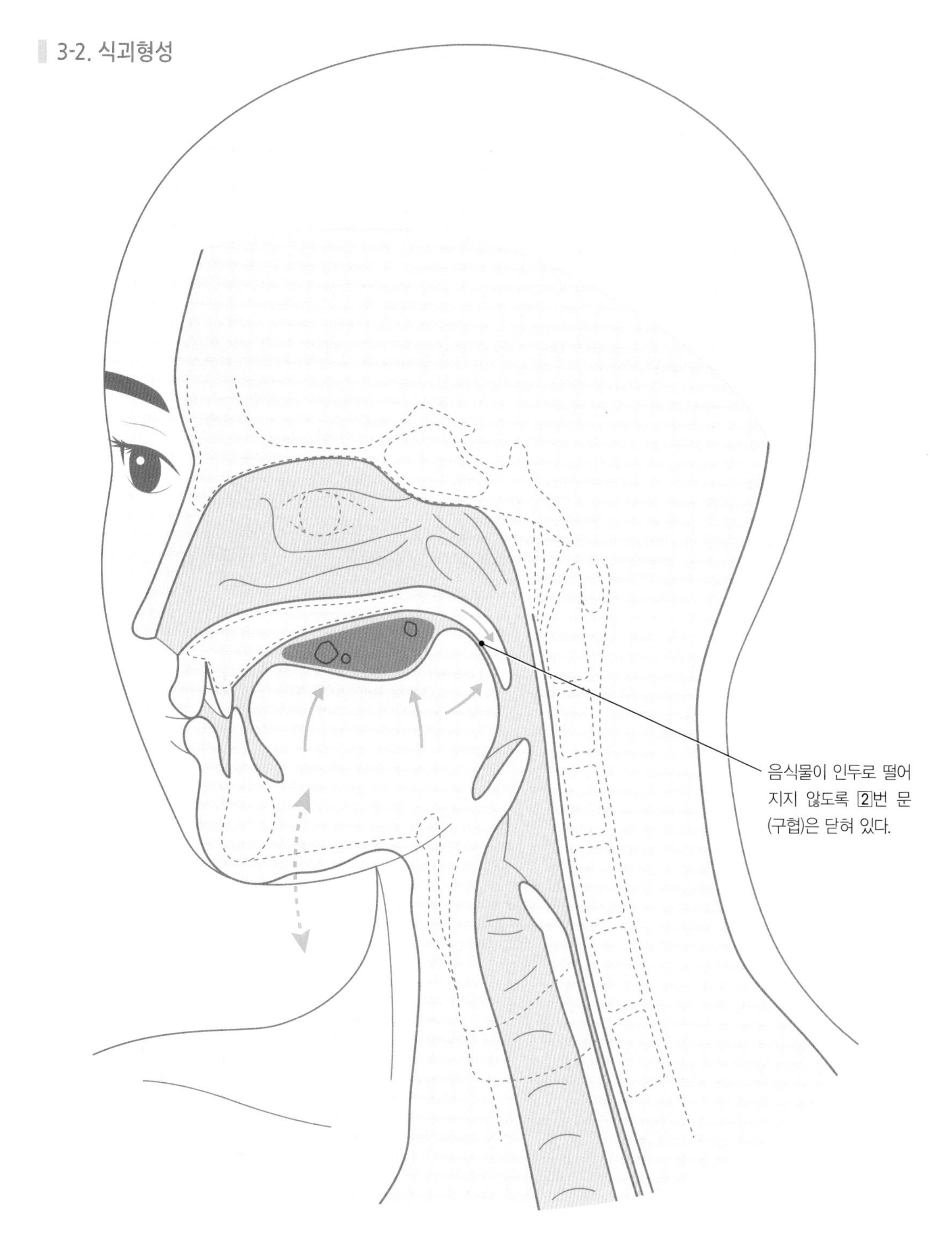

혀와 치아, 턱을 잘 사용해서 저작운동을 반복하는 동안 음식물은 타액과 혼합되어 균일하게 삼키기 쉬운 형태 = 식괴로 정돈된다.

4-1. 인두로 이송(시작)

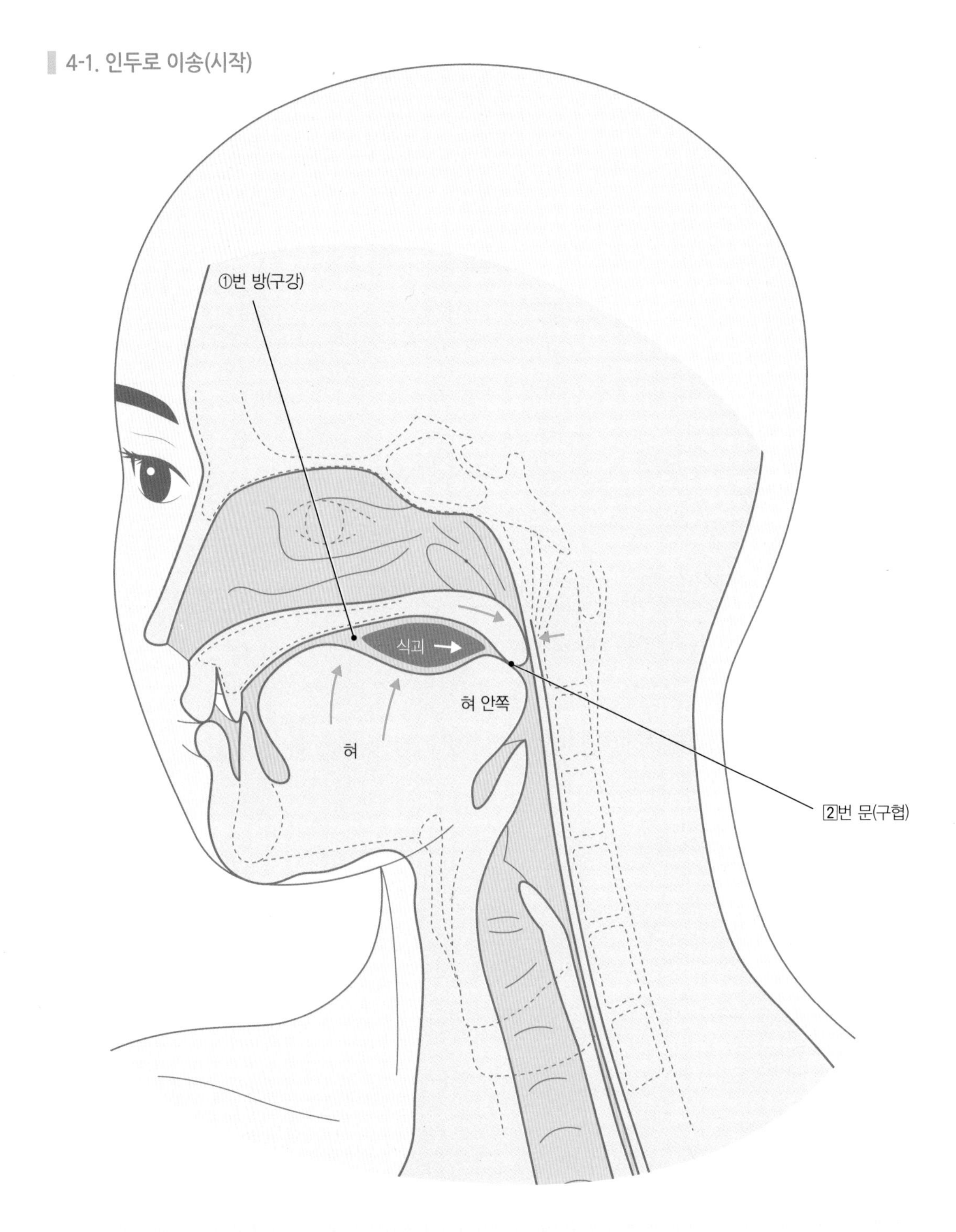

식괴는 혀의 운동에 의해, 입술 쪽에서 혀의 뒤쪽(혀 안쪽)으로 이동한다. 구강(①번 방)의 입구에서 출구 쪽으로 보내지게 된다.

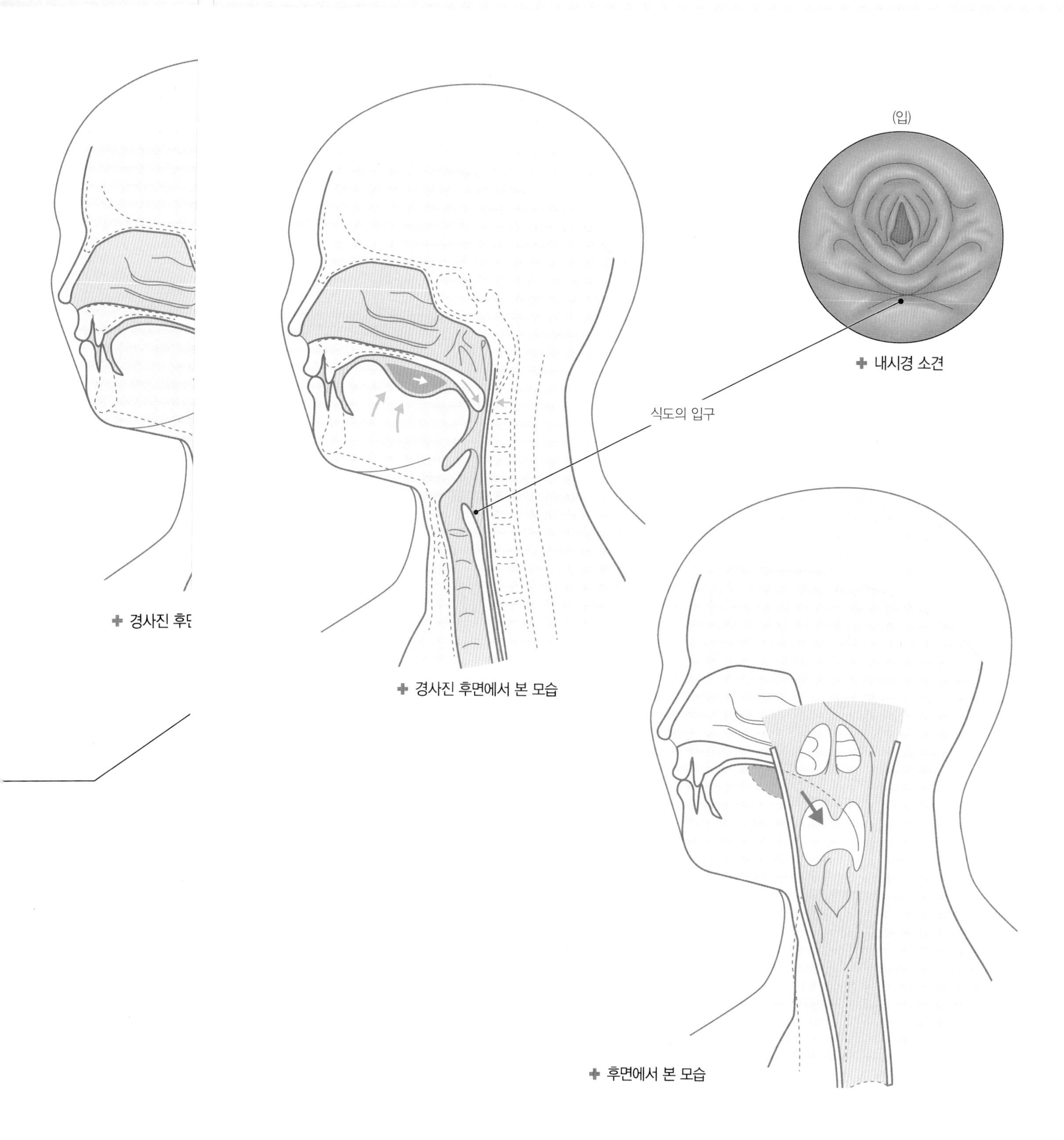

+ 내시경 소견

+ 경사진 후면에서 본 모습

+ 후면에서 본 모습

5. 인두 통과

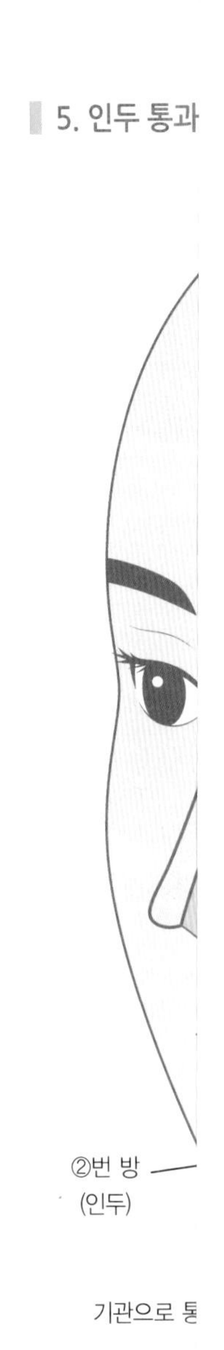

기관으로 통

식괴가 인두(②
([3]번 문)이 열

6. 식도 통과

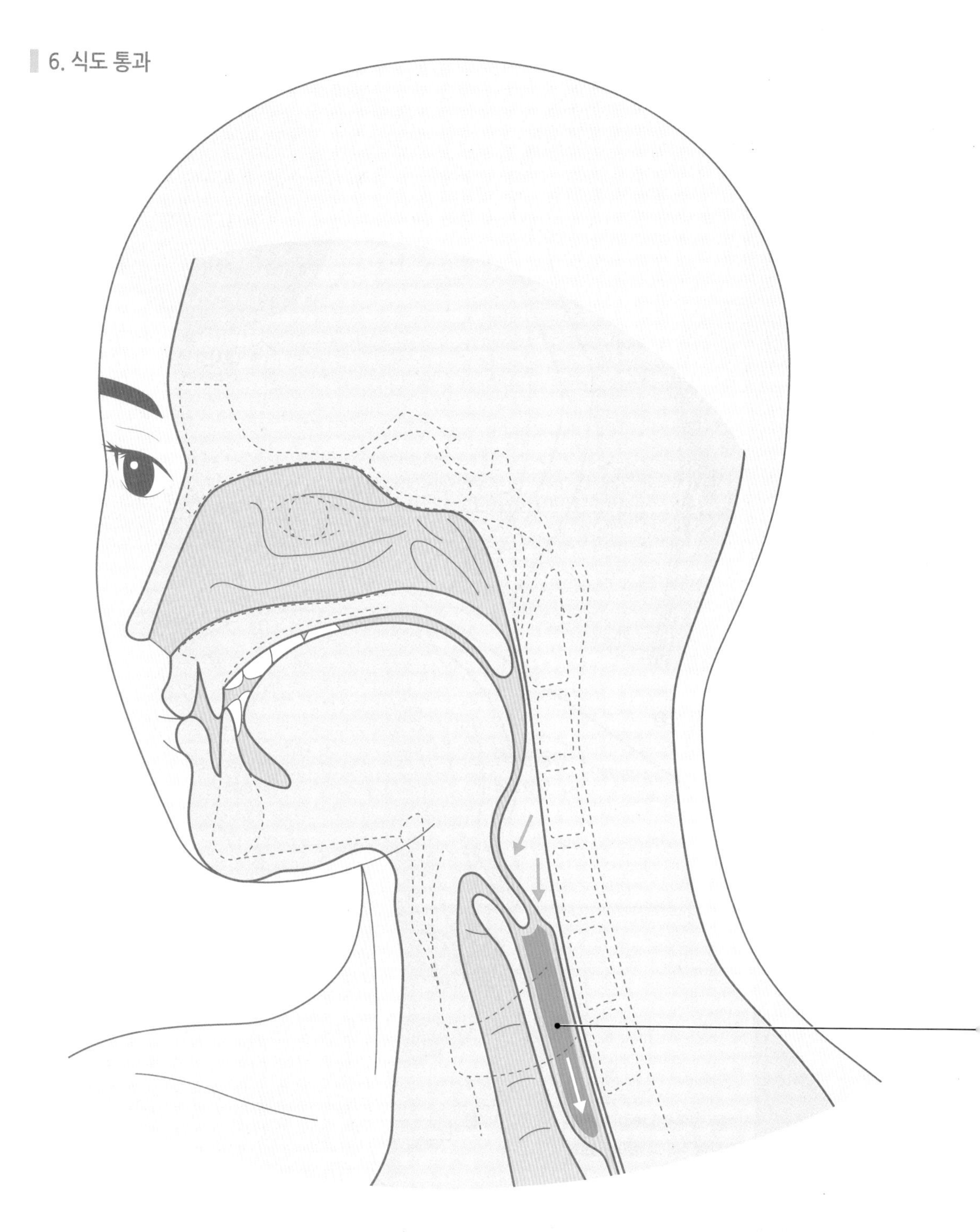

식도(③번 방)에 식괴가 보내지면, 역류되지 않도록 [3]번 문이 빈틈없이 폐쇄되고 연동운동에 의해 위로 운반된다.

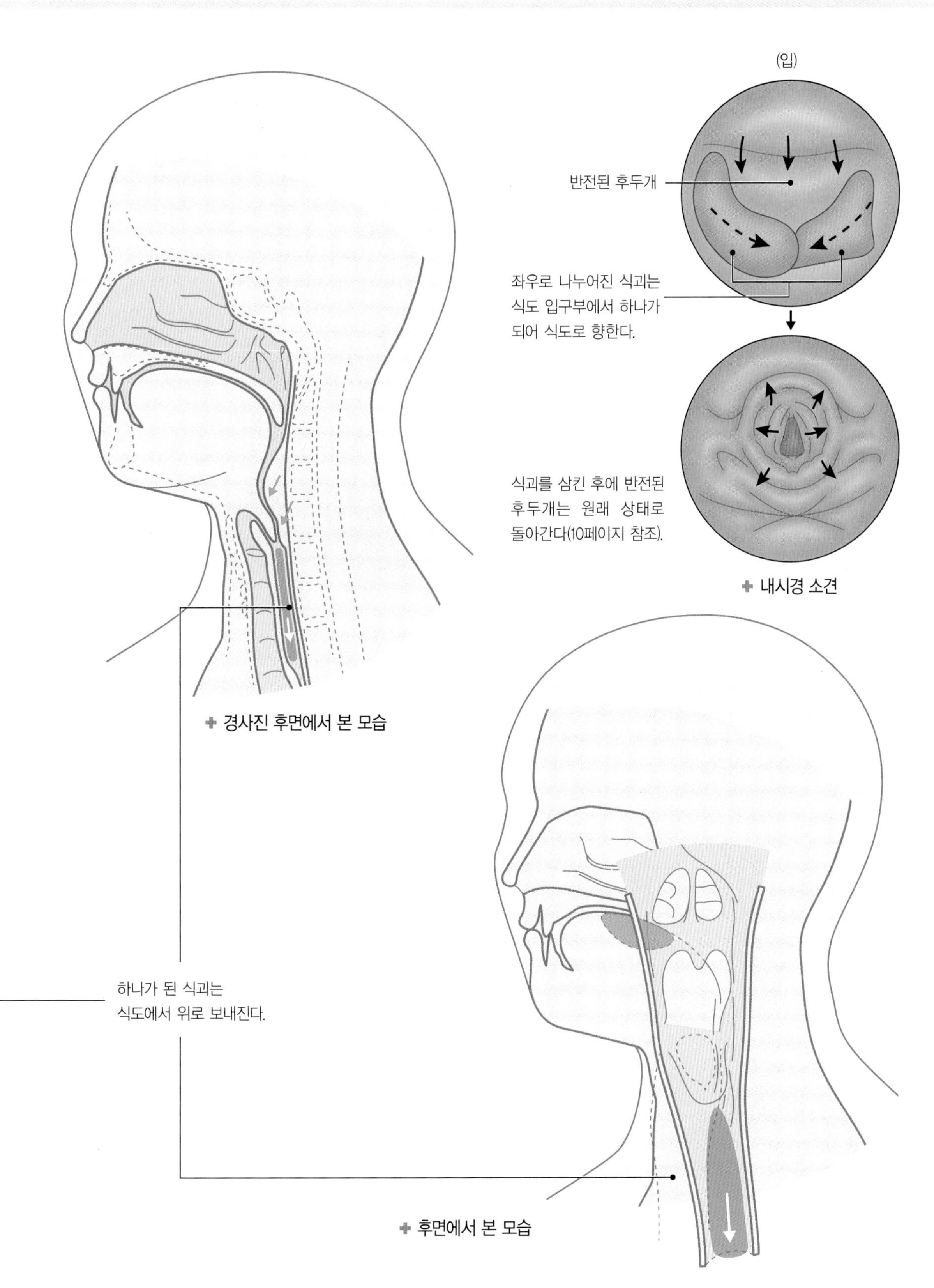

✚ 내시경 소견

✚ 경사진 후면에서 본 모습

✚ 후면에서 본 모습

Difficulty Swallowing Q&A

Q3 구마비球痲痺, 가성假性 구마비라는 단어를 들었는데, 차이에 대해 알려주세요.

뇌졸중의 연하장애는 뇌 안에서 연하를 조절하고 있는 부분에 장애가 생겼기 때문에 연하운동이 잘 되지 않는 것이라고 생각할 수 있다. 뇌간부의 연수에는 연하반사를 일으키는 연하중추가 있고(그림 1, 2), 연수보다 위쪽 뇌는 그 중추의 활동을 강화시키고 있다. 그 연하중추가 기능하지 않게 된 상태를 구마비(bulbar palsy)라고 부른다. 연수가 있는 부위를 해부해 보면 부풀어져 있는 '구(球)'처럼 보이기 때문에 붙여진 명칭이다. 이에 반해 가성 구마비는 연수 보다 위쪽 뇌간부와 대뇌가 손상되었기 때문에 연하기능이 잘 작동하지 않게 된 상태를 가리키고 있다(그림 2). 구마비와 같은 증상이지만 다른 부위가 병이 있다는 의미로, '가성'이 앞에 붙여져 있는 것이다. 비슷하다고 해도 증상은 제각기 특징이 있기 때문에 간단하게 설명하겠다. 자세하게 알고 싶은 분은 저자의 '뇌졸중의 섭식, 연하장애'라는 책을 참고하시기 바란다.

구마비에서는 연하반사(꿀꺽)가 일어나기 힘들고, 일어났다고 해도 충분하지 않다. 중증의 구마비에서는 연하반사가 완전히 일어나지 않고, 타액도 물도 전혀 삼킬 수 없다. 걸을 수는 있지만 타액을 퉤퉤하고 뱉어내면서 튜브로 영양을 공급받고 있는 분을 이따금 뵙게 되는데 많은 수가 구마비 환자이다. 윤상인두 연하장애라고 하는 식도 입구부가 열리지 않는 종류의 연하장애도 이러한 구마비 그룹에 들어간다. 또한 발렌버그(Wallenberg) 증후군(연수외측 증후군(lateral medullary syndrome)이라고도 한다)이라고 불리우는 질환도 구마비의 일종으로, 목의 어느 쪽인가가 일방적으로 마비되어 버리는 질환이다.

이에 비해, 가성 구마비(pseudobulbar palsy)의 연하반사(꿀꺽)는 일어나기 어렵지만 연수의 연하중추는 장애가 없기 때문에, 일단 '꿀꺽'할 수 있으면 패턴은 깨끗하다. 젤라틴 젤리 등의 음식물은 그 자체를 삼킬 수 있는 경우도 있지만, 근육의 힘이 저하되어 있어 오연하거나 목에 남아 있게 되는 경우도 있다. 밖에서 보면 '꿀꺽'을 했기 때문에 삼켰다고 생각해 버려 계속해서 먹게 해서 실패하는 경우가 있기에 주의가 필요하다. 고령자이면서 평범하게 생활하고 있지만 사레가 잘 드는 분들께도 가볍게 가성 구마비가 잠복되어 있을 가능성이 있다. 혀가 움직이지 않아서 입으로 들어간 것이 안으로 보내지지 않고, 부슬부슬 흘리는 사람[Q51]의 많은 수도 가성 구마비라고 생각된다. 가성 구마비에서는 인지증과 실어증, 실인증(失認症) 등의 고차 뇌기능 장애를 자주 동반한다.

숫자로는 가성 구마비 쪽이 구마비보다도 압도적으로 많아 보이지만, 중증 환자에 대한 대처법은 양쪽 모두 매우 곤란함이 있다. 최근에는 이러한 환자들 중에 인두와 후두의 감각저하가 발견되어, 장애를 더욱 크게 만들어 훈련에 영향을 미치는 사람도 있는 경우가 알려져 주목받고 있다.

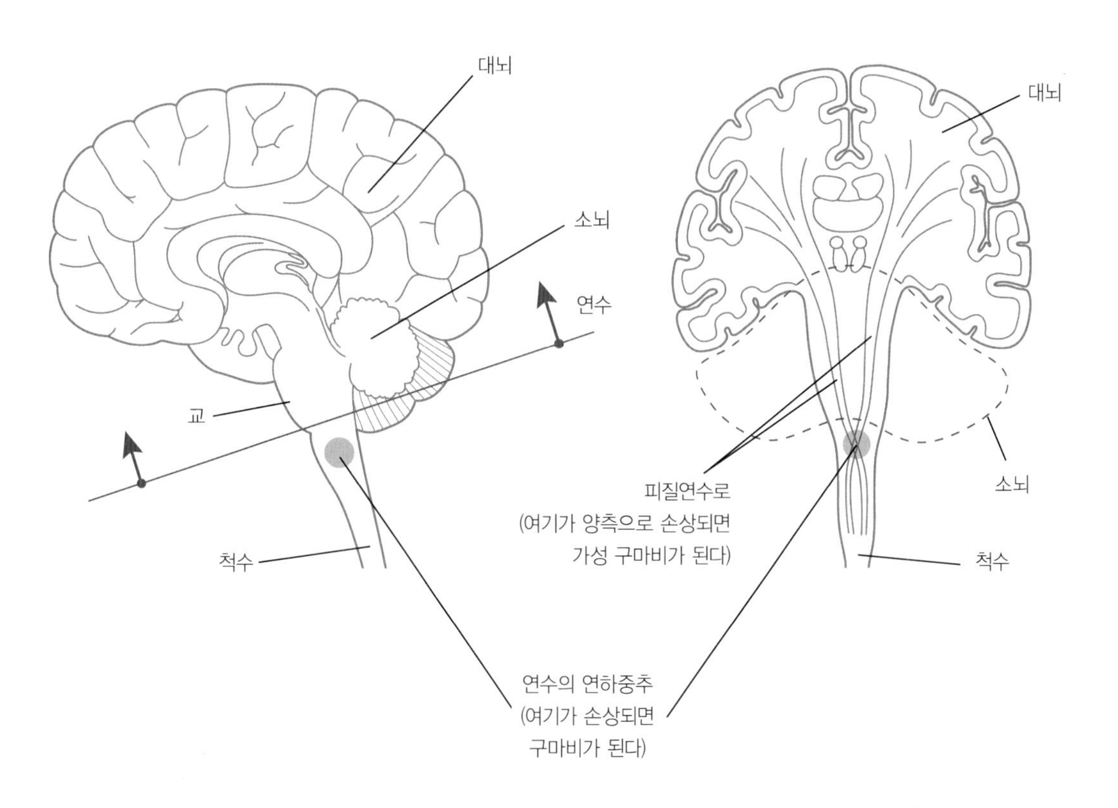

✚ 그림 1 뇌의 시상단면과 연하중추

✚ 그림 2 뇌의 전두단면과 추체로, 연하중추

Q4

Difficulty Swallowing Q&A

나이를 먹으면 먹는 기능도 저하되나요?

연령의 증가와 함께 여러 원인으로 섭식, 연하기능은 저하된다. 고령화에 수반되는 섭식, 연하기능 저하의 원인을 표로 정리해 보았다.

연하성(오연성) 폐렴과 무기폐 등의 호흡기 질환은 고령자에 많고, 이것은 노화에 동반되어, ① 면역력과 전신 저항력의 저하 ② 기침 반사의 감소와 선모(線毛) 운동의 저하에 의한 기관지, 폐 이물질의 배출력 저하 ③ 위 식도 역류 등과 함께 ④ 섭식, 연하기능의 저하와도 밀접하게 관련되어 있다.

필자는 '75세가 넘었다면 섭식, 연하장애가 있다고 생각해야 한다'는 정책으로 환자를 지도하고 있다. 특히 뇌졸중 후의 환자들에게는 주의가 필요하다.

외래 진료 중에는 가족만 오셔서 '오늘은 약만 주세요' 할 때가 있다. 외래 통원을 하고 있는 환자들에게서 종종 있는 경우이다. 물론 여러 가지 사정으로 병원에 올 수 없는 경우가 있겠지만 반드시 '환자분이 편찮으신 점은 없으신지?'하고 묻지 않으면 안 된다. 그 중에는 최근 식사를 할 수 없어 건강이 좋지 않아 병원에 갈 수 없다든지, 실

✚ 노화에 동반되는 섭식, 연하기능의 저하 원인

- 충치 등으로 이가 약해지고, 저작력이 저하된다.
- 의치의 부적합
- 구강, 인두, 식도 등 연하 근육의 근력 저하
- 점막의 감각, 미각의 변화(저하)
- 타액의 분비 감소, 타액의 성상 변화
- 후두가 해부학적으로 하강하여 연하반사 때 후두 거상 거리가 커지게 된다.
- 무증후성 뇌경색의 존재(잠재적 가성 구마비)
- 주의력, 집중력 저하, 전신 체력, 면역력 저하
- 기초 질환, 약의 영향

제로 폐렴으로 개업의사에게 치료를 받고 있다 등을 말씀하시는 사람도 있다. 섭식, 연하기능이 저하되어 있는 고령자에게는 약간의 원인으로 식사를 할 수 없게 되거나 오연하여 폐렴으로 이어진다든지 하는 위험이 있다.

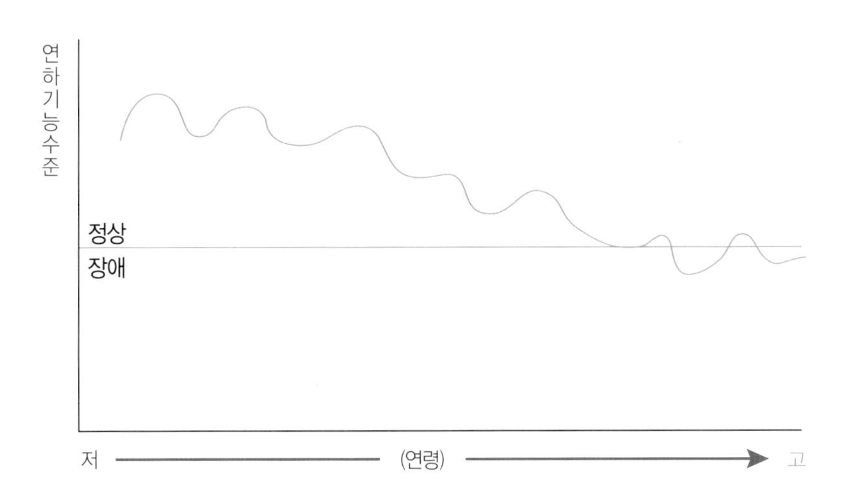

✚ 연령의 증가에 따라 저하되는 '먹는 기능'

CASE | 65세, 남성 : 뇌간부 경색, 다발성 뇌경색

3년 전 뇌간부 경색이 되어, 팔다리와 몸의 실조가 있었다. 보행은 사모님의 도움으로 화장실까지는 가능하지만, 낮에는 휠체어에서 TV를 보면서 지내는 경우가 많게 되었다. 외래에서 연하 체조[Q77] 지도를 하고 있지만, 좀처럼 철저하게 지켜지지는 않았다.
어느 날 외래에서 약만 타가고 싶다는 메시지가 와서 차트를 가져오게 하였다. 웬일인지 폐렴으로 우리 병원의 호흡기과에 입원하고 있는 것이 아닌가!? 다행히도 폐렴은 2주간의 항생제 투여로 쾌유되었다. 그 후 철저하게 사모님께 '구강관리, 인두관리, 먹기 위한 준비체조, 식후의 기좌위 유지, 오연하기 어려운 음식물 형태에 대한 지도'를 시행하였다. 그 후 1년간, 가벼운 기관지염만 생겼을 뿐, 입원하는 정도의 폐렴에는 걸리지 않고 지내고 있다.
최근에는 연하장애가 있는 것 같다고 생각되는 환자에게는 위에 기술한 지도와 함께 두부거상 훈련과 기침을 하는 훈련 등을 예방적으로 시행하도록 하고 있다.

Q5

Difficulty Swallowing Q&A

약으로 연하장애를 낫게 할 수는 없나요?

연하장애의 원인이 구강과 인두, 식도 등의 염증에 의한 것이기 때문에, 원인 치료에 의해 연하장애가 치료되는 경우도 있을 것이다. 하지만 안타깝게도 뇌졸중에 의한 연하장애를 근본적으로 낫게 하는 약은 없다. ACE 저해제 등의 약을 복용하면, 목의 substance P가 증가해 연하가 잘 되고, 오연성 폐렴에 걸리기 어렵게 된다는 보고가 있다. 고추의 매운 성분(캡사이신)과 후추의 향도 좋다고 보고되고 있다(Q7 칼럼 참조). 앞으로 계속 연구가 진행되는 것을 기대해 보도록 하자. 한편 정신안정제와 항경련제 등은 뇌의 기능을 억제하기 때문에 연하에 악영향을 미칠 가능성이 있다. 신경에 작용하는 약을 복용하고 연하가 나빠진 경우에는, 그 약이 원인 중 하나로 생각해야 한다.

침흘리는 것에 대해서는, 항콜린작용을 가진 약제와 한방약 중 인삼탕 등이 효과를 보인다. 경부와 입술 등의 근긴장이 항진되어 있는 경우는 근이완제(염산 에페드린 등) 투여에 의해 긴장이 사라져, 연하가 부드럽게 되는 경우가 있다. 파킨슨 병에서는 식사 전에 약을 투여하면 식사 중에 약이 효력을 발휘해 연하가 부드럽게 되는 경우가 있다.

CASE | 56세, 남성, 급성 수두증 수술 후

연하훈련을 4개월 간 시행했지만, 오연이 많아 폐렴이 반복되었다. 연하조영을 시행해 보니 잘 삼킬 때에도 오연하는 경우가 있었다. 그러나 뇌파에 이상이 없었기 때문에 항경련제를 중지한 후에 극적으로 연하기능이 개선되었고 오연도 없어 잘 먹을 수 있게 되었다. 이처럼 연하훈련이 잘되지 않는 환자들에게는 뇌 기능을 억제하는 약제는 병세를 고려한 뒤 가능한 한 중지해야 할 것이다. 항경련제와 tranquilizer를 중지하고 나서, 의식이 확실하게 들면서도 섭식, 연하가 부드럽게 되는 경우를 이따금 경험한다.

Difficulty Swallowing Q&A

Q6 연하장애 수술에 대해 알려주세요.

연하장애는 수술로 고치는 경우와 고칠 수 없는 경우가 있다. 연하장애의 원인이 종양 등에 의한 통과장애라면, 장애가 되고 있는 종양을 제거하는 수술이 가장 좋은 방법이다. 수술은 이비인후과, 외과(두경부, 식도), 구강악안면외과 등에서 시행되고 있다.

뇌졸중 등의 신경과 근육의 움직임 장애에 대해서도 수술이 시행되는 경우가 있다. 이것은 기능적인 수술이라고 불린다. 수술이 가능한 지는 환자의 전신 상태와 연하장애 정도도 영향을 미칠 수 있기 때문에, 상당히 어려운 판단이 필요하다. 수술이 가능한 증례는 한정되어 있다. 그러나 3번 문(8페이지)이 열리지 않는 경우에 시행되는 윤상인두근 절단술과 오연 방지를 위해 시행되는 후두 거상술과 후두개관 형성술(Q8 칼럼 참조) 등이 극적인 효과를 거두는 경우가 있다. 수술 후에 적절한 재활치료를 하는 것도 중요하다. '수술로 먹을 수 있게 되었지만 소리를 내는 기능이 상실되었다'고 하는 대가를 지불하지 않으면 안되는 경우도 있다(후두적출술과 기도식도 분리술, 성문폐쇄술 등).

본 병원의 방법을 말씀드리겠다. 재활치료로는 어떻게 해도 먹을 수 없는 경우에 이비인후과 선생님께 상담하여 수술을 고려한다.

방법으로서는 식도입구부(윤상인두근 부위)가 어떠한 원인으로 열리지 않을 때 윤상인두근 절단술을 시행한다. 또한 오연이 많은 경우에는 후두 거상술을 동시에 시행한다. 후두를 거상하는 경우에 결후(Adam's apple)가 꿀꺽 했을 때 위로 올라간 상태를 수술적으로 만들어 내는 것이 목적이다. 후두 거상술로 오연을 상당히 방지할 수 있지만, 호흡에는 불리하기 때문에 기관 절개를 시행할 필요성이 있다. 발성이 가능하여 말하는 것은 가능하다. 또한 중등도의 연하장애에서는 후두적출과 기도식도 분리술을 시행한다. 이러한 방법으로 오연은 완전히 방지할 수 있지만, 말을 하는 것은 할 수 없게 된다. 이 밖에도 많은 수술법이 있지만 너무 전문적이기 때문에 생략하겠다.

수술 방법 등을 자세히 공부하고 싶은 분은 책 말미에 소개하고 있는 湯本 선생의 '연하장애를 치료한다' 등을 참조하기 바란다. 어떻게든 무엇이라도 하고 싶다고 생각하는 경우에는 연하장애를 전문으로 하는 의사와 상담하도록 하자.

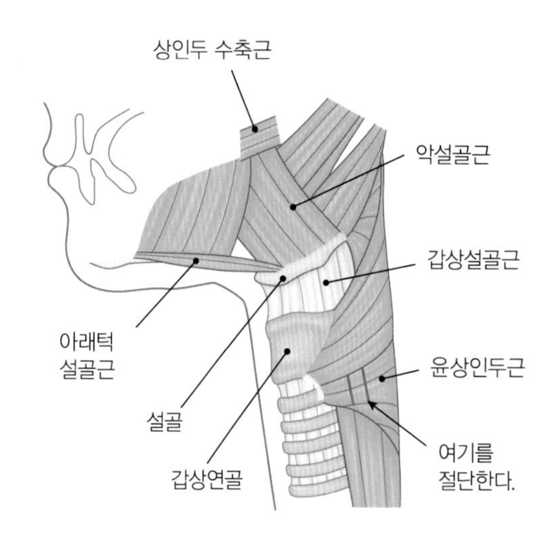

✚ 그림 1 윤상인두근 절단술

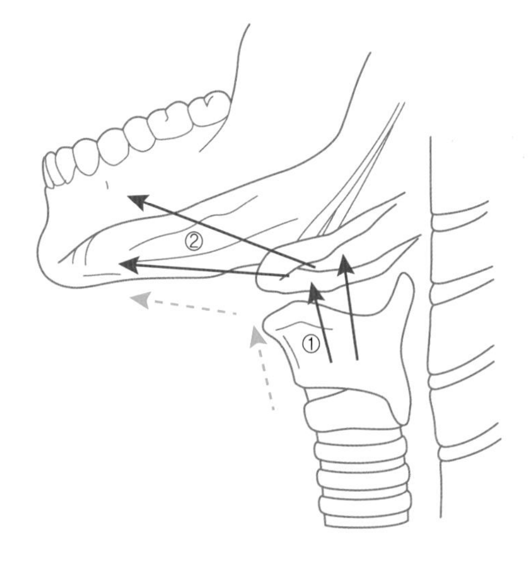

✚ 그림 2 후두 거상술

① 설골-갑상연골 사이에 실을 통과시킨 후, 하악골-설골 사이에 실을 통과시킨다.
② 설골-갑상연골을 결찰한 후, 하악골-설골을 결찰한다. 이 조작에 의해 후두가 전상방으로 거상된다.

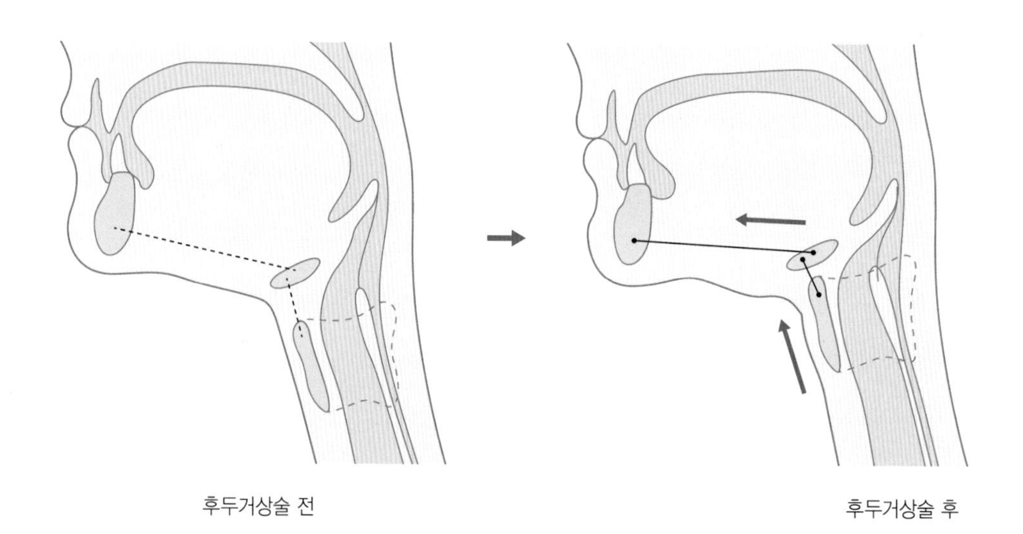

✚ 그림 3 후두거상술 전후

Difficulty Swallowing Q&A

Q7 연하장애라고 진단되었습니다. 식사는 중지합니까?

반드시 중지해야 한다고는 할 수 없다. 주의한다면 먹을 수 있는 경우도 많다고 생각한다. 원인질환의 치료를 시행하고 단기간은 중지하는 편이 좋은 경우도 있을 것이다. 연하장애 원인에도 영향을 받는 것이기 때문에, 진단을 내린 의사와 잘 상담해 보시길 바란다.

CASE | 62세, 남성 : 당뇨병, 뇌혈관성 인지증(경도)

재택생활로 일상생활은 어느 정도 자립하고 있지만, 당뇨병 조절이 되지 않아 입원했었다. 입원 후 식사 중 자주 사레가 들리고 답답하여 주치의가 이비인후과로 진찰을 의뢰한 후, 성문주위의 발적, 종창과 함께 타액이 기관 내에 흘러들어가고 있는 소견이 보이는 경우였다. 연하장애에 의한 오연이라고 판단되어 식사가 중지 되고 경관영양으로 바꾸어 버렸다. 환자는 어떠한 이유에서인지 경관 영양을 거부, 간호사와 말다툼이 벌어져 속박되어 버렸다. 그래도 요란하게 말하면서 코에서 관을 빼라고 했다.

필자가 진찰한 때에도 억제되어 코로 관이 들어가 있었다. 병력을 듣고, 잘 조사해보면, ① 폐렴의 기왕력이 없고 ② 국물을 급히 마실 때 사레들고 ③ 사레든 후에는 호흡곤란도 없고 다시 식사를 계속할 수 있으며 ④ 혈액, 생화학 검사에서 염증 소견이 없이 흉부 X선 사진에도 이상이 없었다 ⑤ 또한 타액이 기관으로 흘러들어가고 있다는 소견은 이 때 보여지 않았다.

억제를 풀고, 코의 관을 뺀 후 환자에게 잘 설명하여 신뢰관계가 생긴 후에 연하식을 주고 식사장면을 관찰하였다.

주의를 기울이면서 식사를 하면 문제없었고, 국물도 의식을 집중하면 목에 메이지 않았다. 입원하여 환경이 변화되었기 때문에 식사에 의식이 집중되지 않아 목이 메이게 된 횟수가 증가한 것 같았다. 또한 식사의 내용이 집에서 먹던 것과 상당히 차이가 있었다. 식기가 바뀐 것도 영향을 준 것 같았다.

만약을 대비해서 연하조영을 시행한 후, 대량(30mL 정도)의 40% 바륨액을 한 번에 마셨을 때 소량의 오연이 있고 심하게 사레들었으며, 이상함요(이상와)와 후두개곡에 식괴 잔류가 있었지만, 특별하게 연하가 어려운 음식물 이외에는 오연의 염려가 없다고 판단되었다. 그래서 주의를 기울여가면서 식사를 재개하도록 하였다.

특히, ① 천천히 먹을 경우 ② 국물은 소량씩 먹을 경우 ③ 조용한 환경에서 먹을 경우 ④ 식전식후의 구강관리를 철저하게 하는 경우 등 주의를 기울이는 경우에서는 문제없이 지낼 수 있었다. 병원이라고 하는 환경에 익숙한 경우도 좋은 영향을 미친다고 생각된다. 그러나 만일 그대로 경관영양이 계속되고 있었다면 정말로 먹을 수 없게 되어 버릴 수도 있겠다고 생각되어 매우 걱정된다.

한편으로는, 먹을 수 없지만 무리해서 먹게 해서 폐렴이 반복되어 괴로워 하는 환자들도 있다. 먹고 있는 환자들의 식사를 중지하자고 하는 용기가 필요한 경우도 있다. 연하장애의 원인과 장애의 정도를 정확하게 판단하여, 적절하게 대처하지 않으면 안된다.

COLUMN

연하에 좋다고 생각하는 제품 [Q5 참조]

캡사이신 시트(sheet), 후추향 시트 등이 판매되어, 연하가 개선되고 있다고 한다. 해롭지는 않아서 경증의 연하장애에는 효과가 있는 사람도 있을 것이라 생각한다.

Difficulty Swallowing Q&A

Q8 사레들었다면 식사는 중지합니까?

사레들면 매우 괴롭다는 생각을 해 본 경험은 누구라도 있다고 생각한다. 건강한 사람은 극소량의 액체가 기관에 들어가 걸리는 것만으로도 격심하게 사레들게 된다.

'사레든다'는 것은 기도에 들어가 걸린 이물질을 배설하려고 하는 생체의 방어반응이다. 사레든다면 사레들지 않고 먹는 방법을 궁리하고, 사레들지 않는 음식물을 선택하며, 사레들지 않도록 연하훈련을 하는 것을 생각하도록 하고, 바로 식사를 중지할 필요는 없다. 사레든다면 잠시 쉬면서 호흡을 편안하게 한 후 진정하고 식사를 시작하도록 한다.

그러나 계속 사레들어 있는데도 식사를 하는 것을 추천하는 것은 아니다. 사레든다면 정말로 괴로워서 잠시도 그 영향이 사라지지 않고 남아있다. 잘 사레드는 환자의 후두와 인두에는 발적과 종창이 자주 보인다. 계속 사레들어 있으면 기도의 점막도 손상받는다. 기도의 점막이 이물질을 배출하도록 하는 기능도 저하되고, 머지않아 오연해도 사레들지 않게 될 조짐을 보이게 된다. 사레들지 않고 오연(사레들지 않는 오연)하는 것은, 사레드는 것보다도 훨씬 위험하다.

CASE | 증례 75세, 여성 : 다발성 뇌혈관 장애

사레들지만 연하조영에서 오연은 없어서, 수년간 외래에서 연하 지도를 시행하고 있었다. 하지만 '최근 사레들지 않아서 다행'이라고 했던 환자가 폐렴에 걸리고 말았다. 이 환자는 폐렴 치료 중 식사가 중지되었다. 폐렴 치유 후에 식사를 재개하던 차에 또 폐렴이 재발되어 버렸다. 오연해도 전혀 사레들지 않았다. 섭식, 연하장애 훈련을 해서 개선은 보였지만, 어떻게 해도 폐렴은 계속 반복되었다. 뇌경색의 재발도 있어서, 결국 타계하셨다.

사레들어 있는 사람이 사레들지 않게 된다면 정말 좋아진 것인가를 확인하지 않으면 안된다. 이 증례와 같이, 나빠져서 사레들지 않게 되는 경우도 있기 때문이다.

COLUMN

후두개관 형성술이라는 수술

후두개를 그림과 같이 관(굴뚝(煙突))으로 만들어 말아서 봉합하여 오연하기 어렵게 해주는 수술이다. 후두개관 형성술은 Biller법이라고도 한다. 호흡을 할 수 없기 때문에 기관 절개가 필요하지만, 기관 절개공을 손으로 막으면 공기가 가는 관(굴뚝)에서 나올 수 있기 때문에, 소리를 내어 대화가 가능하다. 수술기법이 어렵기 때문에 아무데서나 하는 수술은 아니지만, 음성을 보존하면서 오연 방지를 할 수 있는 우수한 방법 중 하나이다.

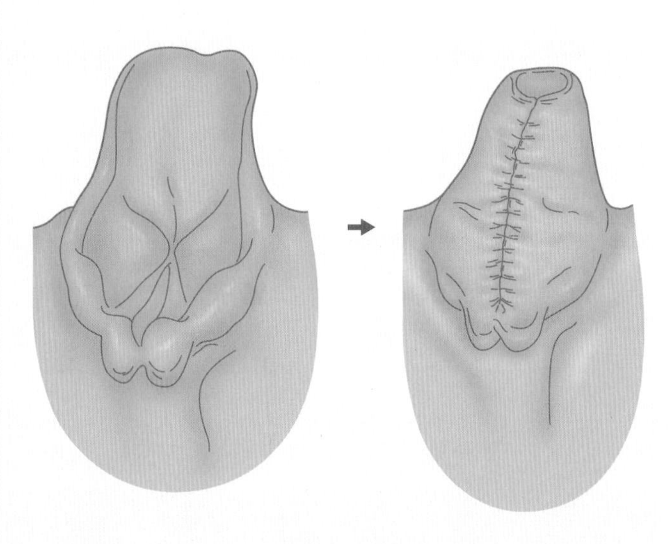

鹿野真人, 他: 고도 오연에 대한 후두개관 형성술. 耳鼻と臨床 50:47-53, 2004

Difficulty Swallowing Q&A

Q9 연하장애가 있는 것처럼 생각되는데, 어디에 가서 누구에게 보이면 좋겠습니까?

일본에서는 의학교육 중 연하장애에 대한 커리큘럼이 잘 짜여져 있지 않다. 이비인후과의 분야에서 연하의 치료, 연구가 행해지고 있지만, 적당한 입문서가 없어서 솔직하게 말해서 '처음부터 어렵다는 생각'이 있다. 필자도 배울 수 있는 지도자를 만나지 못하여 연하 공부에 고생이 많았다.

그러나 최근에는 연하장애에 대한 관심도 많아지고, 논문도 발표되고, 연구회와 학습회가 열리게 되었다. 서서히 일상 진료에서 연하장애에 대해 진료해 주는 선생님이 늘고 있다고 생각한다. 우선은 이비인후과, 재활의학과, 치과, 구강악안면외과, 신경과, 소화기 내과 등에서 진료받는 것을 추천한다. 인터넷 등에서 '섭식, 연하장애', '연구회' 등을 키워드로 해서 검색하면 근처에 있는 선생님들의 정보를 얻을 수 있을 지도 모르겠다. 또한 이 책은 고령자를 대상으로 하고 있지만, 소아영역에서는 뇌성마비 어린이를 대상으로 소아치과와 소아청소년과를 중심으로 물리치료사, 작업치료사, 언어치료사 등과도 협력하여 섭식, 연하장애의 재활을 체계적으로 시행하고 있다.

섭식, 연하장애에 대해서는 의사보다도 간호사 쪽에서 열심히 대처하고 있어서 일찍이 논문 및 증례보고가 나오고 있다. 또한 물리치료사, 작업치료사, 언어치료사 중 이 분야에 참가하려는 사람도 있어 마음이 든든하다. 특히 연하장애를 전문적으로 시행하려고 하는 치료사도 있어 기술도 향상되고 있다. 간병을 직접 담당하고 있는 도우미와 사회복지사 등의 대처도 왕성해 지고 있어, 이후에는 각자의 지식과 기술을 어떤 식으로 환자들에게 환원할 것인가라는 시스템(팀 어프로치)을 생각해야할 시기가 되었다.

미국에는 많은 병원에 연하 팀이 있어서 연하치료사(swallowing therapist)라고 하는 직종이 존재한다. 일본에는 아직 본격적인 연하 팀이 있는 병원이 많지 않다. 의사뿐만 아니라 연하를 전문으로 치료하고 있는 치료사의 수도 매우 적은 것이 현실이어서, 연하장애에 관심 있는 언어치료사, 물리치료사, 작업치료사에게 환자의 연하훈련을 의뢰하고 있다. 또한 간호사와 간병인들이 일상생활을 도와주고 있는 입장이므로 공부해서 연하훈련에 대처하고 있다. 이제부터 시작되는 분야라고 말할 수 있겠다.

1995년 9월에 제1회 일본 섭식, 연하 재활연구회가 쇼와대학 치학부 구강위생학의 가네코 요시히로(金子芳洋) 선생님의 도움으로 개최되었다. 어린이부터 성인까지 의사, 치과의사, 진료 직원을 포함한 여러 분야가 참가하는 연구회로 참가자가 1,000명을 넘어서 회의장에 입장하지 못하여 입장 제한까지 하지 않으면 안될 정도였다. 제2회는 나고야에서 개최되어 참가자는 2,000명을 넘었고 제3회는 도쿄에서 개최되어 연구회는 학회가 되었다. 제4회는 1998년 9월 12일, 13일 하마마츠(浜松)에서 필자가 대회장이 되어 2,300명이 참가하였다. 그 후 발전을 거듭, 2011년에는 학회원이 7,000명을 넘어 학술대회에는 매년 3,000~5,000명이나 참가하고 있고 이 분야에 대한 관심이 점점 높아지고 있다.

COLUMN

왜 경구섭취를 목표로 하는가?

의학적으로는 경관 영양으로 생명을 안전하게 유지할 수 있다. 그러나 보다 자연스럽게, 보다 인간적으로 산다는 것은 어떤 것인가 생각해 보면 입으로 먹는다는 의미를 저절로 알게 된다. 옛날에는 입으로 먹을 수 없게 된다면 바로 죽음이 찾아왔었다. 그러나 의학이 진보함에 따라 먹을 수 없게 되더라도 계속 사는 것이 가능하게 되고 정신활동을 계속 유지할 수 있는 것이 가능하게 되었다.

그러나 한편으로는 입으로 먹는 기능이 남아 있는 환자에 대해서도 안이하게 경관 영양을 시행한다고 하는 폐해가 생겨나고 있다. 잘만 훈련한다면 입으로 먹을 수 있을 사람이 코에서 관으로 영양을 얻고 있다는 것은 매우 불행한 것이다. 먹는다는 것은 동물의 근원적 욕구이다. '무미건조하다'고도 흔히 말하고 있지만 입으로 먹을 수 없는 인생은 정말로 '무미'한 인생일 것이다.

미각은 뇌를 자극하고 정신활동을 부활시켜준다. 또한 입에서 식도를 통해 위로 전달되는 음식물은 직접 주입된 영양보다 소화 흡수도 좋고, 설사 등도 잘 일어나지 않는다고 생각한다. 입으로 먹기 위한 훈련에는 시간과 노력이 걸리지만 먹을 수 있게 되었을 때의 기쁨은 무엇과도 바꿀 수 없는 귀중한 보물이라고 믿고 있다.

Difficulty Swallowing Q&A

Q10 팀 어프로치에 대해 알려주세요.

여러분은 팀 어프로치라는 말을 들으면 무엇이 연상됩니까? 이전에 필자는 세레미카타하라(聖隷三方原) 병원의 스텝에게 들었던 내용이 있다. 그 중에 인상 깊었던 것은 '和'와 '輪'이다. 그림 1, 2는 우리가 도식화한 연하장애 치료에 관한 이상적 팀 어프로치이다. 역할 별 주요한 내용은 표에 제시하였다. 연하에 대해서 치료와 원조(援助)는 동일인이 할 수 없다. 각각의 직종이 자신들이 잘하는 분야에서 책임감을 갖고 협력해서 최상의 치료와 간호를 제공하는 것이 팀 어프로치이다.

팀 어프로치의 비결은 공통 인식을 갖는 것이다. 각자가 멋대로 생각해서 제각각으로 행동한다면 환자와 가족은 혼란을 일으키게 된다. 이것은 실제 있었던 예인데, '의사는 폐렴의 위험이 높기 때문에 경구 섭취는 금지해야 하는 방침'으로 설명했지만 '간호사와 치료사는 될 수 있는 한 먹게 하고 싶다고 생각'했고 '치과에서는 의치를 조정해야만 먹게 할 수 있을 것이다'고 생각해 환자와 접촉하고 있었던 경우이다. 혼란이 일어날 뿐만 아니라, 불신감도 생길지 모르는 사태가 생긴다. 올바른 평가를 하여 어디에 위험이 있고, 경구 섭취의 가능성은 있는지 목표를 정하여서 일치된 치료방침으로 어프로치하는 것이 필요하다. 공통 인식을 갖기 위해서는 우선 의사소통이 잘되는 것이 중요하고 그러기 위해서는 회의를 하는 것이 매우 중요하다.

팀 어프로치에서 또 한 가지 중요한 것은 누가 리더십을 가지고 있는 가라는 점이다. 중증 환자의 경우는 거의 자동적으로 의사가 리더십을 갖게 된다. 안정되어 있는 환자에게 '먹게 한다'는 목표를 가진 경우에는 처해져 있는 상황별로 리더십을 가진 사람을 결정하여 대처하게 하는 것이 필요하다고 생각한다. 매우 어려운 문제이지만 이 점을 인식하여 팀을 경영하는 것이 성공의 열쇠가 된다.

시설의 상황에 따라 혹은 주택 등에서는 이상적인 팀을 조직할 수 없는 경우도 많을 것이라 생각한다. 이 경우에도 환자와 가족을 담당하는 스태프가 팀을 만들고 부여받은 환경에서 최대한 노력을 하는 것이 좋은 진료, 좋은 간호로 이어진다고 생각된다.

✚ 그림 1 팀 어프로치 : 병원에서의 팀

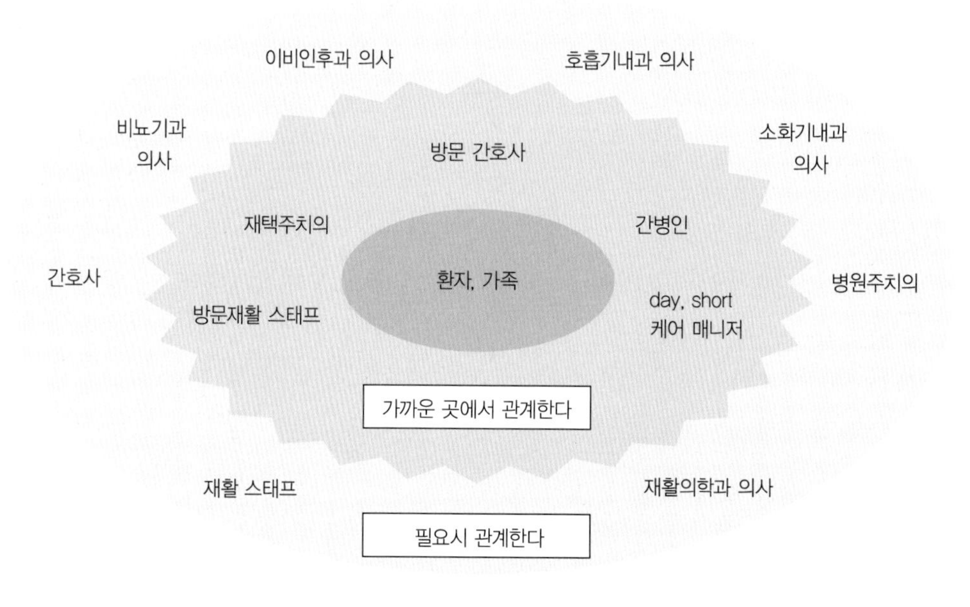

✚ 그림 2 팀 어프로치 : 지역에서의 팀

✚ 연하 팀의 주요한 멤버와 역할

직종	역할
의사	전신관리, 위험관리, 검사, 훈련지시, 목표와 치료방침의 최종 결정, 병의 증상 및 치료계획의 설명과 동의
간호사	생징후, 약의 투여, 약의 점적(点滴), 경관 영양, 기관절개 카뉼라, 구강관리, 섭식간호, 섭식연하훈련, 정신적 서포트, 가족 지도
간호조무사	구강관리, 섭식 간호
언어치료사	구강기능, 기초훈련, 섭식훈련, 구음훈련, 발성훈련, 고차 뇌기능 평가와 치료
물리치료사	경부 체간훈련, 체력 업, 일반운동 요법, 호흡이학요법
작업치료사	실인(失認) 및 실행(失行) 평가와 치료, 자세, 상지훈련과 사용법, 식기의 고려, 자조력(自助力)
간병인(가족)	구강관리, 섭식간호, 정신적 서포트
영양사, 관리영양사	연하식 공급, 칼로리 및 수분 등 영양 관리, 연하식 만드는 법 지도 및 소개
약사	조제(원외처방), 연하하기 쉬운 약제의 조정, 간이 현탁법 및 약효의 설명
치과의사	치아우식증 및 치주병 등 구강의 질환, 구강내 보조장치, 의치의 조정 등
치과위생사	구강관리, 구강위생 관리
방사선사	연하조영
사회복지사	환경조정, 관계조정, 사회자원 소개

CHAPTER 02

오연성 폐렴

이 장에서는 가장 두려운 '오연'과 '오연성 폐렴'에 대해 설명합니다. 어떻게 오연성 폐렴이 되는 것일까, 어떻게 하면 예방할 수 있을까 등을 필자 나름의 방법을 구체적으로 제시했습니다. 아직 미해결된 부분도 많고 모든 의문에 답하고 있지는 않지만, 함께 생각해 보도록 합시다.

Q11

Difficulty Swallowing Q&A

오연성 폐렴에 대해 알려주세요.

폐렴에는 간질성 폐렴, 세균성 폐렴, 바이러스성 폐렴이 있다. 그러나 고령자가 걸리는 폐렴에는 음식물과 타액 등의 오연이 원인으로 발생되는 오연성 폐렴이 매우 많다고 생각한다. 뇌졸중 등으로 연하장애가 있다면 당연히 오연성 폐렴의 위험이 증가하게 된다. 고령자에게는 약간의 오연도 위독한 폐렴과 호흡기질환으로 쉽게 이어진다는 것을 잊어서는 안된다.

고령자가 폐렴에 걸리면 신체의 저항력이 떨어지기 때문에, 좀처럼 낫지 않는다. 체력의 소모도 심하고 병으로 자리에 누워버리게 되는 계기가 되기도 한다. 또한, 뇌졸중의 재활치료 중 오연성 폐렴을 일으키면 훈련이 중단되어 전신 체력이 저하되고, 정상측의 근력 저하와 마비측의 관절구축이 진전되는 등 여러 가지 폐해가 일어나게 된다. 이러한 오연성 폐렴으로 사망하는 예도 꽤 있다.

그러면, 오연하면 바로 폐렴이 되는 것일까?

실제는 반드시 그런 것은 아니다. 폐렴에 걸릴지 걸리지 않을지는 오연한 양과 빈도, 오연한 것의 종류에 크게 좌우된다. 또한, 전신상태와 폐의 방어기구, 배설기구와의 관계도 있기 때문에 어떤 사람은 폐렴이나 무기폐가 되고 어떤 사람은 아무 일도 일어나지 않는 경우가 있을 수도 있는 것이다. 그렇지만, 고령의 뇌졸중 환자는 전신상태가 나쁘고 생체의 방어기구가 저하되어 있기 때문에 소량의 오연이 계기가 되어 폐렴이 되는 경우가 적지 않다. '오연해도 안전하다' 등으로 생각해서는 안되는 것은 당연한 일이다.

오연성 폐렴의 원인에는, 음식물의 오연 이외에 주로 다음의 두 가지 기전이 있다고 생각된다. 하나는 인두와 후두의 점막에 세균의 소굴(colony)이 생겨서 세균을 포함한 타액 등의 분비물을 언제나 오연하고 있는 경우이고, 또 하나는 야간 수면 중, 소량의 위식도 역류에 의한 위 내용물을 오연하는 경우이다. 후자의 경우는, 산과 소화액을 함유하고 있어서 화학적으로 기도점막을 손상시키기 때문에 폐렴이 일어나기 쉽다고 생각하고 있다.

한번 오연성 폐렴이 일어나면 기도점막은 좀처럼 완전히는 회복되지 않는다. 그리고 점막의 감각이 둔해져서 오연해도 기침이 발생하기 어렵게 되고 음식물을 유효하게 배출할 수 없기 때문에 점점 폐렴의 위험이 증대되는 악순환이 발생한다.

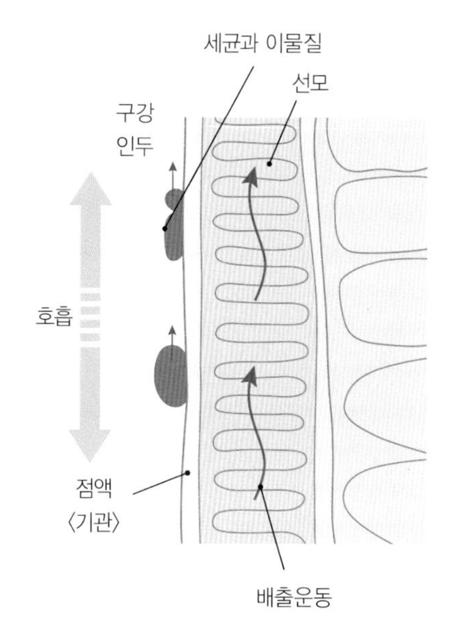

✚ 기관지의 선모세포에 의한 배출기전

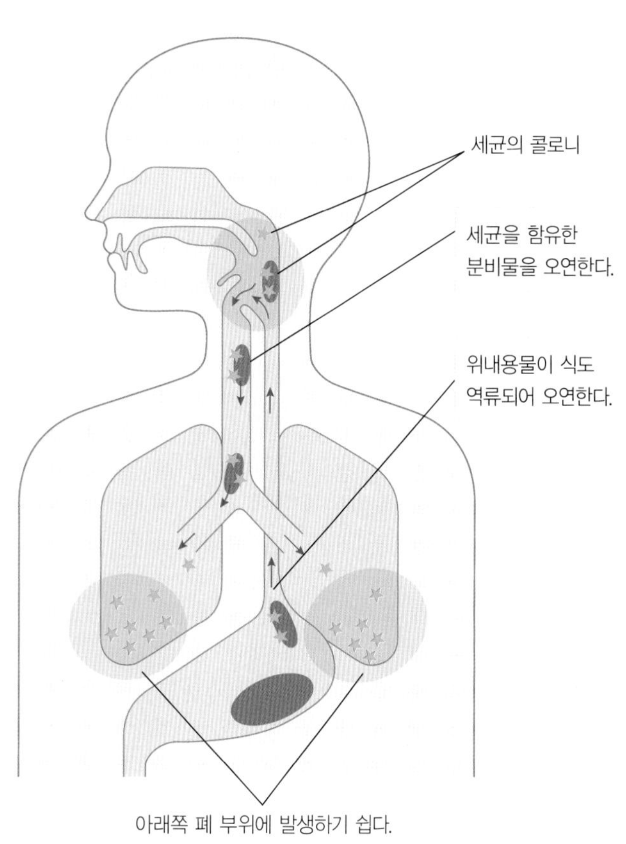

✚ 오연성 폐렴의 기전

Difficulty Swallowing Q&A

Q12 먹지 않는데도 오연성 폐렴이 되는 사람이 있습니까? 왜 그런걸까요?

코로 경관 영양과 위루(피부 위에서 위장에 구멍을 내어 직접 영양분을 보내려는 방법)로 관리되고 있는 사람이라도 오연성 폐렴이 일어나고 있다. 위루를 장루로 바꾸어도 폐렴의 발생률을 줄일 수 없었다는 보고도 있다.

오연성 폐렴의 발생기전은 아직도 충분히 설명되고 있지 않다. 확실한 것은 음식물을 직접 오연한다고 바로 폐렴이 될 리는 없고 음식물을 직접 오연하지 않아도 폐렴이 되는 경우가 있다. 구강과 비강, 인두의 분비물에 세균(식사를 하지 않아도 구강과 인두는 오염된다. 먹지 않기 때문에 타액이 분비되지 않고 점액과 분비물이 연하되지 않기 때문이다)이 번식하여 이것이 오연된다면 폐렴이 되기 쉬우며, 위식도 역류로 소화액을 포함한 음식물을 야간에 오연하게 되는 등의 기전을 생각할 수 있다[Q11]. 어쨌든 폐렴이 발병하기 위해서는 생체의 방어기구와 오연물, 세균의 상호작용이 중요한 역할을 하고 있다. 체력이 있고 기도와 폐포 점막이 건강하다면 폐렴이 되기 어렵지만, 취약하다면 결국 발병하고 만다.

오연성 폐렴에 관한 가장 중요한 인자는 '오연성 폐렴의 기왕력'이라는 것이 잘 알려져 있다. 즉, 일단 오연성 폐렴이 된다면 반복되기 쉽다는 것이다. 정상인이라도 야간을 중심으로 인두 점액 등을 오연하고 있지만, 기도 점막과 선모 운동으로 외부로 잘 배출되고 있다. 하지만 일단 오연성 폐렴이 된다면 기도와 폐포 점막이 상처입고 저항력이 떨어지게 되어 오연한 것을 배출하기 어렵게 된다고 하고 있다. 이것은 특히 고령자에게 현저하다. 기도 점막의 감수성도 저하되고 말아 오연성 폐렴에 걸린 사람은 오연해도 사레들기 어렵다는 데이터도 나오고 있다. 사레들지 않는다고 해서 결코 안심할 수 없는 이유 중 하나이다.

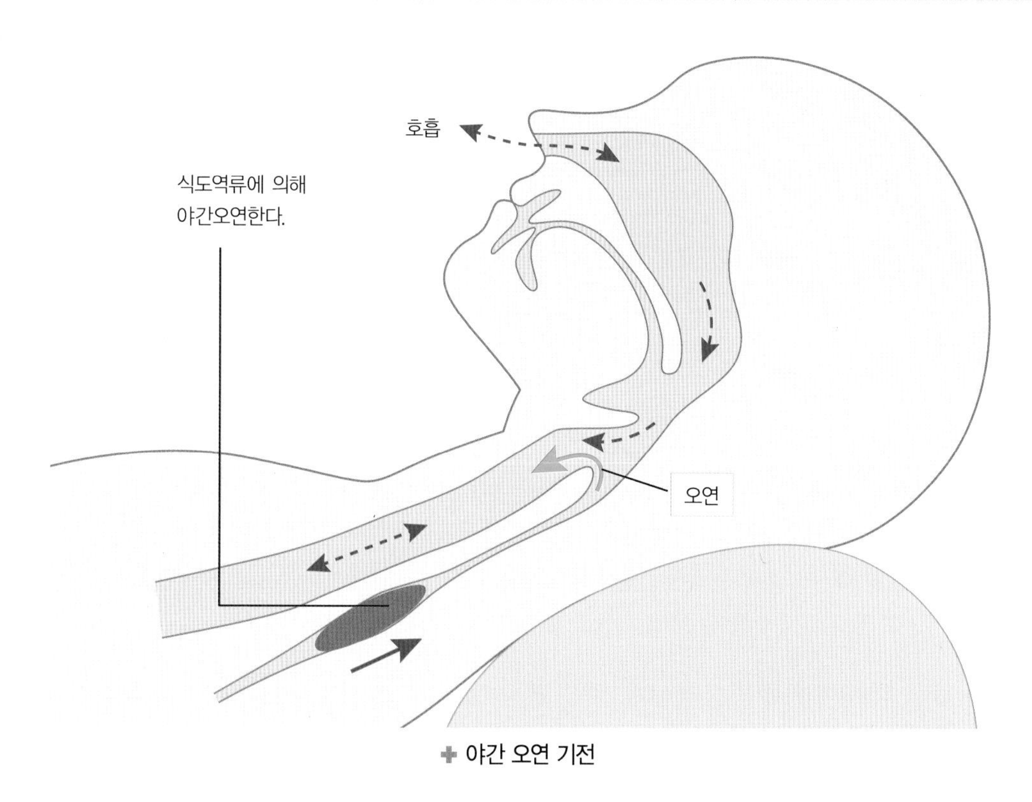

✚ 야간 오연 기전

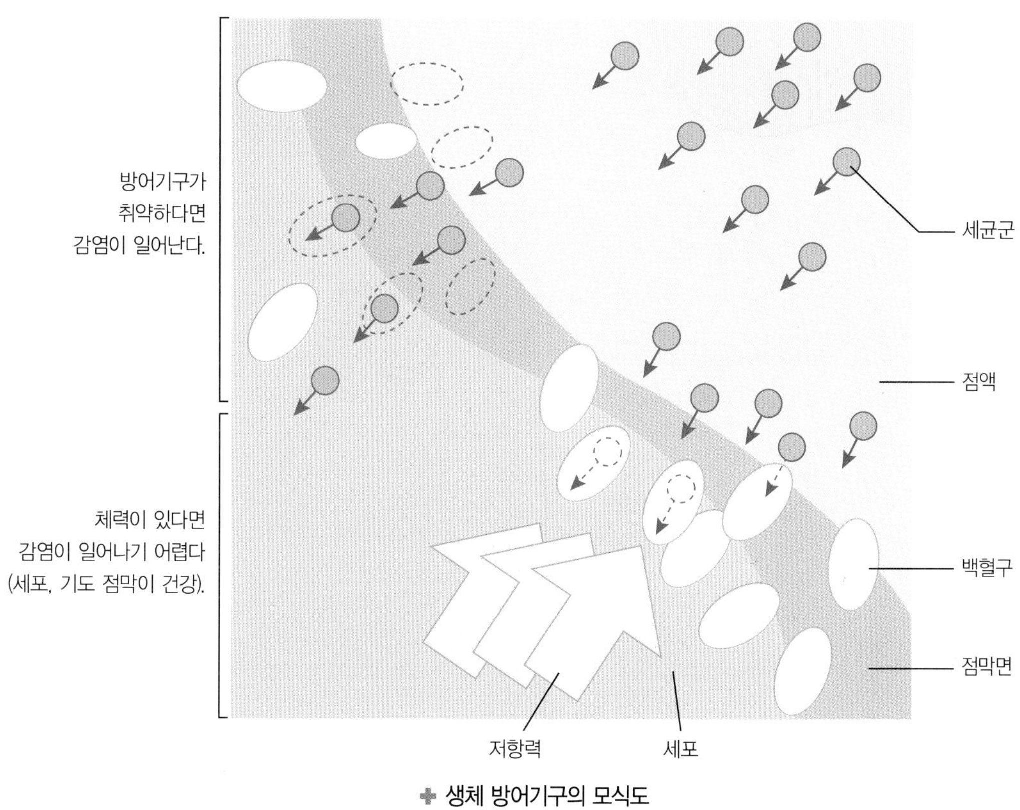

✚ 생체 방어기구의 모식도

Q13

Difficulty Swallowing Q&A

오연성 폐렴은 예방할 수 있습니까?

필자는 어느 정도 예방할 수 있다고 생각하고 있지만, 어떤 것을 어떻게 하면 어디까지 오연성 폐렴을 예방할 수 있는지에 대한 데이터는 아직 수집하지 못했다. 외국 논문에서는 연하장애에 대해 재활훈련을 수행하고 장애를 개선해서, 그 후 오연성 폐렴이 감소했다는 보고가 있다. 앞으로 큰 연구 프로젝트로 계획해서 착수해야할 시기가 오고 있다고 생각한다. 표에 오연성 폐렴의 위험 인자를 나타내었다.

위험 인자를 가진 분에게 알려드릴 수 있는 것으로는, 특히 구강관리가 폐렴을 예방한다는 보고가 많았다는 점이다. 예방에 유효하다고 생각되는 것으로 다음의 세 가지를 추천하고 싶다.

① 식전 식후의 구강, 인두 관리
② 식사 환경을 정돈해 연하에 의식을 집중한다.
③ 식후의 체위 : 복부를 압박하지 않도록 2시간 이상 상체를 세우고 있는다.

사레든다든지 폐렴의 기왕력이 있는 분은 경증의 연하장애가 있다고 생각되므로 다음의 두 가지를 추가로 시행하도록 한다.

④ 먹기 전의 준비체조(연하체조 = [Q77])
⑤ 호흡훈련(입 오무리기 호흡 = [Q84], 기침하는 훈련[Q84, 85])

✚ 오연성 폐렴의 원인 인자	
• 영양불량	• 기초 질환의 존재 : 뇌졸중, 당뇨병, 고혈압
• 구강관리 불량	• 흡연
• 우식치아의 존재	• 여러 약제의 내복
• 경관 영양	• 75세 이상의 고령자

또한 아직 의학계에서 널리 인정받고 있지는 않지만, ACE 저해제라고 하는 고혈압 약이 오연성 폐렴의 발생률을 낮춘다는 보고가 있어서 주목을 모으고 있다[Q5].

오연성 폐렴의 예방을 위해서는

식사 환경을 정돈한다

식전, 식후의 구강 인두 관리

복부를 압박하지 않는 식후의 자세

CASE | 78세, 남성
폐렴, 다발성 뇌경색, 뇌혈관성 인지증, 기왕력으로서 위궤양, 반복되는 폐렴

토혈로 응급실로 운반되어 검사한 결과 빈혈, 탈수, 폐렴, 위궤양 진단으로 입원하게 되었다. 빈혈과 탈수, 위궤양은 개선되었지만, 폐렴은 반복되고, 식사 및 물 마실 때 때때로 사레들림이 있어서 진찰 의뢰되었다. 초진시는 음식물을 끊고 혈관으로 영양 공급이 되고 있었다.
다발성 뇌경색이 있고, 인지증으로 집중을 할 수 없었지만, 이가 없어서 딱딱한 것을 씹지 못해도 구강기능은 양호하여 꿀꺽하는 연하반사도 잘 보여졌다. 기초훈련과 소량의 물 마시는 훈련을 며칠 시행한 후 연하조영술을 시행했다.
그 결과, 처음 몇 번은 오연도 인두 잔류도 없었지만, 나중에는 연하근육의 피로로 인두 잔류가 증가하고, 오연이 보였다. 식도는 역류성 식도염을 반복했기 때문에 변형되었다고 생각되는 꾸불꾸불함이 있고, 연동운동도 다소 불량해서 식괴가 잔류하고 역류도 보였다. 위식도 역류에 의한 폐렴의 위험성도 높다고 생각되었다. 연하의 체위는 30° 앙와위, 경부 전굴(前屈)이 가장 좋은 자세이고, 횡향(横向き) 연하나 교대(相互) 연하가 효과가 있었다[Q82, 83].

연하조영소견에 근거해서, 다음의 것을 철저히 시행했다.
① 섭식시의 체위는 30° 앙와, 경부 전굴. 식후에도 2시간 이상 일어나 있는다. 야간에도 15° bed up시켜 위로부터의 역류를 방지해야 한다.
② 언어치료사에 의한 섭식 연하훈련, 가족(딸)에게 지도 : 한 끼마다 횡향 연하, 교대 연하를 시행하여 구강 및 인두 잔류를 감소시켜야 한다. 쉬엄쉬엄 먹어야 한다.
③ 단계적 섭식훈련(부록에서 연하(조정)식의 메뉴표 참조).
④ 물리치료가 체간(體幹)훈련과 가래 배출훈련을 시킨다.

약 1개월에 믹서로 갈은 음식의 섭식이 가능하게 되어 퇴원했다. 그 후에는 붙잡고 보행, 실내에서의 일상생활은 가벼운 도움으로, 식사는 딸이 관리하여 폐렴이 일어나지 않고 잘 지내고 있다.

이처럼 인지증으로 주의력을 유지시킬 수 없는 환자에게도, 가족의 헌신적인 간호가 있고, 병태를 알고 주의력을 유지시킨다면, 반복되는 오연성 폐렴을 예방할 수 있는 증례가 있다.

Difficulty Swallowing Q&A

Q14 오연성 폐렴의 징조와 발현 양상에 대해 가르쳐 주세요.

의사라고 해도, 내과와 호흡기를 전문으로 하는 의사가 아닌 바엔 매우 어려운 내용이라고 말할 수 있다. '감기 걸렸다'라고 해서 약을 처방받았지만 좀처럼 낫지 않는다든가, 점점 기운이 없어지고 있다고 하는 경우에 잘 검사해보면 오연성 폐렴이었다고 하는 증례를 경험하고 있다. ① 심하게 자꾸 콜록거린다 ② 고열이 난다 ③ 화농성 가래(황백색의 가래)이 많이 생긴다 ④ 호흡이 괴롭다 ⑤ 폐잡음이 있다 ⑥ 염증반응(CRP 상승, 백혈구 증가 등)이 강하다 등의 전형적인 증상이 있다면 발견은 용이하지만, 고령자의 경우, 외부로 나타나는 증상이 가벼움에도 불구하고 폐렴이 진행하고 있는 경우가 자주 있다.

일반적인 열, 기침, 가래 등 외에도 다음과 같은 증상에 주의하기 바란다.

- 기운이 없다.
- 식사시간이 길어지게 되었다.
- 식후에 지쳐서 녹초가 된다.
- 멍하니 있는 경우가 많다.
- 요실금이 있게 되었다.
- 입 안에 음식물을 담아두고 삼키지 않는다.

이상과 같이 폐렴과 무관하다고 생각할 수 있는 증례라도, 잘 검사하면 폐렴이었다고 하는 경우가 있다.

이러한 증상은 폐렴의 치료와 더불어 사라진다. 어쨌든 변화에 민감하게 된다는 것이 중요하다. 최근 가래가 많은 환자들에서도 가래의 양과 성상에서 변화가 보인다면 의심해 보고, 전문의에게 진찰을 의뢰하기 바란다.

반대로 연하장애 환자가 발열하면 이내 오연성 폐렴이 아닐까 하고 의심할 수 있지만 필자의 연구에서는 1/3은 요로감염증, 1/3은 그 밖의 원인이 있고 1/3만이 오연과 관련된 것이었다. 발열한다고 바로 절식을 하면 2/3의 사람은 먹을 수 있음에도 먹지 못하게 하는 것이 될 가능성이 있는 것이다. 이러한 것도 염두에 둘 필요가 있을 것이다.

오연성 폐렴 치료에서는 약물 이외에 호흡이학요법(체위 드레이니지(drainage), 스퀴징(squeezing), 복식 입 오무리기 호흡 등), 분무기(nebulizer) 등이 유효하다. 특히 만성화된 가래의 양이 많을 경우에는 적극적으로 시도하기 바란다. 오연성 폐렴, 호흡이학요법 등을 자세히 공부하고 싶은 분은 책 말미의 참고문헌을 참조해 주시기 바란다.

오연성 폐렴의 징후

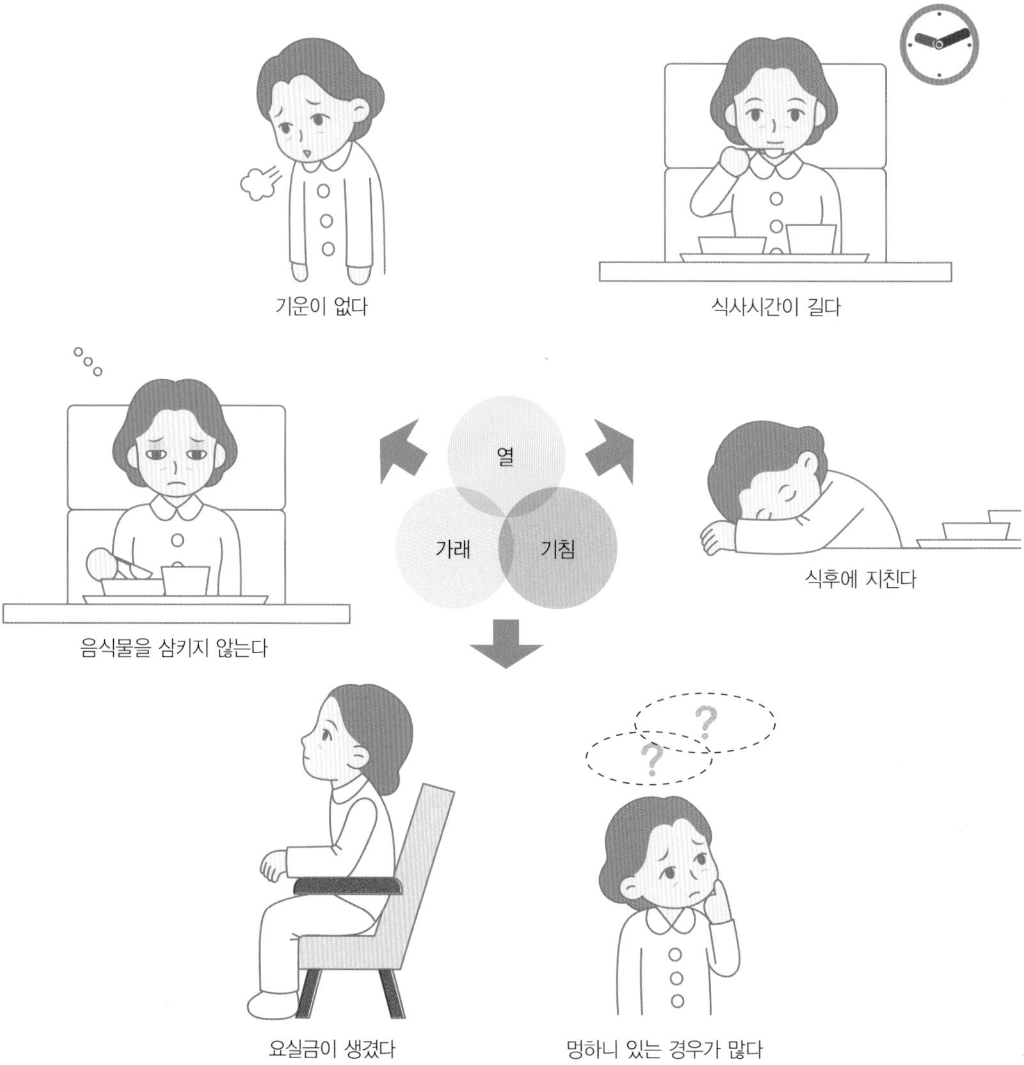

기운이 없다

식사시간이 길다

열

가래

기침

음식물을 삼키지 않는다

식후에 지친다

요실금이 생겼다

멍하니 있는 경우가 많다

CASE | 78세, 남성 : 뇌경색

뇌경색에 의한 왼쪽 편측 마비가 있어 입원하여, 치료 후 재활훈련을 시행했지만, 체력이 떨어져 자립하여 일상생활을 할 수 없게 되었다. 감기약을 희망했지만, 이야기를 잘 들어보면, 최근 2년간 계속 감기에 걸려 있었고, 때로는 폐렴처럼 된다고 한다. 좀 더 이야기를 들어보면 식사 도중에 기침이 나서 식후 2시간 정도 있어야 진정되고, 식사를 하면 심하게 지치게 된다는 것 등을 알게 되었다. 염증 소견은 경도지만, 흉부 엑스레이사진 상에서는 폐야(肺野)의 혈관음영이 약간 많지 않나 하고 생각할 수 있는 정도였다.
연하조영을 시행하면, ① 의식을 집중하고 있으면 오연은 없다 ② 뜻하지 않게 수분을 섭취할 때 오연이 있다 ③ 사레드는 것과 오연은 상관없다 ④ 연하근육의 피로(식사 후반)로 수분의 오연이 많은 것 등을 알 수 있었다. 이 상태라면 오연성 폐렴이 될 위험성이 높다고 판단하여, 다음의 것들을 지도했다.

① 먹기 전 준비체조(연하체조)
② 천천히 식사를 한다 : 전체적으로 30분 이상 걸린다.
③ 식사중에 휴식을 취한다 : 최저 2회로 나누어 도중에 5분간 쉰다.
④ 국은 특히 신중하게 마시든가, 걸쭉하게 만든다.
⑤ 호흡법, 가래배출법

지도는 훌륭하게 성공하여, 감기 증상, 특히 식후의 기침과 권태감이 소실하였고, 체력도 회복되어 재활도 순조롭게 진행되었으며, 건강하게 걸어서 퇴원하게 되었다.
본인이 '감기'라고 말해도 그것은 오연의 증상을 나타내고 있을 지도 모른다. 주의깊게 관찰할 필요가 있다.

COLUMN

고령자의 오연성 폐렴과 사르코페니아(Sarcopenia)(근육감소증)

필자의 경험 중 가장 곤란한 경우는 오연성 폐렴이 되풀이 되는 허약 고령자이다. 정상적인 식사를 하고 있는 고령자(75세 이상의 여윈 체형, 소위 허약체형)가 중증의 오연성 폐렴이 되어, 항생물질로 치료해도 식사를 재개하면 곧 폐렴이 발생되어 버리는 분들이다. 폐렴 후에 뇌경색이 병발되지 않았는데도, 연하장애가 진행되어 버린 경우이다. 이러한 환자에게 연하조영검사를 하면 인두 수축이 전체적으로 약하고, 식도 입구부위의 열림이 좋지 않다. 연하훈련효과도 그다지 좋지 않아서 정말로 대처하기 곤란했다. 독자분 중에서도 경험이 있지 않은지요? 어째서 연하장애가 생겨 진행해 버린 것일까? 최근, 필자는 사르코페니아(sarcopenia)가 관여하고 있지 않은가 생각하고 있다.

사르코페니아라는 것은, 우리말로 근육감소증이라고 해서, 근육량과 근력의 저하 및 이러한 것에 의해 신체 기능 저하가 생기는 병태를 말한다. 사르코페니아의 원인에는 나이 듦, 활동(폐용 : 오랜 기간 사용하지 않아, 기관이나 근육의 기능이 없어지거나 위축되는 것), 질환(침습, 악액질, 신경근질환), 영양(기아)이 있다고 한다. 재활 영역에서는 若林秀隆 선생님이 사르코페니아 대책으로 '운동과 영양'의 중요성을 지적하고 있다. 폐렴을 계기로 슬그머니 진행되고 있던 연하근육의 사르코페니아가 일시에 악화되어, 훈련해도 개선되지 않는 연하장애가 된다고 생각할 수 있다. 그렇다면 어쩌면 좋을까? 대응법은 예방 밖에는 없다고 생각한다. 평소 영양(특히 단백질)과 운동(두부거상 훈련 등 연하근력 강화)에 유의하는 것이 가장 중요하다고 생각한다.

- 若林秀隆 편저 : Rehabilitation 영양 handbook. 醫齒藥出版, 2010, pp4-8.

Difficulty Swallowing Q&A

Q15 사레들지 않는 오연으로는 무엇이 있습니까?

음식물과 음료를 잘못하여 폐 쪽으로 흘러가게 해버리는 경우를 오연(誤嚥)이라고 한다. 통상적으로는 오연한다면 사레들게 된다. 사레든다는 것은 반사적으로 기침이 나오는 경우이다. 그러나 연하장애 환자 중에는 '오연해도 사레들지 않는 분'이 계신 경우를 알고 있다. 이 상태를 '사레들지 않는 오연'이라고 하고, 별명으로 '불현성(不顯性) 오연'이라든지 '무증후성 오연'이라고도 부른다. 사레든다는 것은 좋은 일은 아니지만, '오연한다면 사레드는' 쪽이 오연했던 것을 알고 있다는 의미로서는 안심할 수 있다고 여긴다[Q8]. 연하는 보이지 않기 때문에 오연해도 사레들지 않는다고 하는 것은 매우 무서운 점이 된다. 때문에 연하조영과 연하 내시경 검사로 '사레들지 않는 오연이 있는가 아닌가'를 확인한 후에 치료를 시도하고자 생각한다.

그렇지만 어느 정도의 빈도로 있을까 하는 점에 대해서는 솔직히 말하자면 잘 모르겠다. 소량이라면 사레들지 않는다고 해도 대량이 되면 사레드는 사람이 있다. 또한, 오연한 직후에는 사레들지 않는다고 해도 수 분에서 경우에 따라서는 수 십분 후에 기침이 시작되는 사람도 있다. 환자를 관찰해서 언제나 식후에 기침이 많이 난다고 하는 경우에는 요주의하도록 한다.

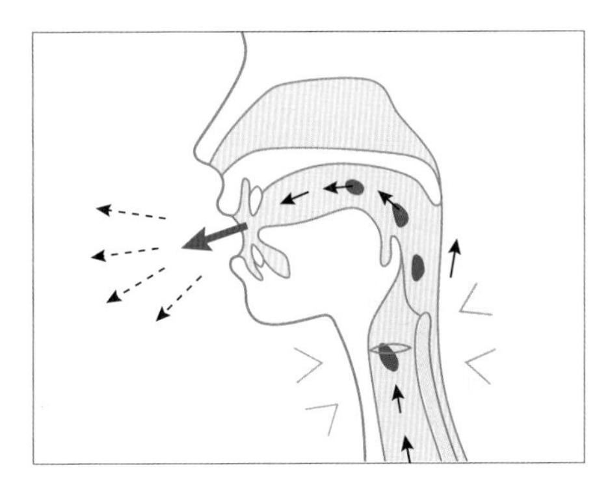

✚ 반사적인 기침 = 사레듦

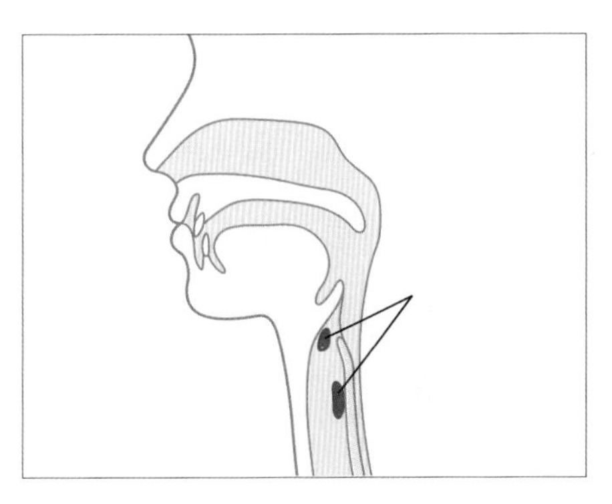

✚ 오연해도 사레들지 않음

Difficulty Swallowing Q&A

Q16 오연성 폐렴의 예방에 폐렴구균 백신은 효과가 있습니까?

필자의 경험으로는 매우 효과가 있다고 생각한다.

일반적으로 오연성 폐렴은 구강내의 상주균과 혐기성균이 원인으로 발병한다. 때문에 폐렴구균 백신을 접종해도 효과가 없다고 생각하기 쉽다. 그러나 고령자 연하장애 환자를 치료해보면 폐렴구균이 원인으로 폐렴이 되는 환자가 다수이다. 필자의 경우, 타액오연과 불현성 요연(사레들지 않는 오연)이 보이는 고령자에게는 폐렴구균 백신을 적극적으로 권하고 있다. 반복되는 오연성 폐렴을 백신 접종 후에 거의 볼 수 없게 되는 증례도 많이 경험하고 있다. 폐렴 구균은 항생물질이 잘 듣지 않는 형태의 아류형(subtype)(폐렴구균 중에도 몇 종류가 분류된다) 이 있어서, 발병하면 치료가 번거로운 경우가 있지만, 백신은 거의 대부분의 폐렴 구균에 효과가 있어서 폐렴을 예방한다. 예방을 이기는 의료는 없기 때문에, 의사와 상담해 주시기 바란다.

또한, 고령자에서는 인플루엔자라도 발병하면, 이어서 오연성 폐렴이 되는 위험도 높아진다. 인플루엔자의 예방 백신은 가능한 맞을 것을 권한다.

Difficulty Swallowing Q&A

Q17 양념과 후추가 연하장애를 치료해서 폐렴예방 효과가 있다고 신문에 쓰여 있었는데 정말인가요?

양념에 들어있는 고추에는 캡사이신이라고 하는 매운 성분이 들어 있다. 이 매운 것이 목의 점막을 자극하여 substance P라고 하는 물질의 방출을 촉진한다고 한다. Substance P는 연하를 개선한다든지 기침을 유발한다. 즉 연하장애를 치료하고 이겨내어 폐렴 예방으로 이어지는 효과를 가지고 있다고 할 수 있다. 학회 등에서도 캡사이신을 함유한 젤리와 입에 무는 시트를 사용해 연하가 개선되었다고 하는 보고와 오연성 폐렴을 예방했다고 하는 보고가 있기 때문에, 효과가 있는 것은 정말이라고 생각한다.

또 하나 후추가 있는데, 이것은 '검은 후추'의 냄새 성분이 뇌에 작용해서 뇌혈류를 증가시켜, 결국 목의 substance P 분비를 촉진함으로써 연하를 좋게 하고, 폐렴을 예방한다고 한다. 이것도 멀쩡한 학술 논문으로 되어 있기 때문에, 효과는 있을 것이라고 생각한다. 냄새를 맡는 것 만으로도 좋기 때문에 누운 채 일어나지 못하는 고령자에게도 사용할 수 있도록 매스컴 등에서 소개하고 있다. 아로마 패치로 제품화되어 직접 구하는 것도 가능할 것이다.

이상과 같이 양념과 후추는 효과가 있지만 마법처럼 연하장애가 좋아지고, 폐렴을 일으키지 않게 된다고 오해해서는 곤란하다. 경도의 장애를 가진 사람과 중등도의 환자들 중에서도 다른 훈련과 치료를 병용하는 경우 중 다수 예에서 사용해 보면 통계학적으로 유의한 효과가 있는 경우가 확인되고 있다는 정도라고 생각하기 바란다. 필자도 환자에게 권하고는 있지만, 이 책에 쓰여 있는 다른 훈련법과 대처법을 따른 후에 추가적으로 효과가 있을 것 같다는 의미로 권해드리고 있다(Q7 칼럼 참조).

CHAPTER 03

검사·진단의 포인트

이 장에서는, 연하장애에 동반되는 증상, 진단하는 포인트, 질문표와 스크리닝 테스트 등을 설명합니다. 또한, 병원에서 시행하는 연하조영의 방법과 그 의미 등을 해설하였습니다.

Q18

Difficulty Swallowing Q&A

어떠한 증상에서 연하장애가 있는지를 의심합니까?

'이 사람은 먹을 수 없기 때문에 연하장애가 있는 것 같습니다'라고 간단하게 생각하는 경향이 있지만, 삼키기 전까지의 '음식물 인지(認知), 입에 넣음, 식괴 형성'에 문제가 있는 것인지, '삼키는 것 그 자체'에 문제가 있는 것인지에 대해서는 확실히 정리해 두지 않으면 안된다.

예를 들어, 상담을 받은 케이스 중에, '차려진 식사의 전량을 문제없이 섭취하고 있을 때'와 '전부 먹을 수 없을 때'가 교대로 나타나는 경우가 있다. 이것은 식사를 할 때의 인식 레벨에 문제가 있을 가능성이 높다고 생각된다. 연하기능이 단기간에 변동하는 경우는 거의 없다. 확실히 잠 깨어 있을 때는 먹을 수 있어도 졸릴 때는 먹을 수 없다고 하는 정도만 문제가 있는 경우가 대부분이다. 물론 이러한 인식 레벨의 변동을 어떻게 해야 하나 하는 것이 큰 문제이지만, 우선은 연하가 없는 생활 리듬을 어떻게 해야 하나 하는 것에 시점을 이동시키지 않으면 안된다.

또한, 고령자와 인지증 환자는 입원과 시설 입소를 계기로 침울해지고(우울증상) 혼란이 나타나는 등 정신적인 원인으로 식욕이 저하된다든지 거식이 시작되는 경우가 있다. 입 안에 음식물을 모아서 삼킬 수 없다. → 그래서 억지로 먹게 한다든지, 점적 주사와 영양관 공급을 한다. → 점점 먹을 의욕이 없게 된다. 실제로는 이 정도로 단순하게는 설명되지 않는 경우도 많지만, 정신적인 원인으로 먹을 수 없게 되는 경우가 꽤 있다.

한편, 입에 넣기(포식(捕食)), 저작, 식괴 형성에 문제가 있는 경우는 주의 깊게 관찰하는 것만으로도 꽤 많은 정보를 얻을 수 있고, 대응했을 때에도 생명의 위험으로 이어지는 경우가 적기 때문에 비교적 수월하다.

그러나 연하장애 = 삼키는 장애라는 것이 실제로 존재하는 경우는 확실히 파악하여 대응에 실수가 없도록 한다.

- 삼킬 때 위를 향하지 않으면 안된다.
- 사레들어서 삼킬 수 없다.

• 먹을 때 바로 기침이 나고 폐렴이 된다.
• 입으로 먹으려 하지만 목구멍을 통과할 수 없다.

등은 명백한 연하장애의 증상이다.

그 밖에,

• 먹을 때 비정상적으로 피곤하다.
• 식후에 호흡이 곤란해 진다.
• 먹을 수 없어서 야위어 간다.
• 먹을 때 피곤하고 괴롭다.
• 먹을 때 쉰 목소리가 난다.
• 먹은 것이 목에서 역류된다.
• 목에 음식물이 남아 있다.

등도 중요한 sign이다. 이 외에도 '여러가지 증상과 대처법'(5항)에서 제시한 증상을 참고하시기 바란다.

최종적으로 연하장애가 있다는 진단은 임상적인 관찰뿐만 아니라 연하조영술 등의 검사가 시행되어야 비로소 내려지게 된다.

COLUMN

발화명료도 (發話明瞭度) (5단계 평가)

간단한 질문(이름, 연령, 가족 구성, 병원까지의 교통수단 등)을 시행하여, 어느 정도 내용을 이해할 수 있는지를 듣는 사람이 평가한다.

[평가 기준]
1 : 잘 알 수 있다.
2 : 때때로 알아듣지 못하는 말이 있다.
3 : 듣는 사람이 대화의 주제를 알고 있으면 그럭저럭 알 수 있다.
4 : 때때로 알 수 있는 말이 있다.
5 : 전혀 알 수 없다.
의 5단계로 되어 있다.

누구라도 평가 가능하여 가성 구마비(假性 球麻痺, pseudobulbar palsy) 등의 구음장애 정도를 나타내는 데 편리하다. 연하장애 훈련이 진행되어 먹을 수 있게 되면, 구음장애도 개선되고 발화명료도가 향상된다고 하는 경우가 많다.

Q19

Difficulty Swallowing Q&A

연하장애라고 진단하는 포인트를 가르쳐 주세요.

우선 어떠한 증상으로 연하장애를 의심하는지에 대해 말씀드리겠다. 먼저 처음으로 떠오르는 생각은 '사레든다'는 것이다. 사레들면 '음식물이 공기의 통로쪽으로 들어가 버린다=오연'이라고 생각하는 분이 많을 것이라 생학한다. 하지만, 우리 건강한 사람들에게도 우연한 기회에 사레드는 경우가 있지만, 거의 오연은 하지 않는다. 아주 조금만 음식물이 기관에 들어가 걸리게 되면, 격심하게 사레들어서 공기와 함께 외부로 토해내 버리기 때문이다. 이와 같을 때, 연하장애가 있다고 의심하는 경우는 없다.

하지만 '먹을 때마다 사레든다'든가 '사레들기 때문에 식사를 할 수 없다'라고 하는 상태에 있다면 거의 확실하게 연하장애를 의심하여, 임상적 상황만으로도 연하장애가 있다고 진단할 수 있을 것이다.

사레들 경우와 관련하여 자주 이용되는 쿠보타(窪田)의 물마시기 테스트를 표1에 소개한다. 구강과 인두를 깨끗하게 닦은 후 시행하도록 한다. 앉은 자세에서 사레들 때는 체위를 궁리해보고 성적이 높아지면, 그 체위가 유효성이 있다고도 할 수 있다. 옆으로 향한(횡향) 연하와 숨을 참는 연하의 유효성도 시험해 보면 좋을 것이다. 또한, 30mL의 물마시기 테스트를 갑자기 하면 위험하기 때문에, 최근에는 개정 물마시기 테스트(표 2)가 시행되도록 하고 있다.

물마시기 테스트에 대응하는 '음식물 테스트'라고 하는 테스트도 고안되어 있다. 표3을 봐주시기 바란다. 표에 나와 있는 판정과는 별도로, 푸딩을 어느 정도의 스피드로 먹을 수 있는가를 조사한다든지, 먹는 방법의 형태를 관찰한다. 연하훈련을 하고 테스트 결과가 개선되었는지 등을 보면 훈련 효과를 판정할 수 있다고 생각한다.

또한 연하장애가 있는지를 보기 위해서 반복 타액 연하 테스트가 자주 시행된다. 이것은 구강내를 잘 적신 후에 타액의 연하(공연하(空嚥下)라고도 한다)를 반복해서, 30초간 몇 번 연하할 수 있는가를 보는 테스트이다. 2회 이하라면 이상이 있는 것이므로 연하장애를 의심한다. 이 테스트는 간편하고 안전하지만, 인지증이 있는 분과 실어증 등으로 지시를 이해할 수 없는 분들에게는 적합하지 않다. 실시 전에는 '오른손을 들어

표 1. 물마시기 테스트 방법(쿠보타)

상온의 물 30mL를 따른 약잔을 바로 앉은 자세로 환자의 건강한 손에 건네고, '이 물을 평소처럼 마시세요'라고 한다. 물을 다 마실 때까지의 시간, 프로필(profile), 에피소드(episode)를 측정, 관찰한다.
프로필
1. 1번에 사레들지 않고 마실 수 있다. 2. 2번 이상 나누어서 마시지만, 사레들지 않고 마실 수 있다. 3. 1번에 마실 수 있지만, 사레드는 경우가 있다. 4. 2번 이상 나누어서 마심에도 불구하고 사레드는 경우가 있다. 5. 자주 사레들고, 전량을 마시는 것이 곤란하다.
에피소드
후루룩 마시는 분, 입에 머금고 있는 듯 마시는 분, 입술에서 물이 나옴, 사레들면서도 무리하게 동작을 계속하는 듯한 경향, 조심스럽게 마시는 분 등
프로필 1이면서 5초 이내 : 정상 범위 프로필 1이면서 5초 이상, 프로필 2 : 의심 프로필 3, 4, 5 : 이상

窪田俊夫, 他: 뇌혈관 장애에 있어 마비성 연하장애 – 스크리닝 테스트와 그 임상 응용에 대해, 総合 rehabilitation 10(2):271–276, 1982

표 2. 개정 물마시기 테스트(modified water swallow test : MWST)

3mL의 차가운 물을 구강내에 넣어 연하시켜 보고, 연하반사 유발의 유무, 사레듦, 호흡의 변화를 평가한다. 3mL의 차가운 물의 연하가 가능한 경우에는 다시 2번의 연하운동을 추가시켜 평가한다. 평가가 4점 이상인 경우는 최대 3회까지 시행하고 가장 나쁜 점수를 기재한다.
평가
• 1점 : 연하 없음, 사레듦 또는 호흡변화를 동반함 • 2점 : 연하 있음, 호흡변화를 동반함 • 3점 : 연하 있음, 호흡변화는 없지만, 사레듦 혹은 물에 젖은 쉰 목소리를 동반함 • 4점 : 연하 있음, 호흡변화 없음, 사레듦, 물에 젖은 쉰 목소리 없음 • 5점 : 4점에 덧붙여 추가 연하운동(공연하)가 30초 이내에 2번 이상 가능 • 판정불능 : 입에서 나옴, 무반응

才藤栄一 : 섭식, 연하장애의 임상적 중증도 분류와 개정 물마시기 테스트, 음식물 테스트와의 관련. 平成13年度 후생과학연구보조금(장수과학 종합연구사업) 섭식, 연하장애의 치료, 대응에 관한 총합적 연구(H11–장수–035) 平成13年度 후생과학연구보조금연구보고서, pp133–147, 1998)

✚ 표 3. 음식물 테스트

티스푼 1잔(3~4g)의 푸딩 등을 연하시켜 그 상태를 관찰한다. 연하 가능한 경우에는 다시 2번의 연하운동을 추가시켜 평가한다. 평점 4점 이상인 경우는 최대 3회까지 시행하고, 가장 나쁜 평점을 기재한다.
평가
• 1점 : 연하 없음, 사레듦 또는 호흡변화를 동반함 • 2점 : 연하 있음, 호흡변화를 동반함 • 3점 : 연하 있음, 호흡변화는 없지만, 사레듦 혹은 물에 젖은 쉰 목소리와 구강내 잔류를 동반함 • 4점 : 연하 있음, 호흡변화 없음, 사레듦, 물에 젖은 쉰 목소리 없음, 추가 연하로 구강내 잔류는 소실 • 5점 : 4점에 덧붙여 추가 연하운동(공연하)가 30초 이내에 2번 이상 가능 • 판정불능 : 입에서 나옴, 무반응

– 才藤栄一 : 섭식, 연하장애의 임상적 중증도 분류와 개정 물마시기 테스트, 음식물 테스트와의 관련. 平成13年度 후생과학연구보조금(장수과학 종합연구사업) 섭식, 연하장애의 치료, 대응에 관한 종합적 연구(H11-장수-035) 平成13年度 후생과학연구보조금연구보고서, pp133-147, 1998

표 4. 섭식·연하장애의 질문지

성명		연령	세
성별	남 / 여	날짜	년 월 일
신장	cm	체중	kg

당신의 연하(삼킴, 음식물을 입으로 먹어 위까지 운반하는 것)의 상태에 대해, 몇 가지 질문을 드리겠습니다.
모두 중요한 증상입니다. 잘 읽고 A, B, C 중 어느 한 곳에 동그라미를 표시해 주십시오.
최근 2, 3년 동안에 대해서 답해 주십시오.

질문	A	B	C
1. 폐렴으로 진단받은 적이 있습니까?	A. 반복된다	B. 한번만	C. 없음
2. 여위고 계십니까?	A. 확실하게	B. 조금	C. 없음
3. 음식물을 삼키기 어렵다고 느끼고 계십니까?	A. 자주	B. 가끔	C. 없음
4. 식사 중에 사레든 적이 있습니까?	A. 자주	B. 가끔	C. 없음
5. 차를 마실 때 사레든 적이 있습니까?	A. 자주	B. 가끔	C. 없음
6. 식사중과 식후, 그 이외에도 목이 칼칼한 느낌(가래가 낀 느낌)이 있습니까?	A. 자주	B. 가끔	C. 없음
7. 목에 음식물이 남아있는 것 같은 느낌이 있습니까?	A. 자주	B. 가끔	C. 없음
8. 먹는 것이 느립니까?	A. 매우	B. 조금	C. 없음
9. 딱딱한 것을 먹는 것이 힘드십니까?	A. 매우	B. 조금	C. 없음
10. 입에서 음식물이 흘러나온 적이 있습니까?	A. 자주	B. 가끔	C. 없음
11. 입 안에 음식물이 남아있는 경우가 있습니까?	A. 자주	B. 가끔	C. 없음
12. 음식물과 시큼한 액체가 위에서 목으로 되돌아 나온 적이 있습니까?	A. 자주	B. 가끔	C. 없음
13. 폐에 음식물이 남았다든지, 메인 느낌이 든 적이 있습니까?	A. 자주	B. 가끔	C. 없음
14. 밤에 기침 때문에 잠들 수 없었다든지 잠에서 깬 적이 있습니까?	A. 자주	B. 가끔	C. 없음
15. 목이 쉬고 있습니까?(속이 빈 목소리, 쉰 목소리 등)	A. 매우	B. 조금	C. 없음

주세요'라든지 '새끼손가락을 내밀어 주세요' 등 간단한 질문을 시행하여 그 지시에 충분히 따를 수 있는지를 확인하도록 한다.

연하장애를 스크리닝하는 질문지를 표 4에 실어 놓았다. 포인트는 A라는 답변이 하나라도 있다면 연하장애를 강하게 의심하고, B라는 답변이 많아도 그다지 걱정하지 말고 일반 고령자에서도 흔히 볼 수 있는 증상을 나타내고 있다는 점이다.

연하장애를 의심하는 포인트는 표 5에 실어 놓았다. 의심한 증상에서 정말로 연하장애가 있는가를 진단하는 것은, '정말로 오연하고 있는가', '입을 통해 수분과 영양을 충분히 얻을 수 있는가'가 확실한 증거가 된다. '진단'하기 위해서는 의사에게 정확한 평가를 의뢰해 주시기 바란다.

✚ 표 5. 연하장애를 의심하는 포인트

항목	질문 내용 및 주의점, 장애의 원인 등
1. 사레듦	사레드는 것은 오연의 중요한 sign으로, 사레듦의 빈도와 어떠한 때에 사레드는가를 묻는다. • '수분(水分)만 사레든다', '물과 차는 사레들지만 우유는 사레들지 않는다' → 구강내 식괴 유지 불량, 연하반사의 타이밍의 차이, 인두폐쇄 불량 • '먹기 시작할 때 사레든다' → 연하반사의 타이밍의 차이(경증 가성 구마비에 많음) • '도중에 사레든다' → 연하근이 쉽게 피로해짐, 근력 저하 • '계속해서 삼키려할 때 사레든다' → 인두로의 음식물 잔류, 연하반사가 약함 등
2. 기침	기관지염과 천식으로 생각하고 있던 환자가 연하장애였던 경험이 있다. • '식사를 하고 있는 도중부터 기침이 나기 시작해, 식후 1, 2시간 동안 기침이 집중되고 있다' → 오연에 의함 • '식후 누우면 바로 기침이 난다', '침대를 세우지 않고 편평하게 누우면 기침이 난다' → 위식도 역류에 의한 오연
3. 가래량과 성상	오연이 있을 때 가래량이 증가한다. 가래 중에 음식물이 혼재되어 있지 않은지 가래의 성상을 잘 관찰한다. 음식물이 혼재해 있지 않은 장액성 객담만 증가할 경우도 있음에 주의한다. • '식사를 개시한 뒤부터 가래가 많다' → 오연 있음

4. 인두 위화감 (違和感), 음식물 잔류느낌	다양한 인두기 장애, 종양, 이물 등, 이 때 제일 간과하면 안되는 것은 악성종양이다. 뇌졸중인 연하장애 환자를 보고 있어도 인두, 후두, 식도의 악성종양이 함께 있어 연하장애를 일으키는 경우가 있어서 평상시 의심해 보는 것이 중요하다. • '식후, 왠지 모르게 목 주변이 이상하다, 목에 음식물이 남아있는 느낌이 든다' → 인두 음식물 잔류 있음
5. 목소리	식사 중, 식후에 쉰 목소리가 되는 등 목소리의 변화는 없는지, 가래가 얽혀 있는 듯한 목소리가 되지 않는지 → 인두로의 음식물 잔류, 오연
6. 식욕저하	사레들기 때문에 식욕이 없지는 않은지. 섭식으로 피로하기 때문에 식욕저하는 없는지
7. 식사내용의 변화	음식물의 기호가 변화지 않았는지 • '국물을 먹을 수 없게 되었다' → 경도의 연하장애, 구강내 식괴 유지 불량, 인두폐쇄 부전, 연하반사 타이밍의 오차 등 • '푸석푸석한 것은 삼킬 수 없다' → 타액의 분비불량, 구강기의 장애 등 • '밥을 먹을 수 없고 곤죽이 되었다', '부드러운 것만 먹게 되었다' → 저작 능력의 저하, 혀의 기능 저하 등
8. 식사시간, 먹는 방법의 변화	이전과 비교할 때 현저하게 먹는 것이 느려지지 않았는지, 먹는 방법 등에 변화는 없는지 • '목으로 보내려 하지만 위를 향하지 않으면 삼킬 수 없다' → 인두로의 운반 장애 • '음식물이 입에서 흘러내린다' → 입술 폐쇄 부전(안면신경 마비), 설근으로의 운반 장애 • '음식물이 입안에 남는다' → 구강내의 지각장애, 혀의 운동장애 등
9. 식사 중 피로	식사를 하면 지친다고 하는 호소는 없는지 오연이 있어도 사레들지 않고 '먹으면 피곤하다' 고 하는 호소만 있는 경우가 있다.
10. 여윔, 체중의 변화	가족 등에게 여위고 있지 않냐고 듣기만 하지 말고, 체중을 측정한다. 원인 불명의 체중감소시 연하장애가 감추어져 있는 경우가 있다.

Difficulty Swallowing Q&A

Q20 오연하고 있는지를 확인하는 방법을 가르쳐 주세요.

앞의 항에서 사레드는 이야기를 했지만, 사레드니까 오연이 있다고 할 수는 없다. 반대로 보다 무서운 것은 사레들지 않는데 오연하고 있는 경우(silent aspiration)[Q15]이다. 침대 머리맡에 오연하고 있는지를 모두 다 확인할 수는 없지만 여기서는 오연을 평가하기 위한 유효한 방법을 몇 가지 소개하고자 한다.

1. 청진 소견

폐나 경부의 호흡음을 듣는 것이다. 우선, 물을 마시거나 식사 전에 흔히 듣는다. 특히 폐의 뒤쪽에서 아래 방향과 목의 청진이 중요하다. 다음은 물을 마신 후와 식사 중, 식후의 폐음과 비교한다. 음의 변화가 있다면 오연을 의심한다. '목과 폐야(肺野)에서 그렁그렁 소리가 들리게 되었다', '호흡음이 잘 들리지 않는 장소가 생겼다' 등의, 주의력의 승부이다. 숙련되면 상당히 정확하게 오연을 판단할 수 있게 된다.

2. 식후의 기침과 가래

식사중과 식후에 집중적으로 기침이 나오는 것 같은 때는 오연의 가능성이 있다. 식사를 개시한 뒤 가래의 양이 급격히 증가했다 등도 위험신호이다.

3. 식후에 호흡이 힘들다

식사가 위에 들어가면 횡경막과 폐를 압박해서 다소 호흡하기 어렵게 되는 경우도 있지만, 원인이 오연에 의한 것인지를 의심해 볼 필요가 있다.

4. 혈중 산소포화도 모니터

Pulse oximeter라고 하는 간편한 기구를 쉽게 구할 수 있다. 그것을 손가락에 끼우면 바로 혈액중 산소가 어느 정도 있는지 볼 수 있는데, 3% 이상의 저하나 산소 포화도가 90% 이하가 되면 오연이 의심된다.

5. X-선 사진

의사와 상담해 보기 바란다. 이것도 시간의 경과에 따른 변화를 추적하는 것이 중요하다.

6. 오연성 폐렴의 소견

발열, 가래, 기침, X-선 사진상의 음영, 염증소견 등 오연성 폐렴의 소견이 있다면 오연이 있다고 생각한다. 그 때 바로 음식물을 언제나 오연하고 있을 것이라고만 생각하지 말고 ① 위식도 역류는 없는지 ② 신체의 저항력은 어떤지 등 오연성 폐렴의 발병에 관련되어 있는 원인 요소를 함께 생각해서 종합적으로 판단하지 않으면 안된다.

한편, 현재 오연을 가장 정확하게 평가할 수 있는 수단은 연하조영검사라고 말한다. 연하조영을 정확하게 시행하면 단순히 오연의 유무뿐만 아니라, 음식물 형태와 체위가 오연에 대해서 어느 정도 영향을 주고 있는지 평가하는 것도 가능하다. 검사의 포인트는 어떨 때(식품 형태, 체위 등) 오연하는지, 어떨 때 오연하지 않는지 하는 두 가지 시점으로 보는 것이다. 그러나 언제라도 어디서라도 연하조영이 가벼운 마음으로 시행되어서는 안된다. 또한, 환자의 긴장과 검사 시 컨디션에 따라서 정확한 평가가 곤란한 경우도 있다. 내시경(후두 fiber)을 이용하면, 재택 및 침대맡에서 손쉽게 오연의 유무를 검사할 수 있다. 내시경으로는 음식물뿐만 아니라 타액의 오연도 평가하는 것이 가능하다.

이처럼 오연의 유무는, 침대맡에서의 평가와 연하조영과 내시경의 소견을 합하여 종합적으로 판단할 필요가 있다.

또한, 매우 전문적인 이야기가 되겠지만 연구적으로는 방사선 동위원소(isotope)를 함유한 음식물과 물을 이용하여 cintigraphy라고 불리우는 방법으로 오연을 평가하는 것을 시행하게 되었다. 앞으로 일상생활 중에 오연을 정확히 평가하는 새로운 방법이 개발될 것을 기대해 본다.

Q21

Difficulty Swallowing Q&A

연하조영이라는 것은 무엇입니까?

음식물을 삼킬 때, 입 → 목(인후) → 식도 → 위로 음식물이 운반되는 양상은 밖에서 관찰하는 것만으로는 잘 알 수 없다. 목에 남아 있을 지도 모르고, 폐 쪽으로 들어가고 있는(오연하고 있는)데도 사레들지 않을 뿐일지도 모른다. 그래서 X-선으로 촬영한 음식물(바륨을 넣은 젤리와 쿠키 등의 모의식품)을 먹어서 그것의 통과 상태를 검사하는 방법이 연하조영이다. 음식물의 오연에 대해서는 임상적인 관찰로는 한계가 있어, 연하조영이 가장 검출율이 높다고 말하고 있다.

위를 집단 검진할 때 바륨을 먹었던 경험이 있는 분도 계시다고 생각하는데 원리는 이와 같다. 단, 연하장애가 의심되는 분에게 갑자기 바륨을 대담하게 마시는 것은 매우 위험하기 때문에 소량(0.5~1mL)부터 조금씩 양을 늘려서, 안전하게 삼킬 수 있는 양은 어느 정도인지, 오연이 없는 체위와 먹는 방법을 확보하는데는 어느 정도이면 좋을지, 가장 적절한 음식물의 형태는 무엇인지, 또한 반대로 어떤 식품이 위험한지 등을 고려하면서 신중하게 검사를 진행한다(상세한 검사방법은 '뇌졸중의 섭식·연하장애 제2판'(醫齒藥出版, 1998), '연하장애 비디오 시리즈 7 연하조영과 섭식훈련'(醫齒藥出版, 2001)을 참조하시기 바란다). 이와 같이 연하조영은 바륨의 투시검사와는 방법이 크게 다르다.

음식물의 통과상태 뿐만 아니라, 혀와 인두 등 연하에 관련된 조직의 운동과, 형태의 이상을 종합하여 검사한다. 종양 등 중대한 병이 발견되는 경우도 있다.

움직임은 빠르고, 음식물은 일순간 목을 통과해 버리기 때문에, 비디오로 녹화해 두고, 나중에 재생해서 slow motion으로 본다든지 해서 상세하게 분석을 시행한다.

X-선 투시장치만 있으면 보통의 병원에서 시행할 수도 있다. 그다지 특수한 검사는 아니지만 의외로 보급되어 있지 않다.

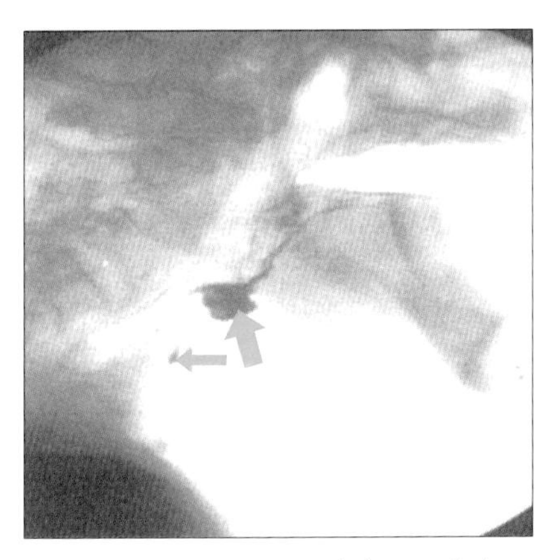

✚ 인두로의 대량의 잔류(⇒)와 오연(→)

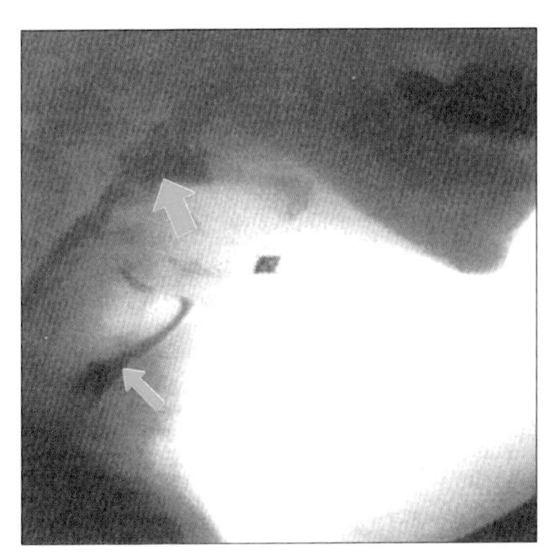

✚ 후두개곡의 잔류(⇒)와 오연(→)

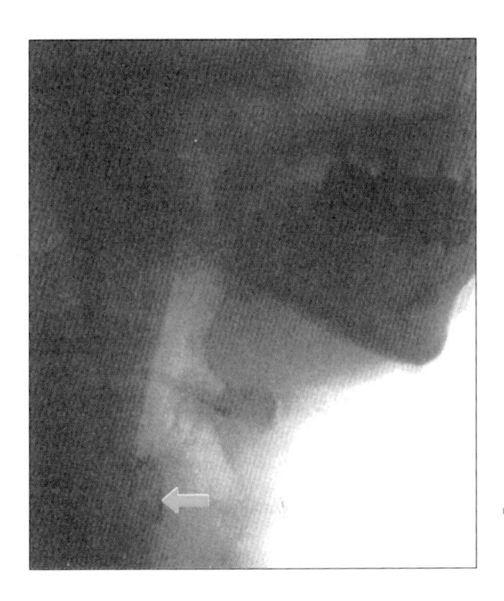

✚ 이상와의 잔류물이 축 늘어져서 기관에 흘러들어 가고 있는 곳

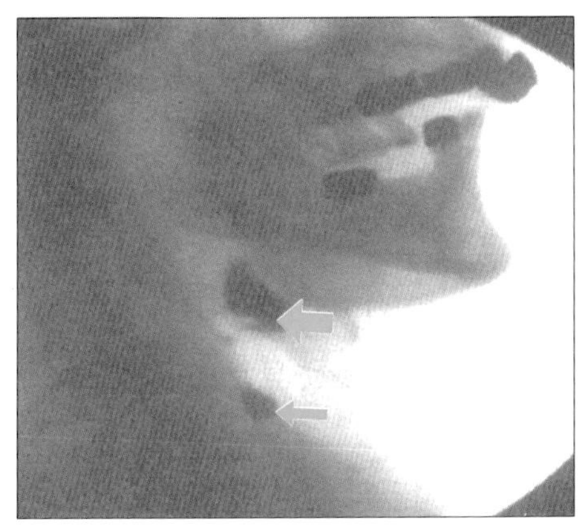

✚ 후두개곡(⇒)과 이상와(→)로의 잔류

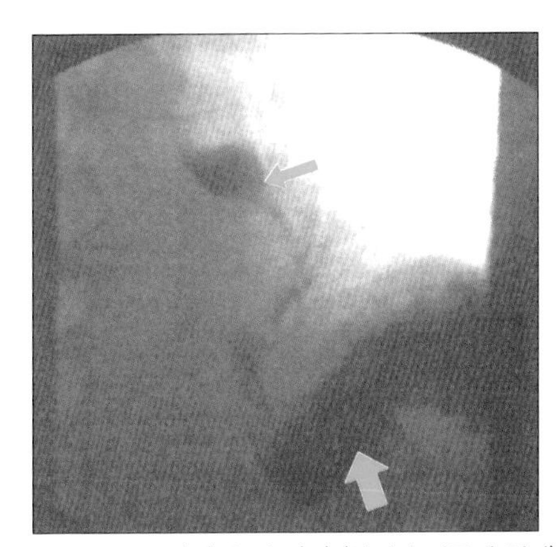

✚ 변형된 위(⇒)와 식도(→) (식괴가 잔류해 있다)

그러나 본격적으로 연하훈련을 시작하려고 생각한다면 반드시 필요한 검사이기 때문에 보다 널리 시행될 수 있으면 하면 좋겠다고 바라고 있다.

검사결과는 이후의 훈련에 매우 도움이 된다. 필요에 따라 환자 자신과 가족에게도 보여주면 효과적인 경우가 있다.

또한 피폭은, 통상의 정밀건강 진단을 위한 단기 입원, 위 투시술 보다도 적은 레벨로 그다지 문제되지 않지만, 가능하면 적게 사용하려고 하기 때문에 위험량을 넘는 경우는 없다. 연하조영이 필요한 사람에게 최저한의 검사를 시행하는 것이 의학적으로 허용되고 있는 것이다. 오연의 위험과 피폭의 위험을 비교하여 어느 쪽을 선택하는 것이 이 환자를 위하는 것일 지를 생각해서 검사를 권하고 있다.

또한 연하조영은 연하조영검사라고 검사를 붙여서 불리우는 것도 있다. 영어로는 Video-fluoroscopic Examination of Swallowing이 되어 약어로 VF라고 읽는다.

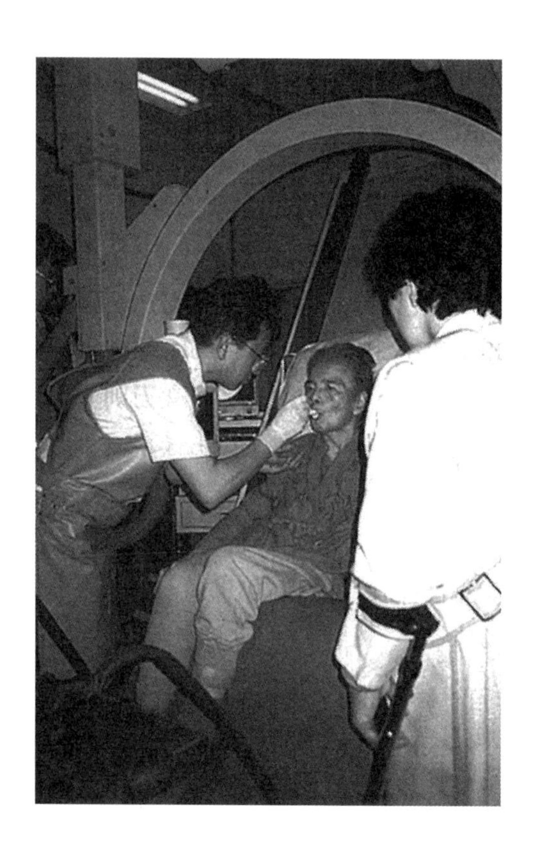

Q22

Difficulty Swallowing Q&A

연하조영을 할 수 없을 때는 어떻게 하면 좋습니까?

코를 통해 관으로 영양을 얻고 있는 환자를 바라보면서 어떻게든 입으로 먹게 할 수 없을지를 고려할 때나, 입으로 먹고 있어도 자주 사레들고 가래도 많으며 때때로 열이 날 때는 연하조영이 필요하게 된다. 그러나 재택과 시설 환자에게서와 같이 연하조영을 시행할 수 없는 경우엔 어떻게 해야할 지가 큰 문제이다. 또한 중증일 때는 연하조영을 시행해서 병태를 파악하지 않으면 손을 쓸 수 없는 것도 사실이다. 환자가 움직일 수 없는 경우는 인두, 후두의 fiber scope(내시경)도 대단히 효과가 있다. 내시경은 피폭도 없고 반복도 가능해서 최근에는 연하장애 치료에 점점 활용되고 있다. 연하내시경(검사)라고 불리워져 일본에서는 2010년부터 보험이 인정되고 있다. 영어로는 Videoendoscopic Examination of Swallowing이라고 하고 약어로는 VE라고 불리고 있다. 우선 가까운 이비인후과 선생님에게 상담해 보는 것은 어떨까?

이제, 아무것도 할 수 없는 때는 본서에서 기술한 방법을 구사해서 '먹게 해 보는'것도 현실적인 대응의 하나라고 생각한다. 환자의 상태는 제각각 다르고, 접근 방법도 천양지차이지만, 감히 아래와 같이 일반화시켜 제 나름의 주의점을 말하고자 한다.

1. 같은 사람이 관여한다.

환자의 습관과, 날마다의 다른 변화를 간파하기 위해서 가장 중요한 것이다. 어쩔 수 없이 교대를 하게 되는 때는, 관여하고 있는 여러 사람이 관찰점을 board에 적어서 전달하도록 한다.

2. 기록을 남긴다.

후향적으로 경과를 추적하고, 앞으로의 대책을 세우기 위해, 신경이 쓰이는 점을 있는 그대로 기록하는 것이 중요하다. 때로는 비디오에 녹화해 두면 도움이 된다.

3. 경부 청진

청진기로 매일, 먹기 전과 후에 목과 가슴의 소리를 듣는 습관을 들여주기 바란다. 청진기는 만원만 내면 구입할 수 있다. 의사가 아니면 청진을 할 수 없다고 생각하지 말고 음의 변화만이라도 좋으니까 들어주시기 바란다(단, 좋은 청진기를 사용하면 음이 매우 선명하게 되는 것도 사실이다). 먹은 후에 "그렁그렁" 거리거나 "꼬르륵"하고 낮은 음이 날 때는 요주의 상태이다. 등 부위의 청진도 시행하기 바란다. 건강한 사람의 소리를 듣고 비교하면 좋을 것이다.

4. 환자의 변화에 주의한다.

① 체온 ② 체중변화 ③ 기운 없음 등 변화에 주의하기 바란다. 또한 ④ pulse oximeter를 이용하여 혈중 산소포화도를 보는 것도 도움이 된다. 90% 이상을 유지하고 있는 경우, 섭식 개시 전보다 평균 3% 이상 저하될 때 등은 요주의 상태이다. 멍하니 보고 있지 말고 조금이라도 악화되는 징후가 있다면 중지한다든지, 시행 방법을 바꾸어야 한다.

우선, 섭식시키기 전의 전신 상태를 상세히 관찰해 두기 바란다. 고령자, 뇌졸중 환자, 인지증이 있는 분은 일내변동(日內變動, daily variation)과 더불어 매일 변화가 나타나게 된다. 섭식을 개시한 후에도 전신 상태를 마찬가지로 관찰한다. 식사는 조금씩 개시한다. '한번 괜찮기 때문에 바로 세 번 식사를 먹게 한다'고 하는 것은 하지 않는 쪽이 좋다고 생각한다. 무리하지 말고 step by step[Q98], 차분하게 시간을 들여서 대처해 주기 바란다.

결국, 오연해도 폐렴이 되지 않는지, 수분, 영양은 충분히 공급되고 있는지가 최대의 포인트이다[Q26].

Difficulty Swallowing Q&A

Q23 연하조영(VF)과 연하내시경(VE)는 같은 연하검사입니까? 양쪽 다 할 필요가 있을까요?

양쪽 모두 매우 중요한 검사이지만, 얻을 수 있는 정보는 상당히 다르다. 필요에 따라서는 양쪽의 정보가 없으면 병태와 치료 방침을 세울 수 없는 경우가 있다. 표에 양쪽의 이점과 결점을 정리했으므로 먼저 봐주시기 바란다.

이 표에서 × 내지 △라고 쓰여져 있는 부분은 평가할 수 없든지, 평가하기 힘든 곳이라고 생각해 주시기 바란다.

일반적으로 연하 내시경 쪽이 간편하고 기동력이 있어, 언제라도 어디서라도 할 수 있지만, 인두 중심의 평가 밖에 할 수 없고 훈련 기술의 효과 판정 등을 하기 어렵다고 한다. 외래와 재택 등에서 목의 상태를 바로 보고 싶다고 할 때 등에 위력을 발휘한다. 보통 먹고 있는 것이 그대로 사용되며, 실제로 인두를 통과하는 양상과 잔류 및 오연해 버리는 장면을 한번 보면 잊을 수 없다. 일본에서는 2010년 4월부터 보험이 인정되어 현재 급속하게 보급되고 있다.

한편, 연하조영은 X-선실과 연하조영용 의자 등이 필요하고, 음식물도 바륨 등의 조영제가 들어 있는 검사식이 필요하며, 피폭의 문제 등도 조금 있어 번거롭지만 얻을 수 있는 정보 및 각종 훈련 기술의 효과를 판정하기 쉽고 무엇보다 인두, 식도까지 연하의 전부를 평가할 수 있는 점에서 우수하다. 이전부터 연하검사의 golden standard라고 불리고 있지만 지금까지도 그 지위는 불변이라고 생각된다.

필자에게 연하내시경은 어느 편이냐고 한다면 스크리닝 검사와 follow-up 검사적인 위치에 있다고 파악하고 있다. 이에 반해 연하조영은 정밀검사적인 느낌이랄까? 연하내시경은 단독으로 시행되지만 연하조영 때는 검사 후(경우에 따라서는 전후)에 연하내시경을 시행하도록 하고 있다. 양자의 정보가 서로 보완하고 있어서 유력한 정보가 되고 보다 깊게 병태를 이해할 수 있어서 이후의 치료방침 수립에 도움이 된다.

✚ VF 와 VE의 비교

	VE	VF		VE	VF
저작, 식괴형성	△	◎	감각	○	×
인두로 전달	△	◎	윤상인두근 장애	×	◎
연구개의 비인강 폐쇄기능	○	△	인두, 후두 점막	◎	×
후두거상	△	◎	구조	△	○
인두의 연동운동	△	○	식도	×	○
후두개의 반전	△	○	피폭	−	+
성문폐쇄	◎	△	환자의 고통	△	△
연하반사의 지연	○	○	간편함	◎	×
오연	○	◎	섭식시의 평가	◎	×
인두잔류	◎	○	머리맡 평가	◎	×
식괴통과시간	×	◎	파이오피드백	○	○

◎ : 우수, 상당히 좋게 평가할 수 있음　○ : 양호, 평가 가능
△ : 가능, 불충분하지만 평가할 수 있음　× : 불가, 불량, 평가 불능

Difficulty Swallowing Q&A

Q24 인두통과에 문제가 있다고 하는 것은, 어떠한 상태라고 할 수 있을까요?

목은 보통 호흡과 발성에 사용되고 있고, 삼킬 때만 공기의 통로를 막고 음식물의 통로가 된다. 때문에 복잡한 운동을 필요로 하고, 식괴가 인두를 통과할 때는 오연의 위험이 높아지게 된다. 인두 통과장애는 식도로 통하는 문(식도입구부)의 열림이 나쁠 때와 인두의 수축력(식괴를 보내는 힘)이 약할 때 등에 발생한다. 인두의 통과장애를 의심하는 것은, 다음과 같은 증상이 있을 때이다.

- 음식물이 목을 통과하지 않는다.
- 음식물이 입으로 되돌아온다.
- 먹으면 사레든다.
- 한 입 째에는 사레들지 않지만 두 입, 세 입 째가 되면 사레든다.
- 먹으면 바로 기침이 난다.
- 식사 중과 식후에 기침이 난다.
- 폐렴을 반복한다.
- 목에 음식물이 남은 느낌이 든다.
- 식후에 목이 그렁그렁하다.

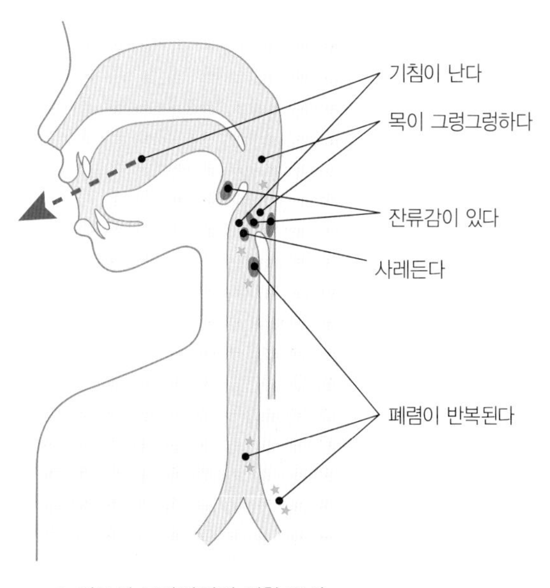

✚ 인두의 통과장애에 의한 증상

인두에 음식물이 잔류하면, 바로 오연을 하지 않아도 남아있던 식괴가 호흡과 함께 빨려 들어간다든지 잔류한 식괴에 세균이 번식하여 세균의 온상(colony)을 만들어 분비물이 조금씩 폐로 흘러들어가서 폐렴이 되는 경우도 있다고 생각한다.

식괴가 목을 통과하는 모습은 밖에서 보이지 않기 때문에, 정확한 평가를 하기 위해서는 연하조영 등의 검사가 필요하게 된다.

CASE | 90세, 남성 : 오연성 폐렴, 다발성 뇌혈관 장애

이 분은 4년 전에 뇌내 출혈로 우리 병원에 입원해서 재활치료를 시행하였다. 우편마비와 실어증과 함께 연하장애(가성 편마비)가 있었지만, 연하훈련을 하여 먹을 수 있게 되어 재택생활로 돌아간 환자이다. 이번에는 중증 폐렴으로 호흡기과에 입원하여, 1개월간의 치료로 폐렴은 치유되었다. 폐렴의 치료 중에는 점적 투여(중심정맥 영양)를 시행하였고 식사는 중지하게 되었다.

이제, 식사를 재개하고 싶다고 하여, 목의 ice massage, 얼음핥기, 경부, 구순, 혀의 운동과 massage 등을 수일 시행한 후, 머리맡에서 젤리를 먹어 보게 하였다. 밖에서 보는 것만으로는, 꿀꺽(연하반사)도 그럭저럭 양호하고 사레듦도 없었다. 하지만, 겨우 세 입 째에 그 이상 먹을 수 없었다. 호흡 상태에 변화는 없었다. 2, 3일 지나면 가래의 양도 많아졌다.

연하조영을 시행해 보면, 꿀꺽하고 삼키는 것 같아도 젤리는 목을 통과하지 않았다. 그 상태로 이상함요(梨狀陷凹), 후두개곡(喉頭蓋谷) 등에 남아서, 호흡과 함께 기관지에 흘러들어갔지만 결코 사레들지는 않았다.

이 환자는 원래 가성 구마비에 의해 연하장애가 있다고 하고, 90세라는 고령으로 1개월 동안 먹지 못했었기 때문에 폐용성(廃用性) 연하근력 저하가 더해져 음식물이 인두를 통과하지 못하고 말았다고 생각되었다. 임상적으로 이상하다고 생각되어, 연하조영으로 인두 통과장애를 확인했던 터였다. 이 분에게도 훈련을 시행하였지만, 체력과 먹으려는 의욕이 없어, 유감스럽지만 먹게 해드릴 수 없었다.

COLUMN

'꾸엑'하는 반사에 대해

인두를 자극할 때 '꾸엑'하는 반사의 경우를 gag reflex(인두반사)라고 한다. 일반적으로 gag reflex는 연하기능과는 무관하지만, 논문에 의하면 gag가 있는 편이 연하기능이 좋다고 기술하는 것도 있다. 환자 상태의 변화를 알기 위해서(gag ± → + 등), 임상 상황에서 제대로 살펴볼 필요가 있다고 생각한다.

Q25

Difficulty Swallowing Q&A

식도 통과장애는 어떤 증상으로 알 수 있습니까?

다음과 같은 증상이 있으면 식도 통과장애를 의심한다.

- 음식물이 가슴에 메인다.
- 일단 삼켰지만 음식물이 목구멍으로 역류해 온다.
- 액체(유동식)이 아니면 위에 들어가지 않는다.

식도의 통과장애는 종양 등의 기질적 장애로 인한 경우가 많기 때문에, 외과적 치료가 우선시되는 경우가 많지만, 뇌간부 경색이나 신경질환으로 식도의 연동 장애가 일어날 때에는 훈련의 효과가 있다.

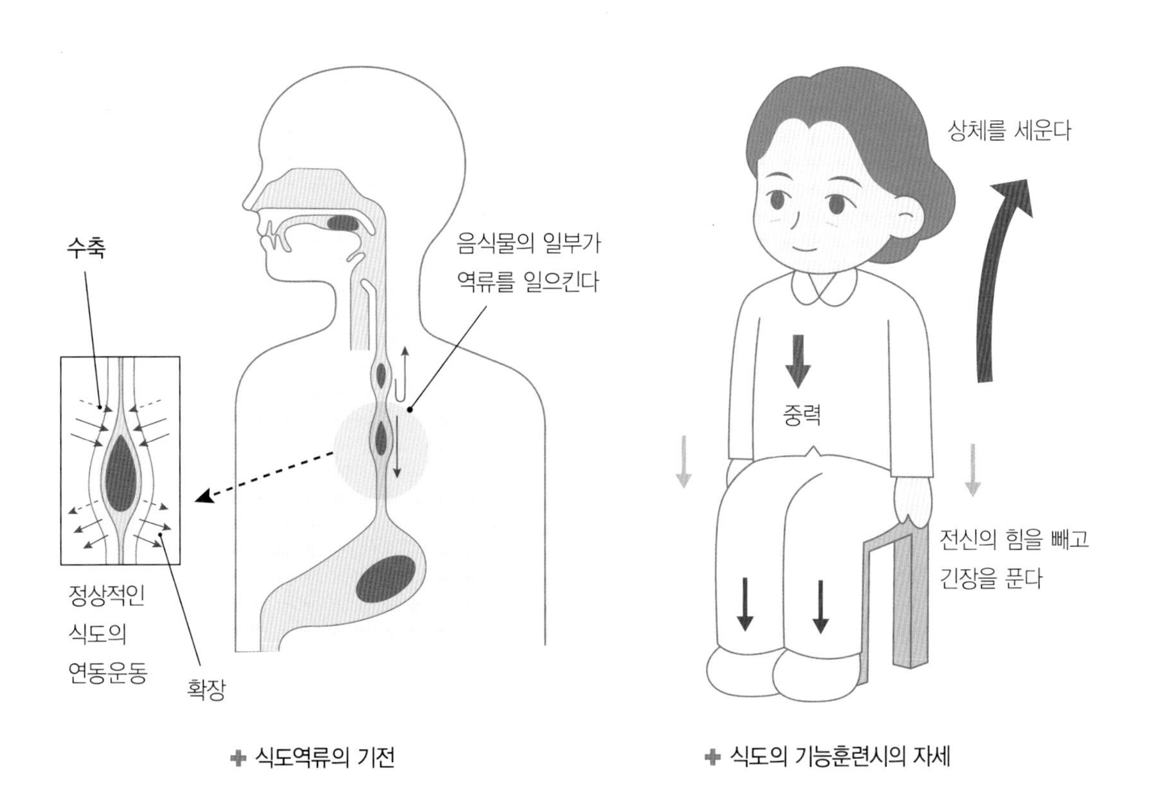

✚ 식도역류의 기전

✚ 식도의 기능훈련시의 자세

식도의 기능훈련은 우선 식도에 긴장을 제거하기 위해 전신의 힘을 빼고 편안하게 해준다. 이것으로 식도의 근력 긴장이 제거되어 통과가 양호하게 된다. 되도록 점도가 적은 음식물을 이용하고, 될 수 있는 한 상체를 세워서, 중력으로 음식물 덩어리가 위로 운반되기 쉽게 한다. 또한 공연하(空嚥下)[Q82]와 공기의 연하를 반복하면 곧 뒤따라 식도의 연동이 일어나 통과가 양호하게 된다.

정확한 평가와 치료는, 연하조영과 투시에 의해 효과를 확인하면서 진행하지 않으면 안된다. 구체적으로는 협착이 있을 때 baloon bougie법과 연동 부전시 식도 주입법, 투약 등을 시행하지만, 전문적인 것이므로 여기에서는 다루지 않는다.

CASE | 46세, 여성 : 종격 종양이 의심

위에서 기술한 검사를 위해서 입원했었지만 이상이 없었다. '사레든 상태이다'라는 호소로 필자의 병원에 소개되어 왔다. 식사 중 사레든 것인가 생각하여 자세한 이야기를 들었지만, 이 환자가 말하는 '사레든 상태이다'라는 것은 '가슴에 음식물이 메인다'고 하는 의미였다. 서둘러 먹으면 목에 역류되어 오는 경우도 있다는 것이다. 국물은 쑥 하고 들어가지만 딱딱한 것은 메이기 쉽다고 하였다.
식도의 통과장애를 의심하여, 연하조영을 시행하면 식도의 연동운동이 불량하여, 음식물이 체류되어 버린다. 긴장을 풀고 여러 번 꿀꺽을 반복하면 서서히 위까지 통과된다. 종양성 병변은 없었다.

내시경 검사(위 카메라)에서 역류성 식도염이 발견되어, 내복약 치료와 함께 식도의 기능훈련으로 식후에 껌(자일리톨 껌)을 씹으면서 30분 산책하도록 하였다. 또한, 껌은 '씹기-연하-씹기-연하'를 반복하여 연하 뒤에 식도의 연동운동이 일어나게 하여, 역류 방지로 이어지게 된다.
며칠 후 '사레든 상태이다'라고 하는 증상은 소실되었고, 3개월 후 연하조영으로 식도의 연동운동이 현저히 개선되고 있는 것을 확인하였다.

COLUMN

'반추'에 대해

드물게, 반추(反芻)하는 환자가 보인다. 인지증, 파킨슨병(증후군)인 분에게 많은 것 같다. 이것은 인두 통과시, 구협(입 → 인두의 문)의 폐쇄가 불충분하여, 삼키는 압력이 음식 덩어리를 구강내로 되밀어 내고 마는 것이다. 확실하게 입을 다물고 치아로 잘 씹어 삼키면 좋은 경우가 있다.

Difficulty Swallowing Q&A

Q26 수분, 영양이 충분히 공급되고 있는지 판단할 수 있는 포인트를 가르쳐 주세요.

섭취량에 관해서는 특별한 합병증이 없다면 일반인과 완전히 같다고 생각해도 좋고, 섭식, 연하장애가 있다고 해서 따로 특별한 섭취량이 있지는 않다. 연령과 생활의 강도, 체격에 맞추어 영양학 책을 보시면 좋겠지만, 필자의 경우는 '대부분 자리에 누워 있던가 휠체어에 앉아 있어서 활동성이 저하된 상태'라도 "체중(표준체중) × 25kcal에 수분 2,000mL"를 목표로 하고 있다. 또한, 단백질은 그 사람 체중 1kg당 1~1.5g으로 하여, 비타민, 미네랄 등과 균형 잡힌 배합에 신경쓰도록 하고 있다.

밥상 차리는 양과 실제로 먹는 양의 차이에 주의한다. 그릇에 남아 있지 않아도 흘리는 양이 많은 경우가 있다. 섭취량을 표에 기록하도록 신경쓰면 좋을 것이다.

수분과 영양을 충분히 섭취할 수 있는지, 섭취된 것이 확실히 흡수되고 있는지 등을 판단하는 포인트는 다음과 같다.

① 체중을 측정한다 : 줄어들거나 늘거나 하지 않을 것
② 소변량을 본다 : 최소 하루에 500mL의 소변량이 필요
③ 피부, 구강내 상태 : 건조되지 않았는지
④ 혈액 생화학 검사 : 필요에 따라 의사에게 확인한다. 필자가 특히 주의하고 있는 포인트는 알부민 수치(3.5g/dL 이상), 빈혈(Hb 10g/dL 이상)이다. 탈수에 대해서는 BUN(요산질소)과 나트륨에 주목하여 보고, 조금이라도 이상이 있다면 보다 자세히 조사한다.

심장이나 신장, 간 등의 기능에 장애가 있는 경우와 당뇨병이 있는 경우 등 환자의 전신상태는 천차만별로 매일 변동하고 있다. 연하장애뿐이겠거니 생각하고 있던 차에 갑상선 기능항진증 때문에 아무리 먹어도 체중이 줄고 있다는 환자를 경험하고 있다. 연하장애뿐만 아니라 다른 질환이 합병증으로 있는 경우도 있기 때문에, 불안하거나 의문이 들면 의사에게 진찰을 받으시기 바란다.

칼로리	(체중 × 25)kcal 50kg의 사람이라면 1,250kcal
수분	2,000mL
단백질	1~1.5g/ 체중 1kg당
비타민, 미네랄	

섭취량은 충분한가

→

1. 체중 측정
2. 소변량의 체크
3. 피부, 구강내의 상태
4. 혈액성 화학검사

확실히 흡수되고 있는가

Q27

Difficulty Swallowing Q&A

환자의 평가(중증도)는 어떻게 하면 좋을까요?

필자는 지금까지 '어느 정도 입으로 먹을 수 있을까'하는 기준으로 섭식, 연하 능력의 등급(1993년, 후지시마(藤島), 표 1)을 작성하여 섭식, 연하장애의 중증도로 사용하고 있다. 이것을 이용해 평가와 목표 설정, 치료효과를 판정할 수 있다. 그러나 등급(Gr.)을 결정하기 위해서는 상세한 관찰과 검사에 기초한 '판단'이 필요하였다.

그래서 누구라도 용이하게 평가가 가능한 '섭식, 연하장애 환자에 있어서 섭식상황의 level'(표 2, 그림)을 개발하였다. 연하기능의 실제 중증도를 염두에 둔 등급과의 차이점은 '현재 먹고 있는' 상태를 그대로 평가하는 척도로 한다는 점이다. 지금 먹고 있는 상태를 평가하면 되기 때문에 간단하다. 또한 지금까지 이용하고 있는 등급과 기본 구조를 일치시켰다. 신뢰성과 타당성이 증명되고 있다.

표 1. 섭식, 연하능력의 등급(연하등급) (후지시마(藤島), 1993년을 일부 수정)

Ⅰ. 중증	경구 불가	1. 연하곤란 혹은 불능
		2. 기초적 연하훈련만 가능
		3. 엄밀한 조건하의 섭식훈련이 가능
Ⅱ. 중등도	경구와 보조영양	4. 재미삼아 섭식이 가능
		5. 일부(1~2식) 경구 섭취
		6. 경구 섭취 및 보조 영양으로 3식
Ⅲ. 경증	경구만	7. 연하식으로 3식 모두 경구 섭취
		8. 특별히 연하가 어려운 식품을 제외하고 3식 경구 섭취
		9. 모든 식사 때 경구 섭취 가능, 임상적 관찰과 지도가 필요
Ⅳ. 정상		10. 정상 섭식 연하 능력

* 시중이 필요한 경우는, A(assist) : 예를 들어 연하식을 시중들어 3식 섭취 가능하다면 'Gr 7A'로 표기한다.

표 2. 섭식, 연하장애 환자에 있어서 섭식 상황의 level

*섭식, 연하장애를 시사하는 어떠한 문제가 있음	경구섭취 없음	Lv.1	연하훈련*을 시행하고 있지 않음
		Lv.2	음식물을 이용하지 않고 연하훈련을 시행하고 있다.
		Lv.3	극소량의 음식물을 이용해 연하훈련을 시행하고 있다.
	경구섭취와 대체영양	Lv.4	1끼분 미만의(재미삼아 먹는 수준의) 연하식*을 경구 섭취하고 있지만, 대체 영양*이 주체
		Lv.5	1~2식의 연하식을 경구섭취하고 있지만, 대체 영양도 시행하고 있음
		Lv.6	3식의 연하식 경구섭취가 주체이고, 부족분은 대체 영양을 시행하고 있음
	경구섭취만	Lv.7	3식의 연하식을 경구섭취하고 있음. 대체영양은 시행하고 있지 않음
		Lv.8	특별히 먹기 어려운 것*을 제외하고, 3식을 경구 섭취하고 있음
		Lv.9	음식물의 제한은 없음. 3식을 경구섭취하고 있음
정상		Lv.10	섭식, 연하장애에 관한 문제 없음

* 섭식, 연하장애를 시사하는 어떠한 문제 : 각성 불량, 입에서 흘림, 구강내 잔류, 인두잔류감, 사레듦 등
* 연하훈련 : 전문가 혹은 잘 지도받은 보호자, 본인이 연하기능을 개선시키기 위해 행하는 훈련
* 연하식 : 젤라틴 형태, 즙을 낸 음식 등, 식괴 형성이 쉽고 연하시키기 쉽도록 조정된 식품
* 대체 영양 : 경관 영양, 혈관 주사 등 비경구 영양법
* 특별히 먹기 어려운 것 : 푸석푸석한 것, 딱딱한 것, 물 등

— 藤島一郎, 大野友久 등 : '섭식, 연하상황의 level 평가' 간편한 섭식, 연하평가 척도의 개발. 재활의학 43:S249, 2006

'할 수 있는' ADL(Activities of Daily Living; 일상생활 수행능력)이라든지, '하고 있는' ADL 이라는 말을 들었던 분이 계실지 모르겠다. 재활의 영역에서는 하도록 요청하면 '할 수 있는' 것이라도, 실제 생활에서는 '하고 있지 않는' 경우가 자주 있다. 구체적으로는 훈련으로 '걸을 수 있을' 지는 모르지만 '걷고 있지 않다' 고 하는 경우이다. 연하의 경우는 삼키는 모습이 보이지 않기 때문에 보행과 같이 간단하지는 않지만 마찬가지 생각으로 '할 수 있다'는 것을 나타내는 것이 '등급(Gr.)'이고, 하고 있다는 것을 나타내는 것이 'level(Lv.)'이라고 생각할 수 있겠다.

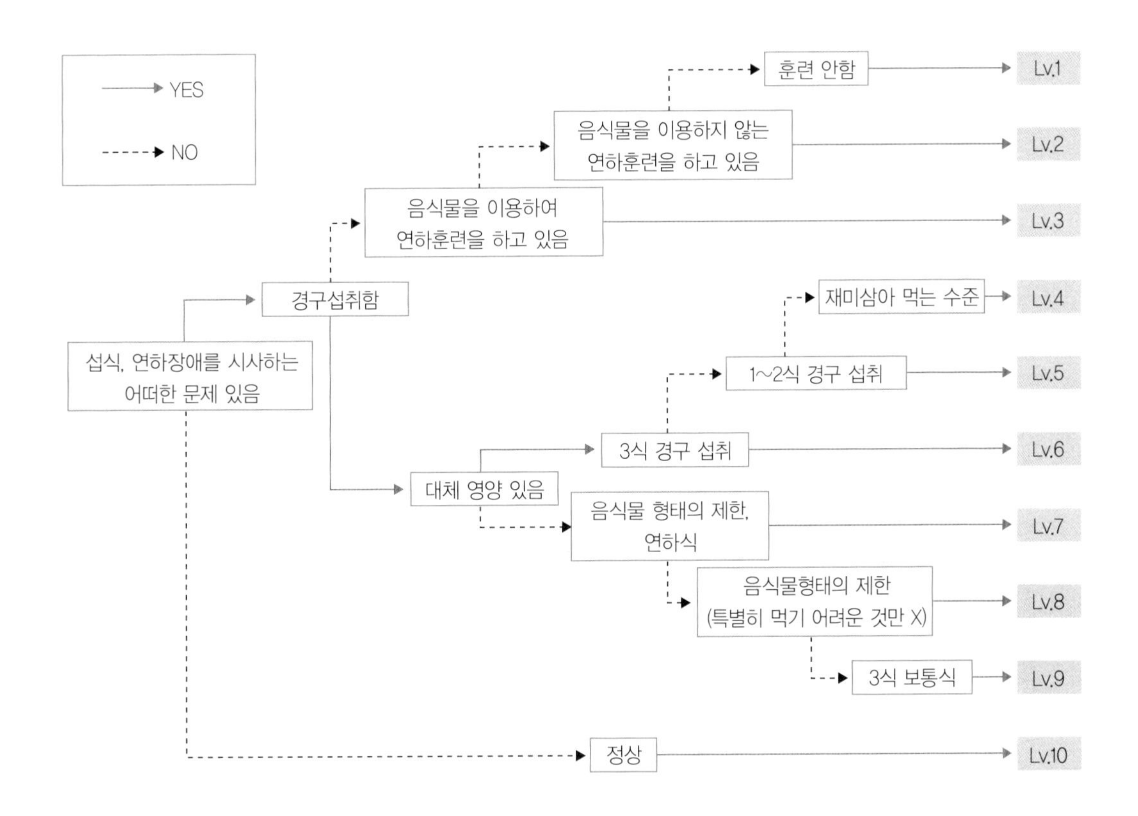

✚ 섭식, 연하장애 환자에 있어서 섭식 상황의 level flow chart

이 '섭식, 연하상황의 level 평가'를 이용하면, 환자의 섭식, 연하중증도가 개선된 경우뿐만 아니라 개선이 보이지 않더라도, 환경 요인으로 level이 상승한다든지 하강한다든지 한다. 예를 들면, 섭식, 연하 어프로치가 아무것도 없는 시설에서는 level 1로 평가되는 환자가 많이 있다고 생각된다. 그곳에 연하 전문 간호사와 언어치료사(ST)가 취직하여, ice massage와 공연하, 연하체조 등을 도입한다면 어떨까. 그날부터 많은 사람이 level 2로 상승한다. 환자의 상태는 크게 변하지 않지만 level의 평가치가 높아진다. 이것은 연하 전문 간호사와 언어치료사라고 하는 투자가 수치로서 평가될 수 있는 것을 의미한다. 바로 환경개선적 어프로치이다. 그 결과로 다음에 level 3, 4, …가 되는 사람이 나오게 된다고 생각한다. 기능이 개선된 결과일지 모르겠고, 단순히 거기까지 먹게 할 수밖에 없었을 지도 모르겠다. 하지만 이것이 중요한 것이다. 더욱이 연하식을 도입한다면 단숨에 level 7까지 증가할 지도 모를 일이고, 폐렴도 감소할 지도 모를 일이다.

또한, 사례들면서 보통식을 먹고 있는 고령자가 계시다고 해보자. 이것은 level 9에 해당되지만, 검사를 해보면 등급은 7 내지 8이라고 판단될 가능성이 있다. 이와 같은 상태에서는 폐렴이나 질식을 일으키기 쉽기 때문에 빨리 level 7 내지는 8의 상태에서 생활하도록 지도해야 한다고 생각한다.

Level 뒤에 A(시중), 각도, 섭식시간 등을 붙이면 보다 상세한 평가도 가능하다. 예를 들면 'Level 7-A-45°-30분'이다. 훈련으로 개선시켜 'Level 7-60°-20분'과 같이 되도록, 보다 자세하게 변화를 보는 것도 가능하게 된다. 이것은 등급에서도 마찬가지 표기법이 사용될 수 있다.

이 level 평가 기준을 이용하면 재활의 효과를 다면적으로 판단할 수 있다고 생각한다. 병원에서도 간호 현장에서도 공통 언어로 사용하면 좋겠다고 생각하고 있다.

CHAPTER 04

케어의 기본 – 체위와 식품

이 장에서는, 섭식, 연하에 있어서 체위와 식품이라고 하는 가장 중요한 문제를 설명합니다. 입으로 먹기 위한 기본적인 케어를 여기에서 말씀드리려 합니다. 경증의 장애의 경우, 체위와 식품을 올바르게 선택한다면 대부분의 사람이 안전하게 먹을 수 있게 될 것이라고까지 말할 수 있습니다.

Difficulty Swallowing Q&A

Q28 고령자에게 해 드릴 식사지도의 포인트를 가르쳐 주세요.

뇌졸중을 앓은 분, 폐렴을 반복하고 있는 분, 경구 섭취가 적은 분들은 경증의 연하장애가 존재하고 있을 가능성이 있다고 생각한다. 여기에서는 일반 고령자 및 연하장애가 의심되는 분에게 해 드릴 수 있는 식사방법의 포인트를 설명한다.

① 식사를 시작하기 전에, 손, 입, 목이 깨끗한가 확인하기 바란다. 오연성 폐렴을 일으키는 환자는 입안에 더러운 것이 많을 것으로 생각한다.
② 식사를 할 환경을 정비한다.
③ 먹기 전에 준비 체조[Q77]과 호흡 훈련[Q84]을 한다.
④ 평소 먹는 데 익숙한 자세가 가장 좋지만, 사레가 강하게 들 때는 reclining 의자 등을 이용해서, 30° 앙와위로 먹으면 좋을 것이다. 이 때 반드시 경부를 앞으로 숙이는 것이 중요한다.
⑤ 잘 씹고 맛보면서 천천히 먹도록 지도하기 바란다.
⑥ 식사 시간을 정해 하루의 리듬을 만든다.
⑦ 식사 후에도 반드시 이를 닦고, 입을 헹구고, 양치질을 하고, 입과 목을 청결하게 유지하도록 한다. 또한, 식후에 차를 먹는 습관은, 입과 목의 위생에 효과적이다.

한 번에 많이 먹을 수 없다면, 오전 10시와 오후 3시에 수분과 영양 공급을 생각하도록 한다. 가족과 보호자의 세심한 배려가 예방으로 이어지게 된다.

여담이지만, 고령자의 경우는 영양학적으로 그다지 불안해 할 필요 없고, 좋아하는 것을 먹도록 하는 것이 좋을 듯하다. 저것은 안된다, 이것도 안된다, 싱거운 것이 좋다, 양질의 단백질이 좋다 등에 신경쓰고 있으면 식욕이 없어져서 오히려 중대한 사태를 초래할지 모른다.

또한, 신체에 저항력만 있으면 폐렴이 되기 어렵고, 걸려도 경증으로 사는 법이다. 매일 적당한 운동을 하고 규칙적인 생활을 하는 것도 중요하다.

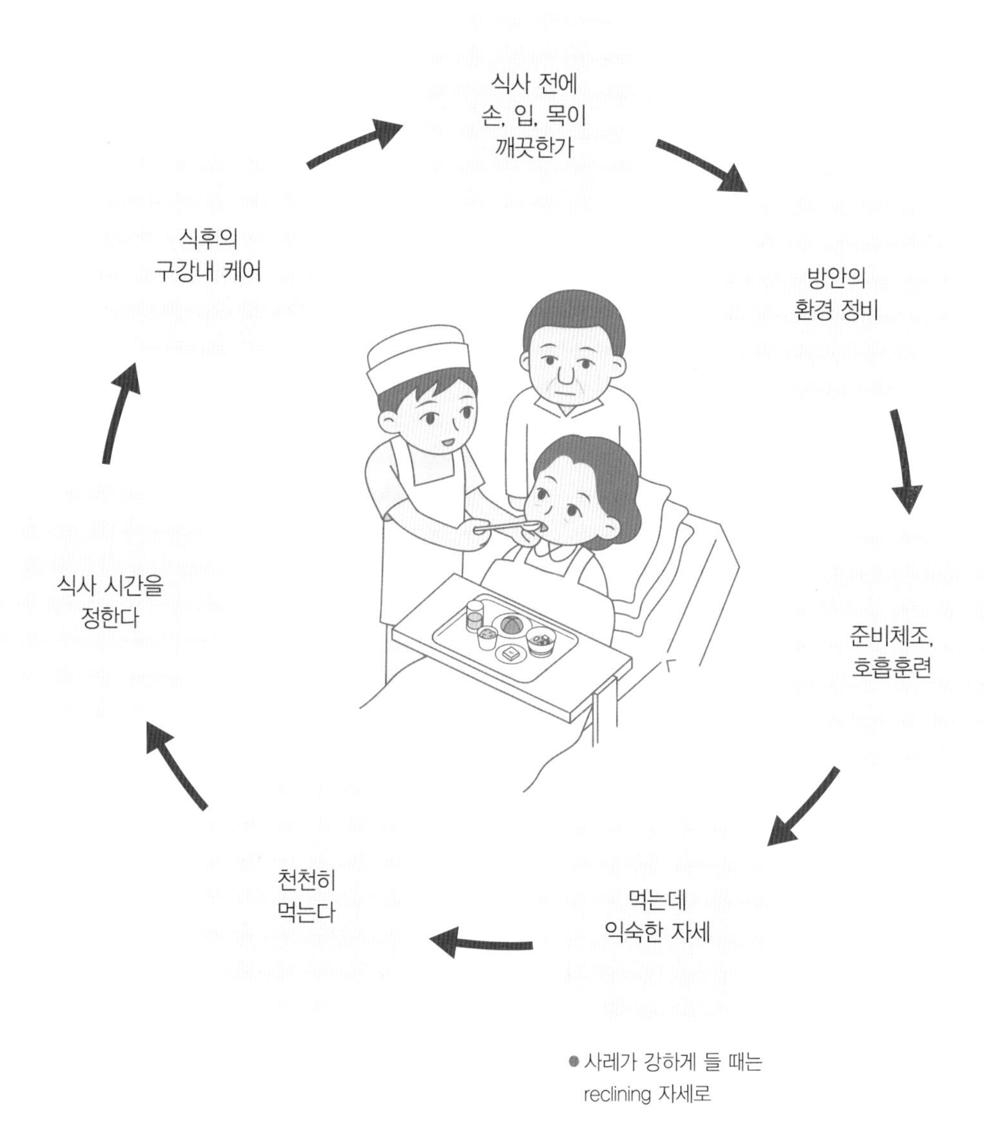

● 사레가 강하게 들 때는 reclining 자세로

Q29

Difficulty Swallowing Q&A

먹을 때는 어떤 체위를 취하면 좋을까요?

실제 섭식 장면에서는 체위가 매우 중요하다. 연하에 문제가 없는 사람에게는 먹는데 익숙한 자세가 가장 좋다고 생각한다. '생활 재활' 선생님은 고령자 및 인지증 환자를 침대에서 먹게 하는 것의 폐해에 대해 강하게 주장하고 있는데, 전적으로 그러하다. 연하장애가 없는 분을 무리하게 매일 침대에서 먹게 한다면, 맛있지도 않고 식욕도 없게 되버린다. 무리하게 먹게 하면 식사를 싫어하게 된다든지 더 나아가서는 거식이 시작되는 경우도 있다. 가족과 함께 식탁에서, 또 모두와 다함께 식당에서 즐겁게 식사를 하고 싶은 법이다.

그렇지만 다음은 분명하게 섭식, 연하장애가 있는 환자들에 대한 이야기이므로 잘 읽어보기 바란다.

음식물의 섭취와 삼킴에 장애가 있는 환자들과 사레가 심하게 드는 경우에는, 다음의 방법을 추천한다.

① 몸통 30° 앙와위(reclining 자세)를 취한다(그림 1).

② 경부를 앞으로 숙인다.

③ 마비가 있는 경우는 마비 측의 어깨에 베개를 대고, 조금 건강한 쪽을 아래로 하여 경부측와위로 한다.

④ 보호자는 건강한 쪽에 선다(건강한 쪽에서 시중들면 환자의 주의를 식사에 집중시킬 수 있다).

음식물의 섭취와 삼킴에 장애가 있는 환자의 경우는, 일어나 앉아 있지만 음식물이 입에서 부슬부슬 흘러나와서 먹을 수 없다. 30° 앙와위를 취하면 중력을 이용할 수 있어서, 섭취 및 삼킴에 유리하게 된다. 또한 기관과 식도의 관계는 기관이 앞에 있고 식도가 뒤에 위치하고 있기 때문에, 앙와위(reclining 자세)를 취하면 기관이 위로 식도가 아래로 된다. 해부학적으로 오연이 생기는 것이 어렵게 된다. 다만, 많은 양의 음식물을 입에 물고 있으면 중력이 작용하여 인두로 떨어져, 질식이나 오연으로 이어질 위험이 있다는 것도 염두에 두어야 한다. Reclining 자세로 섭식할 때는 소량씩 섭취, 연하해 주시기 바란다.

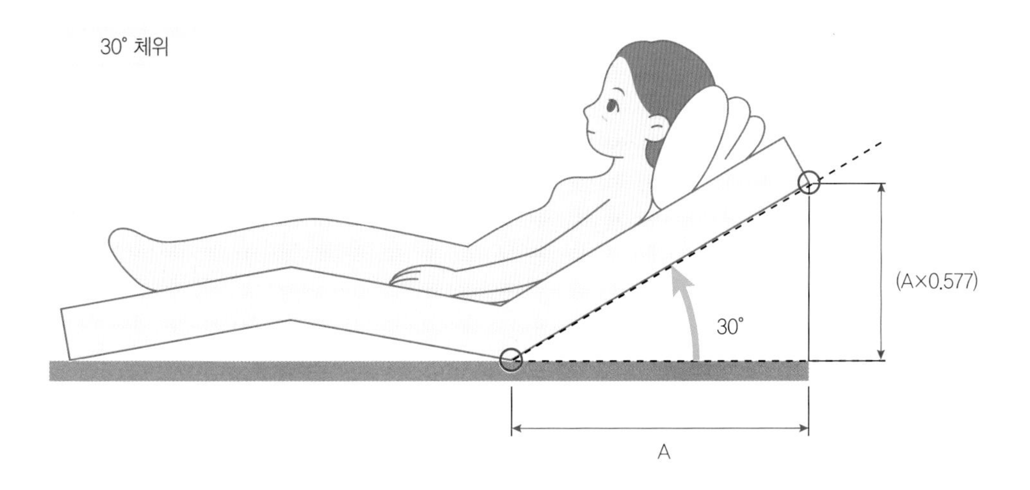

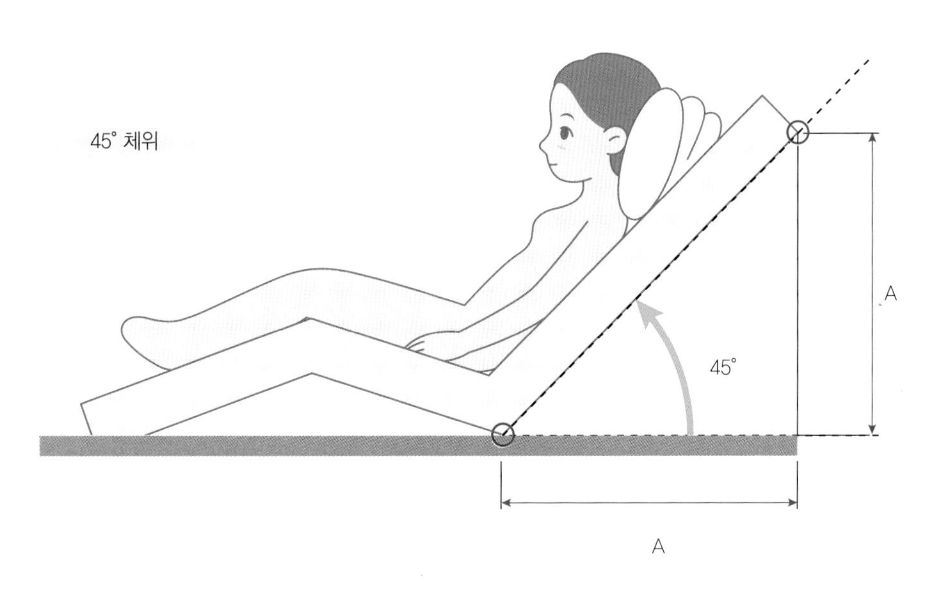

✚ 그림 1 먹을 때의 체위

경부를 앞으로 숙이는 것은 오연을 예방하기 위함이다. 경부가 신전되어 있으면, 인두와 기도가 직선이 되어, 기도가 열려 오연하기 쉬워진다(그림 2). 하지만 경부를 앞으로 숙이면 인두와 기도에 각도가 생겨 오연하기 어렵게 된다. 또한 경부를 앞으로 숙이면 경부의 앞에 모여 있는 연하근이 편안해져서 효과적으로 연하에 이용될 수 있게 된다. 다만 앞으로 너무 숙이면 오히려 연하시키기 어렵게 된다. 턱과 흉골 사이에 3개의 손가락이 놓일 수 있도록 해주시기 바란다.

30° bed-up을 실제로 측정해 보면 상당히 일어서게 되는 점에 주목해 주시기 바란다(그림 1). 또한 척추 후만증(kyphosis, 고양이등 모양)이 강한 분은 각도를 낮추고(20° 정도) 베개를 높여서 경부가 신전되지 않도록 주의가 필요하다(그림 3). 또한 척추 후만증이 매우 심하면 앙와위를 취하지 말고 측와위를 취하는 것이 편하다. 사람에 따라 다양한 궁리가 필요하다.

연하를 부드럽게 할 수 있게 되면 서서히 몸통 각도를 올려 본다. 60°가 되면 보통의 식사를 하는 체위와 가까운 느낌을 가지게 될 것이다.

보호자는 건강한 쪽에 선다. 건강한 쪽에서 시중들면 환자의 주의를 식사에 집중시키는 것도 할 수 있다(그림 4).

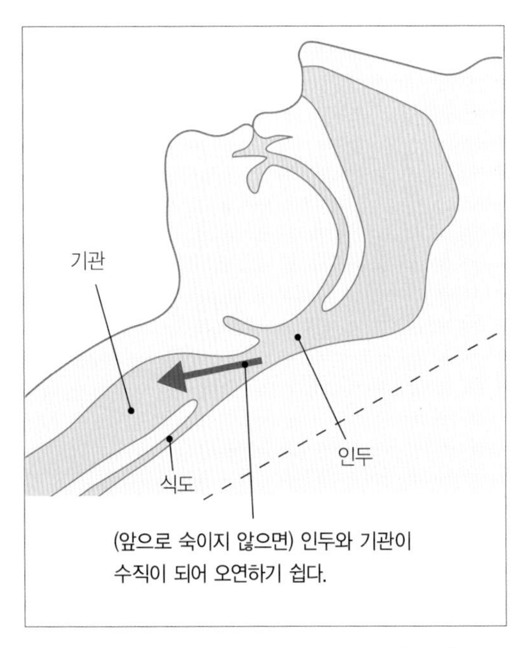

(앞으로 숙이지 않으면) 인두와 기관이 수직이 되어 오연하기 쉽다.

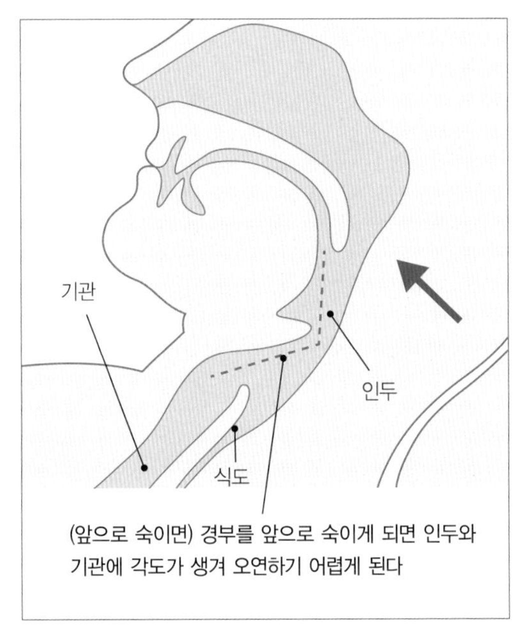

(앞으로 숙이면) 경부를 앞으로 숙이게 되면 인두와 기관에 각도가 생겨 오연하기 어렵게 된다

✚ 그림 2 왜 앞으로 숙이는 것이 필요한가

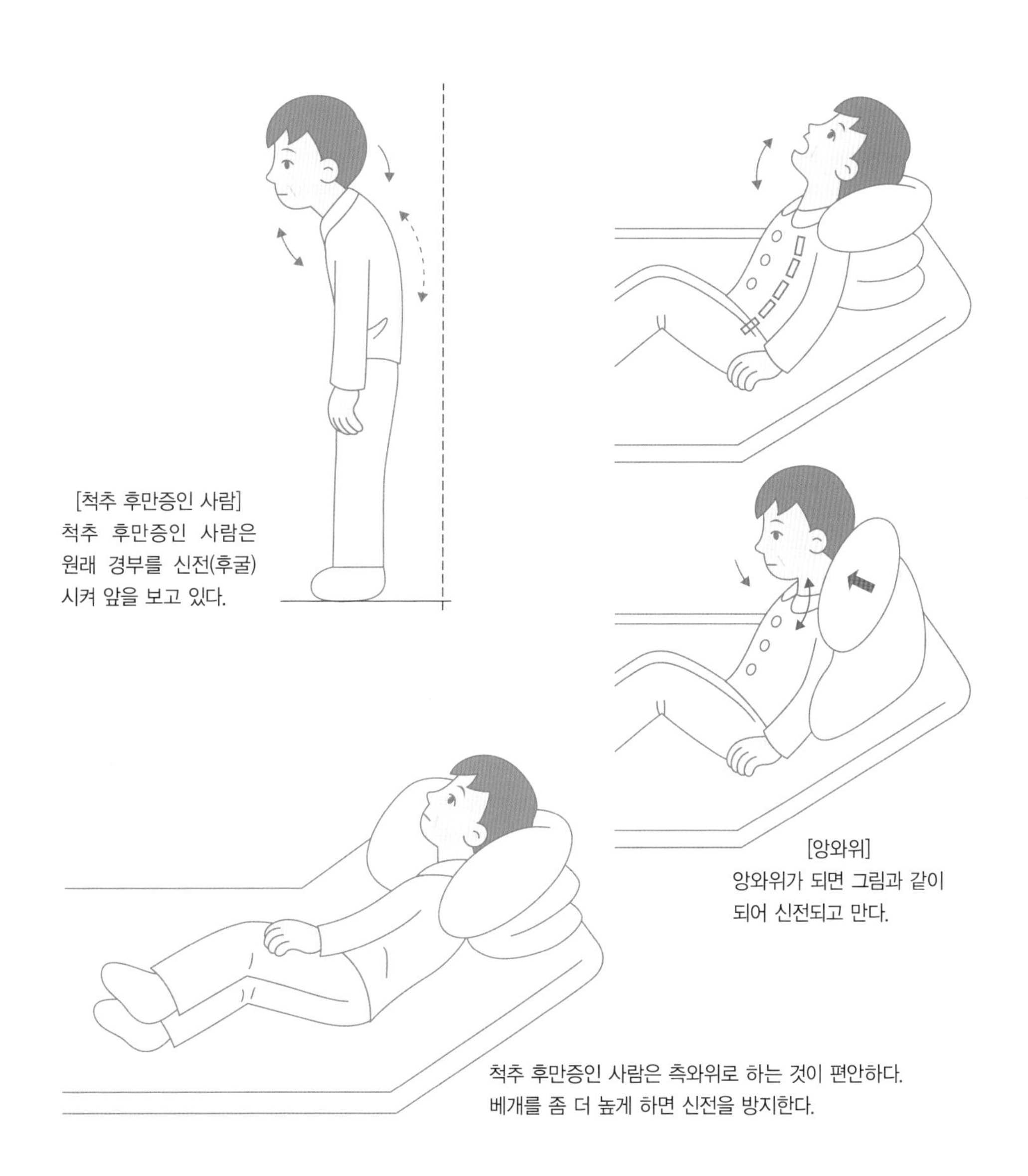

✚ 그림 3 척추 후만증인 사람은 왜 앞으로 숙이는 것이 필요한가

보호자가 스스로 실제 체위를 시험해 볼 것을 추천한다. 환자의 기분과 먹을 때의 용이함, 먹는 데 불편함 등을 잘 이해할 수 있다. 30° 앙와위, 경부를 앞으로 숙이는 것이 익숙해지면 꽤 편안한 자세가 되어, 회사의 중역이 안락의자에 편안히 앉아 커피를 마시는 것과 같은 우아한 분위기마저 연출하게 된다. 너무 편하면 졸게 되는 결점도 있다. 또한 조금 일어나 45° 자세가 되면 시중들지 않고도 스스로 먹는 것이 가능한 자세가 된다.

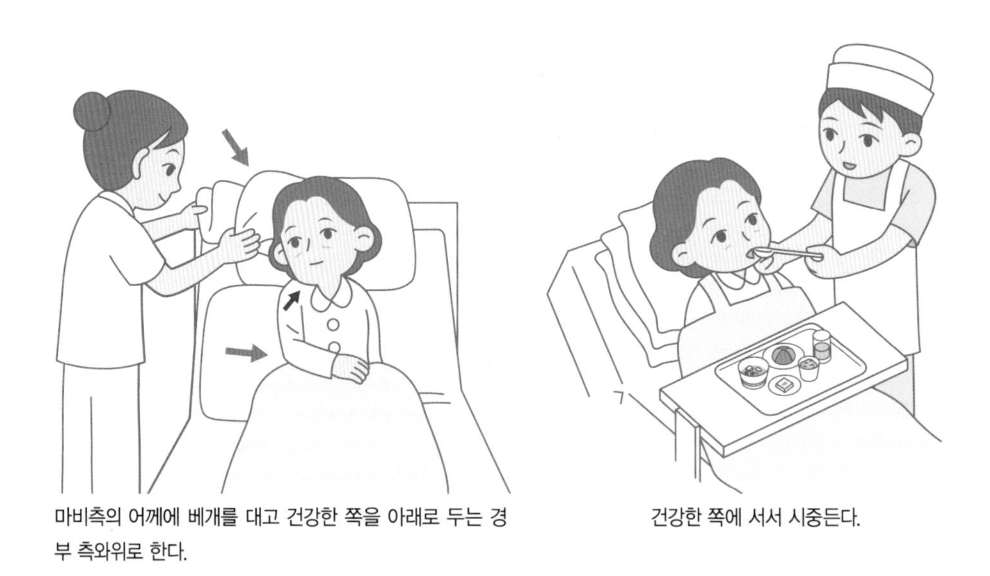

마비측의 어깨에 베개를 대고 건강한 쪽을 아래로 두는 경부 측와위로 한다.

건강한 쪽에 서서 시중든다.

✚ 그림 4 우마비의 경우 체위와 보호자의 위치

COLUMN

엎드린 자세 (복와위)

유연(流涎; 침흘림)이 많고, 밤중에 사레들 때 및 아래쪽 폐부터 뒤쪽 폐로 가래가 모이게 될 때에는, 엎드린 자세를 취하면 좋을 것이다. 완전히 엎드린 자세 말고, 다소 측와위 기분으로 하는 방법(전경 측와위)도 있다. 어떻게 하든 얼굴이 옆으로 향하고, 침과 가래가 입에서 바깥으로 흘러나오도록 한다.

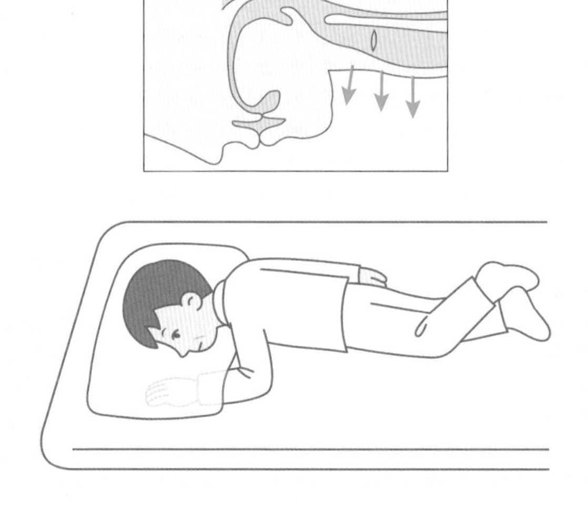

Q30

Difficulty Swallowing Q&A

한쪽一側 연하라는 것은 어떤 방법입니까?

앞선 질문에서 사지 마비가 있을 때, 마비측을 위로 하는 체위를 취하는 방법을 설명하였지만, 한쪽(一側) 연하라고 하는 것은 '목'의 편측에 마비가 있을 때 연하하기 쉽게 해주는 체위를 취하는 방법이다. 구마비[Q3] 특히 발렌버그(Wallenberg) 증후군(연수외측 증후군(lateral medullary syndrome)이라고도 한다)에서는 한쪽 연하가 매우 효과가 있다. 건강한 쪽 하방으로 몸을 45~90° 정도까지 크게 측와위(목의 움직임이 좋은 쪽을 아래로 하고 옆으로 눕는다)를 취하고, 머리를 반대측(목의 움직임이 나쁜 쪽)으로 가볍게 빙그르 돌리도록 한다(그림). 이렇게 하면 중력에 이끌려서 아래에 있는 건강한 쪽에 음식물이 모여져서, 목의 움직임이 나쁜 위쪽 방향으로 가지 않게 된다. 또한 가볍게 머리를 돌림으로써 식도 입구 통과가 좋게 되는 경우도 알려져 있다. 특수한 방법이지만 발렌버그 증후군이 있는 분에게는 이 방법을 이용한다면 이 정도까지 삼킬 수 없었다든지, 심하게 사레들었던 분도 거짓말처럼 능숙하게 삼키게 되는 경우가 있다.

상체는 30~45°로 일으켜서(bed-up) 한쪽 연하를 하면 좋을 것이다.

한쪽 연하용 bed : 물론 이러한 이름의 bed는 존재하지 않는다. 하지만, 상반신만을 비스듬히 거상할 수 있는 우수한 bed가 판매되고 있어서, 필자는 '한쪽 연하용 bed'라고 부르고 있다. 전동으로 용이하게 상반신의 측와위를 취할 수 있기 때문에 보호자가 크게 좋아하는 매우 편리한 침대이다. 일본의 개호보험(介護保險: 노인요양서비스 보험)에서의 사용도 가능하게 되었다. 한쪽 연하를 시행할 때 매우 편리하다.

한쪽 연하

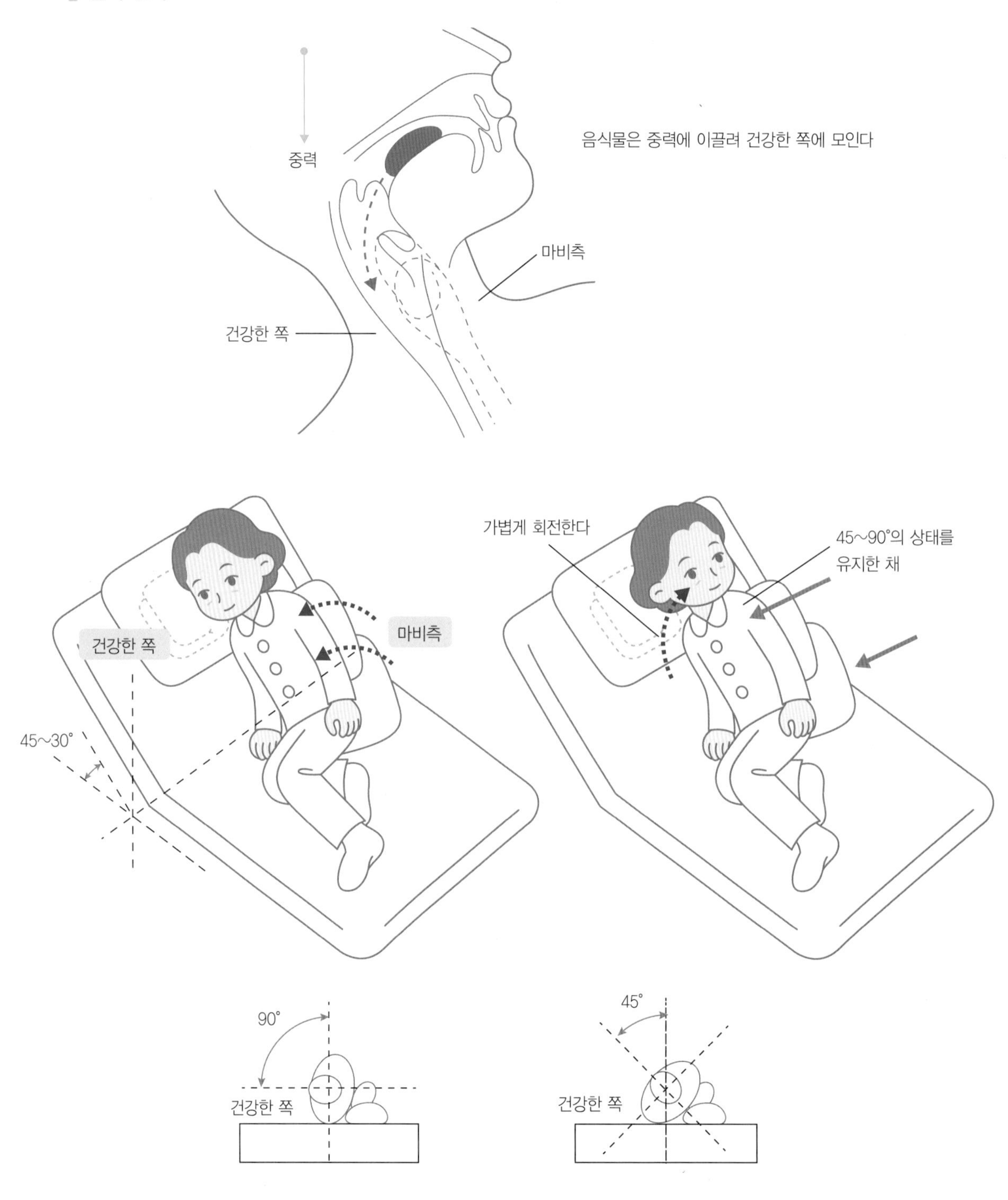
중력
음식물은 중력에 이끌려 건강한 쪽에 모인다
마비측
건강한 쪽
가볍게 회전한다
45~90°의 상태를
유지한 채
건강한 쪽
마비측
45~30°
90°
건강한 쪽
45°
건강한 쪽

Q31

Difficulty Swallowing Q&A

식후나 수면시의 자세는 어떻게 하면 좋을까요?

연하장애 환자의 식후에는 경부를 압박하지 않도록 하여, 편안하게 한 반기좌위(半起坐位)를 취하도록 한다. 위식도 역류가 있을 때, 식도의 연동운동 부전이 있을 때는 이 자세를 식후 2~3시간 취하면 역류를 상당히 예방할 수 있다. 경관 영양을 하고 있는 환자도 마찬가지이다. 또한 식후에 바로 눕지 않고 일어나 있는 것은, 역류증상이 없는 사람에게도 의미있는 일이다. 식후 2시간의 기좌위(起坐位)로 오연성 폐렴의 발생률을 감소시킬 수 있다고 하는 어떤 고령자시설의 보고가 있다. 기좌위를 유지하는 것은 병석에 드러눕는 것을 방지하게 되고 체력의 향상으로도 연결된다고 생각한다.

그렇다면 수면시에는 어떻게 할까. 보통은 수평으로 누워있는 것이 당연할 것이다. 그러나 위-식도-인두 역류가 원인으로 생각되는 오연성 폐렴을 반복하고 있는 환자에게 '야간에 bed를 15° 높여서 잔다'는 것을 철저하게 지켜 성공한 증례가 몇 가지 있다. 15°로 직접 자보니 이상한 느낌이 없음을 확인할 수 있었다. 며칠이 지나면 수평일 때 머리가 내려져 있는 듯한 느낌마저 있게 된다. 밤에는 평평하게 자는 법이라는 관념도 다시 생각해 봐야 하지 않을까?

극단적인 것을 권하고자 하는 것은 아니지만, 환자에게 있어서는 야간에 '조금만 머리를 높여 주는' 방법이 폐렴을 예방할 가능성이 있다는 점만은 사실이다. 향후 검토해 볼 필요가 있는 것 같다.

식후의 자세

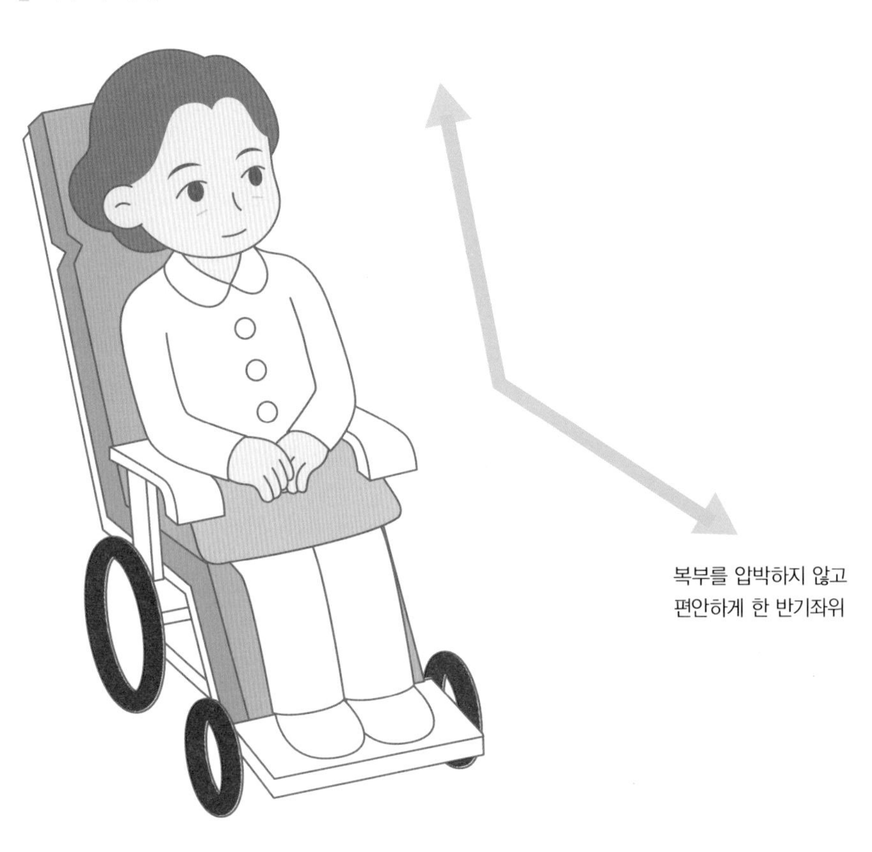

수면시의 자세

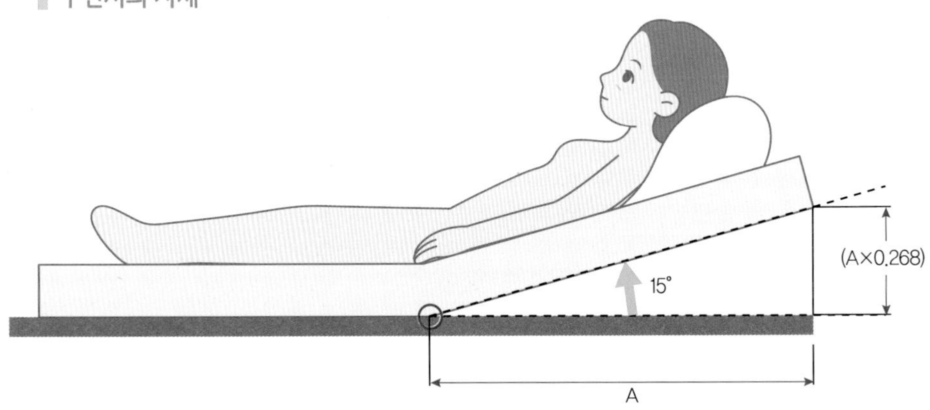

Difficulty Swallowing Q&A

Q32 한입에 먹을 양의 목표와 숟가락의 크기를 가르쳐 주세요.

개인차가 있지만, 건강한 사람은 물과 싱거운 끈적이는 물(걸죽한 스프(potage) 상태, 과즙 음료(nectar) 상태)로는 20mL(카레 스푼 한 술) 정도가 가장 연하시키기 쉬운 양이다. 너무 많으면 연하시키기 어렵다든지, 오연할 때의 위험이 커지게 된다. 너무 적으면 자극이 모자라 연하시키기 어렵게 된다. 실제 섭식시에 양을 적게 주는 쪽의 목표는 3mL로 한다. 물론 연하조영 및 섭식훈련시에는 이것보다 적은 양을 이용하는 경우가 있다. 소량씩 주어도, 입과 목에 남는 것이 점점 증가할 가능성이 있는 경우도 생각하지 않으면 안된다.

연하장애가 있는 사람에게는 기껏해야 카레 스푼에 평평하게 담은 한 술(약 7mL) 정도까지라고 생각해주기 바란다. 가령 한 덩어리만 준다고 했을 때 괜찮을 양을 염두에 두면 좋을 것이다. 많으면 오연할 때의 오연량도 많아지게 되고 질식으로도 이어지게 된다. 한편 젤리나 진한 끈적이는 물(잼 상태, 머스타드 상태)로는 5g 정도가 한입으로 먹기에 가장 연하하기 쉬운 양이 된다. 연하장애가 있는 사람은 2~3g 정도가 안전하다.

숟가락의 종류와 형태도 섭식시에 중요한 요소가 된다. 도와주어 먹는 경우, 자립할 수 있도록 훈련할 때나 이미 자립하고 있는 경우에서, 선택할 수 있는 숟가락이 다르다. 장애의 정도에 따라서 적절한 시기에 적절한 숟가락을 선택할 필요가 있다. 몇 가지 구체적인 예를 그림으로 나타내었다. 필자의 세레미카타하라(聖隷三方原) 병원과 하마마츠(浜松)시 재활병원에서는 코지마 치에코(小島千枝子)씨가 고안한 K 스푼(사진)을 사용하고 있어 소량씩 먹게 하든지, slice형 식괴[Q58]를 만들 때에 매우 편리하다.

(좌) 티스푼이지만 어린이용으로 손잡이 끝이 두꺼워 떨어뜨리기 어렵게 되어 있다(5mL).
(중) 조금 작은 카레 스푼(7.5mL)
(우) 보통의 카레 스푼. 카레 스푼은 환자의 상태에 맞추어 골라서, 한입 분량을 조정하고 있다(15mL).

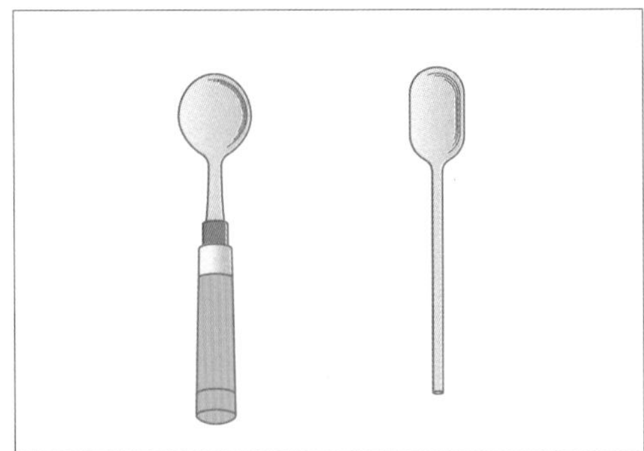

(좌) 조금 작은 스푼으로 한입 분량이 5mL 이하가 되게 한다. 손잡이 끝이 두꺼워 잡기 쉽게 되어 있다.
(우) 다소 세로로 긴 얇은 스푼. 삼키기 힘든 환자에게 혀 안쪽에 음식물을 놓아 둘 때 사용한다. 이러한 종류의 스푼은 구강내에서 스푼을 빙그르 돌리면 간단하게 음식물을 떨어뜨릴 수 있다.

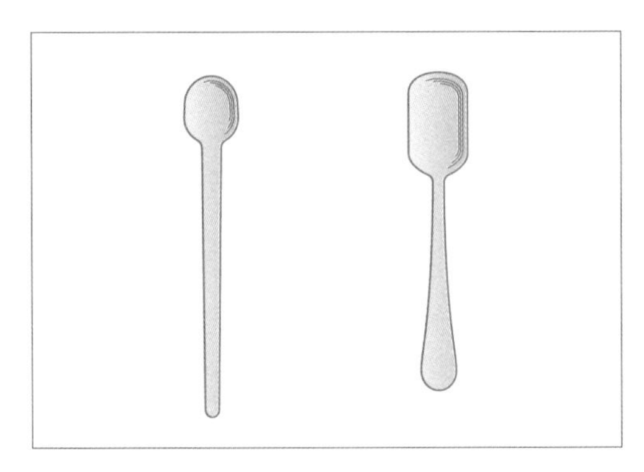

(좌) 거의 평평한 형태의 스푼. 입술로 음식을 거두어들이는 감각을 훈련할 때 용도로 사용되고, 입술을 폐쇄하여도 빼내기 쉽도록 이러한 형태의 것을 사용한다.
(우) 아이스크림 스푼. 마찬가지 목적으로 사용한다.

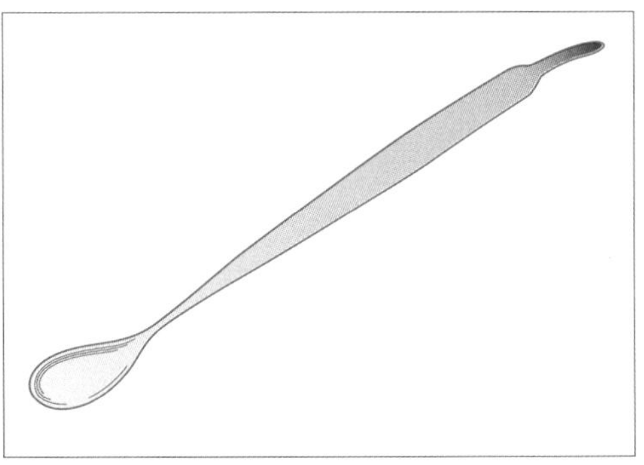

K 스푼의 구입처 : 아오요시(青芳) 제작소 (www.aoyoshi.co.jp) (0120-137-149)

CASE | 72세 남성 : 다발성 뇌혈관 장애, 인지증

과거 3회 뇌졸중 발작으로 양측 편마비, 실어증, 인지증, 감정 실금(감정을 잘 조절하지 못하여 하찮은 일에도 울거나 웃는 증상)이 현저한 환자이다. 가성구마비에 의한 연하장애도 있었지만, 믹서식 정도의 연하식을 부인의 도움으로 먹으면서 재택 생활을 하고 있었다. 퇴원 후, 특히 폐렴, 영양장애도 없이 약 3년을 경과하였고 때로는 보통식에 근접한 것도 먹을 수 있게 되었다. 그러나 외래진찰에서는 전신체력 부족으로 연하근력도 저하된 상태여서, 보통식은 허용하고 있지 않았다. 물 마시는 테스트에서도 사레들림이 발견되었다.
어느 날, 본인이 떡을 먹고 싶다고 해서 매우 작게 하여 주었는데 호흡곤란에 빠져 응급으로 외래에 업혀 들어왔다. 인두에 작은 떡이 다수 붙어 있었다. 후두경을 사용해 떡을 꺼내서 목숨을 구할 수 있었다.
이 떡 하나하나는 건강한 고령자라면 결코 목에 걸릴 염려가 없는 크기였다. 떡이 가지는 점착력에 의해, 인두에 잔류한 떡끼리 달라붙어 버려 인두에 큰 덩어리가 되어 질식의 원인이 되었다.

이처럼, 점착성이 있는 음식은 작게 만들어 주어도 인두 잔류가 있는 분에게는 위험하다.

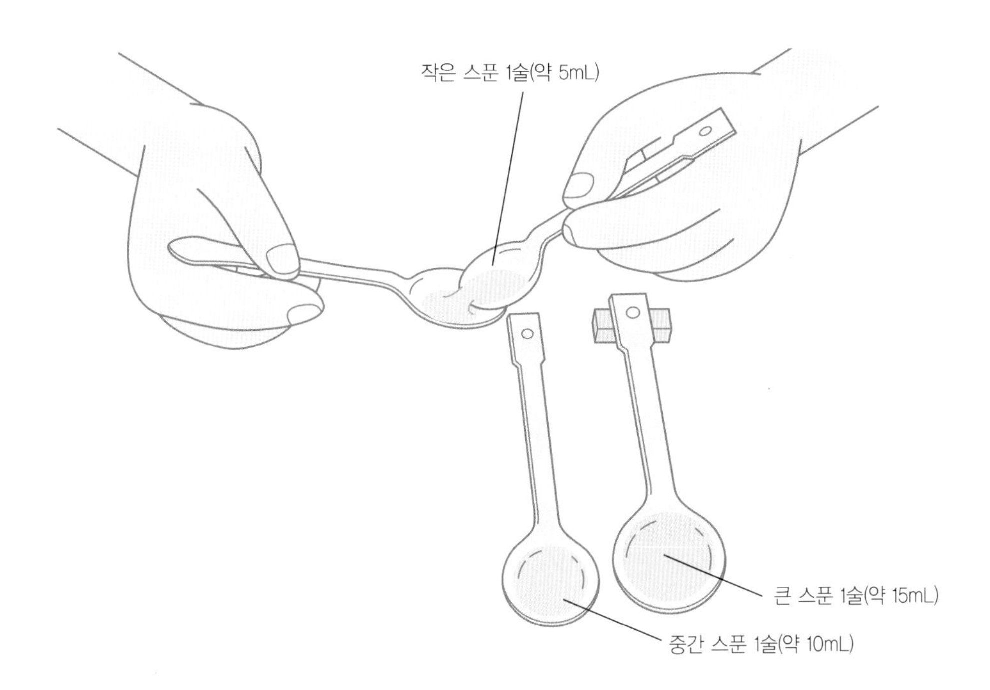

Q33

Difficulty Swallowing Q&A

먹기 쉬운 음식과 먹기 힘든 음식을 가르쳐 주세요.

1. '젤라틴 형태'를 추천

섭식, 연하장애 환자들에게 있어 먹기 쉬운 음식, 삼키기 쉬운 음식의 조건은 다음의 네 가지를 들 수 있다.

① 밀도가 균일함

② 적당한 점도가 있어서 부서지지 않음

③ 구강 및 인두를 통과할 때 변형되기 쉬움

④ 끈적거리지 않음(점막에 들러붙지 않음)

이러한 조건을 충족시키는 것이 '젤라틴 형태'이지만, 환자가 좋아하는 음식이라든지 맛을 첨가하는 등 기호에 맞도록 배려가 필요하다. 환자가 먹기 전에 우선 자신이 먹어 보고 맛있는지, 먹기 쉬운지를 확인하도록 한다.

2. 젤라틴과 한천의 차이

흔히 오해하고 있는 '젤라틴'과 '한천'의 차이를 예로 들어 먹기 쉬움의 차이를 설명해 보겠다.

농도에 따라 다르지만, 일반적으로 젤라틴으로 굳힌 것은 매우 먹기 쉽고, 연하식으로서 이상적이다. 고기, 생선, 야채, 과일 등 뭐든지 믹서로 잘게 분쇄하여 맛을 가미해 젤라틴으로 굳히면, 씹지 않아도 괜찮고 가볍게 혀로 으깰 수 있어서, 매끄럽게 목을 통과한다.

젤라틴은 입안에서 표면이 녹아 미끄러지는 동시에, 녹은 표면에 주위의 잔류물을 붙여서 함께 삼키기 쉽게 되는 효과가 있다. 식후에 젤라틴 젤리를 먹으면 입과 목이 깨끗해진다.

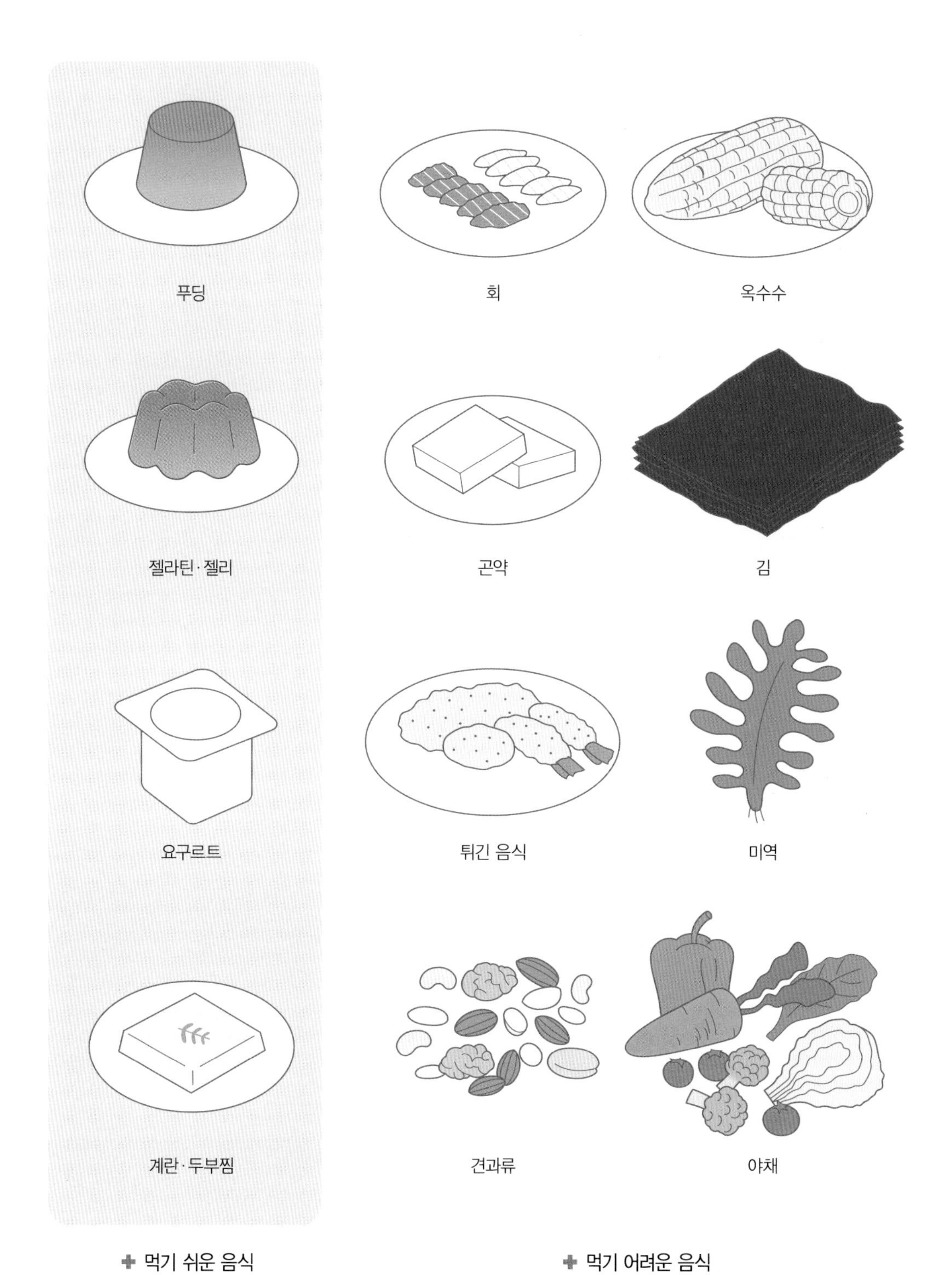

✚ 먹기 쉬운 음식

✚ 먹기 어려운 음식

이에 반해서, 많이 비슷해 보이지만 한천으로 굳힌 것은 어떨까? 한천은 산지에 따라 성상에 큰 차이가 있다. 또한 염분 농도를 약간 변화시키는 것만으로도 경도가 크게 바뀌어 버린다. 조금 단단한 한천 젤리는 잘 변형되지 않고, 씹지 않으면 삼키기 어렵고, 깨물면 미세한 입자가 되어 버린다. 혀로 으깨기 어렵고, 그대로 삼키면 잘 변형되지 않기 때문에 인두를 통과하기 어렵게 된다. 젤라틴처럼 매끄러움과 부드러움을 가지는 것은 상당히 어렵다.

단단한 한천 젤리를 연하조영으로 확인해 보면, 연하력이 약한 환자들에게는 후두개곡과 이상함요에 미세한 입자가 남는다든지, 통째로 삼킨 경우에는 인두를 통과하지 못하여 매우 위험하다.

젤라틴과 한천의 차이를 잘 알고 인식하고 있는 사람이 적기 때문에 주의가 필요하다. 특히 초기에 한천 음식을 주는 것은 매우 주의하는 편이 좋다. 또, 시판 중인 요구르트 중에는 젤라틴에 소량의 한천이 혼합되어 먹기 쉬운 것도 있으므로, 잘 이용하다면 한천도 절대 안된다고 볼 수는 없다.

또한, 젤라틴 젤리도 오래 입안에 머금고 있어서 삼키지 않은 환자 중에는 이것이 녹아서 인두에 흘러들어가 사레드는 경우도 발생한다. 환자의 상태에 맞는 특성을 잘 이해해 구분해 사용할 필요가 있다.

3. 먹기 힘든 음식

연하장애 환자에게 있어, 먹기 힘들고 삼키기 어려운 음식, 또한 위험한 음식은, 딱딱한 것, 바삭바삭한 것, 저작하기 어려운 것, 점막에 잘 들러붙는 것이다. 구체적으로는 견과류, 튀김(덴뿌라, 프라이), 옥수수, 야채 날 것, 곤약, 김, 미역 등을 들 수 있다. 또한 물기없는 국물이나 쥬스 종류도 사레들기 때문에 먹기 힘든 음식이다. 곤약 젤리와 나타데코코(nata de coco; 코코넛 밀크를 재료로 한 발효 식품)에 대해서도 탄성이 높아서 먹기 어렵다고 생각된다. 병원과 시설 등에서 나오는 잘게 썬 음식도 먹기 힘들므로 주의하기 바란다[Q38].

섭식 연하장애의 원인에 따라 먹기 쉬운, 먹기 어려운 음식도 다를 수 있기 때문에, 환자에게 맞추어 하나하나 음식물 형태를 검토하는 것이 중요하다. 환자의 기호도 중요한 요소이다.

Difficulty Swallowing Q&A

Q34 연하(조정)식은 고령자 식사와 같다고 생각해도 좋을까요?

고령자용 식사에 관한 책은 훌륭한 것이 많이 나와 있고, 매우 도움이 된다. 하지만, 그 책들은 대부분 저작하기 쉬운 식사라는 관점으로 쓰여져 있기 때문에, 연하식과 같다고 할 수는 없다.

필자가 '연하(조정)식'이라고 할 때는 이미 '저작된 후의 형태에 조정된 음식'을 염두에 둔 것이다. 연하식이 수분 함유량도 많다. 심한 가성구마비 환자들은 음식을 저작하지 못하고, 그대로 통째로 삼켜버리고 만다. 조금 개선된 단계에서도 겨우 혀로 눌러 부수는 정도로 삼킨다. 또한, 연하시에 중요한 식괴 형성도 불충분하다. 따라서 연하식은 장애의 정도에 따라, 저작정도와 식괴 형성의 용이함을 미묘하게 조정하는 것이 바람직하다고 생각한다.

한편, 고령자 식사는 저작하기 쉽다면 대부분 좋다고 생각한다. 건강한 고령자의 경우, 치아가 상당히 나빠도 혀와 치은으로 부드러운 것을 으깨어 타액과 혼합시켜 삼키기 쉬운 식괴로 만드는 것이 가능하다. 때문에 고령자 음식 중에서는, 그대로 연하(조정)식으로 이용할 수 있는 식사도 있고, 부적당한 식사도 있을 것이다.

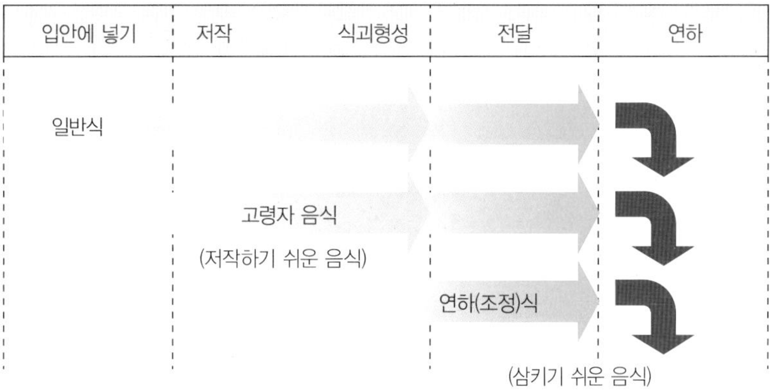

✚ 일반식, 고령자 음식, 연하(조정)식의 관계

Q35

Difficulty Swallowing Q&A

먹기 쉬운 음식의 온도는 어느 정도입니까?

인두점막에 접촉할 때 연하반사를 쉽게 유발하는 것은, 조금 차가운 것일 때이다. 반대로 조금 따뜻한 것도 좋겠지만, 체온과 같은 '피부' 온도의 음식물은 자극이 너무 적어서 적당하다고 말할 수 없다. 그러나 너무 뜨거운 것은, 감각 장애가 있는 환자에게는 열상을 일으킬 수 있으므로 적당하지 않다. 차가운 것과 뜨거운 것을 교대로 주는 등, 온도 감각을 느낄 수 있도록 하는 것이 좋다.

병원과 시설 등에서는 조리한 후 먹을 때까지 시간이 걸리기 때문에 온도도 변화하고, 음식물의 성상 변화에 대해서도 주의하지 않으면 안된다. 잡탕죽을 믹서에 갈아 분쇄시킨 것은 10분만 지나도 식어서 수분이 줄고 풀처럼 되어 버려 연하가 곤란한 음식물로 변화되고 만다. 젤라틴 젤리도 식고 있을 때는 형태가 있어도, 실온까지 온도가 오르면 액상으로 변화되는 경우가 있다.

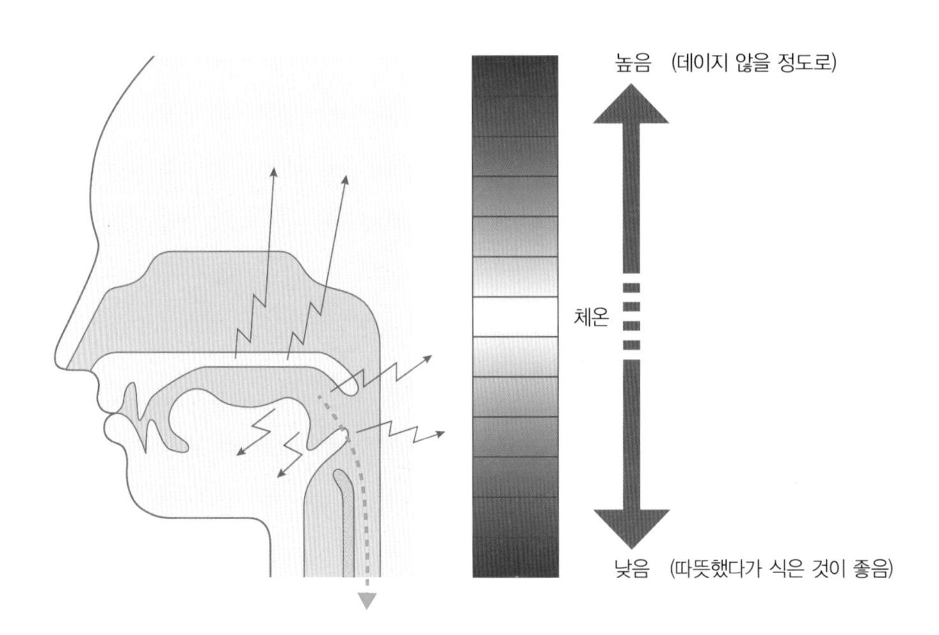

환자가 먹기 직전의 음식물의 상태, 먹고 있을 때의 음식물의 상태에 대해 잘 관찰하고 고려해야 할 필요가 있다. 식사시간이 길면 마지막에는 어떤 것이든 같은 온도가 되어, 젤라틴 젤리도 물처럼 되고, 맛도 나빠져서 삼키기 어렵게 되어 사레든다든지 식욕이 없어진다든지 하는 경우도 있다. 상당히 어려운 문제이지만, 도중에 다시 차게 한다든지 전자레인지로 다시 데우거나 소량씩 음식을 주는 것도 한 가지 방법이다.

젤라틴 젤리를 이용한 음식물은 녹지 않도록 얼음물을 넣은 용기(vat) 안에 넣어 따뜻해지지 않도록 하여 제공하면 좋을 것이다.

COLUMN

연하식 피라미드

여기에서 소개하고 있는 세레미카타하라(聖隷三方原) 병원의 연하식에 따른 5단계 식사에 대해 카나야 세츠코(金谷節子)씨가 연하식 피라미드로 보급활동을 하고 있는 것을 알고 계신 분도 많으리라고 생각한다. 책 말미에 참고도서에도 넣은 아래의 책은 연하식 피라미드의 설명과 함께 실제의 물성을 보여주면서 구체적인 레시피 125를 소개하고 있어 많은 참고가 된다. 연하식을 만드는 것은 어렵지만 시판중인 식품을 현명하게 이용해도 되므로, 따라서 시판 식품 250은 매우 유용한 정보이다.

- 江頭文江, 栢下 淳編, 金谷節子, 坂井真奈美 著 '연하식 피라미드에 의한 연하식 레시피 125' 醫歯薬出版, 2007
- 栢下 淳編, 金谷節子,神野典子, 山縣誉志江 著 '연하식 피라미드에 의한 level별 시판식품 250' 醫歯薬出版, 2008
- 栢下 淳編著 '병원, 시설을 위한 연하식 피라미드에 의한 저작, 연하 곤란자 레시피 100' 醫歯薬出版, 2009

Q36

Difficulty Swallowing Q&A

집에서 연하(조정)식을 만드는 것이 어렵습니다.

병원과 마찬가지 이유로 좀처럼 연하식을 만들기 어려울 것이다. 그러나 필자의 경험으로는 그 원리와 만드는 방법을 마스터한다면, 집에서 만드는 것이 환자와 만드는 사람이 1대1의 관계가 될 수 있으므로 좋다고 생각한다.

1. 기기의 준비

믹서(미니 볼이 달려 있는 성능이 좋은 것으로 선택한다), 푸드 프로세서 등 필요한 기기를 먼저 준비하는 것이 필요하다.

2. 젤라틴의 이용

믹서로 분쇄한 퓨레(purée)를 먹을 수 없다든지, 형태가 마음에 들지 않을 때는 젤라틴 모음(1.6% 전후의 농도)으로 한다. 형태와 맛을 배려한다면 식욕을 돋우는 연하식이 될 수 있다.

3. 시판식품의 이용

유아식, 푸딩, 계란 두부찜, 요구르트, 젤리 등을 냉장고에 보존한다. 이 외에도 최근에는 시판중인 식품으로 연하에 적당한 것이 여러 가지 있으므로 연구해 보기 바란다.

4. 간단하게 구할 수 있는 연하식

부록에 일본에서 시판되고 있는 주요한 연하식과 연하보조식을 정리했다. 참고하기 바란다.

이 외에도, Q33에서 설명하고 있는 먹기 쉬운 식품을 참고하기 바란다.

연하시키기 쉬운 음식

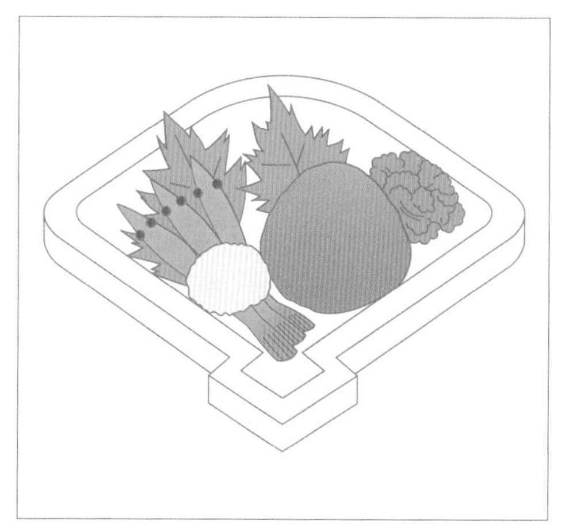

✚ 연하식 Ⅰ, Ⅱ 수준

생선회 다진 요리 : 연하장애인에게 가장 인기 좋은 음식은 생선회 다진 것이다. 식괴 형성의 용이함, 삼키기 쉬운 점이 발군이다. 간장을 조금씩 드리우면서 먹으면 맛도 더욱 맛있게 되어 정말로 만족스럽다.

✚ 연하식 Ⅰ, Ⅱ 수준

호박의 젤라틴 모음 : 젤라틴 모음은, 연하개시식과 연하식 Ⅰ, Ⅱ(부록 참조) 로는 최적의 음식이다. 보조자가 숟가락 위에서 동그랗게만 자유롭게 음식 덩어리를 형성할 수 있어 그대로 동그랗게만 되면 전부 목을 통과한다. 혀로 눌러 부수어도 정리가 잘되고 삼기키 쉽다.

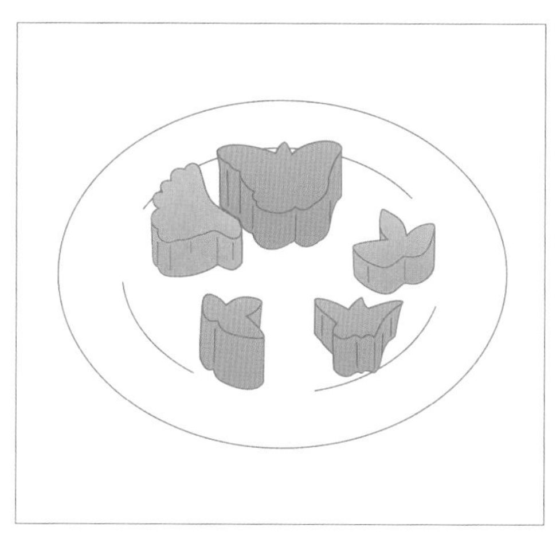

✚ 연하식 Ⅱ 수준

시금치와 인삼의 젤라틴 모음(이색(二色) 모음) : 색과 형태를 조합하는 것만으로도 매우 맛있어 진다.

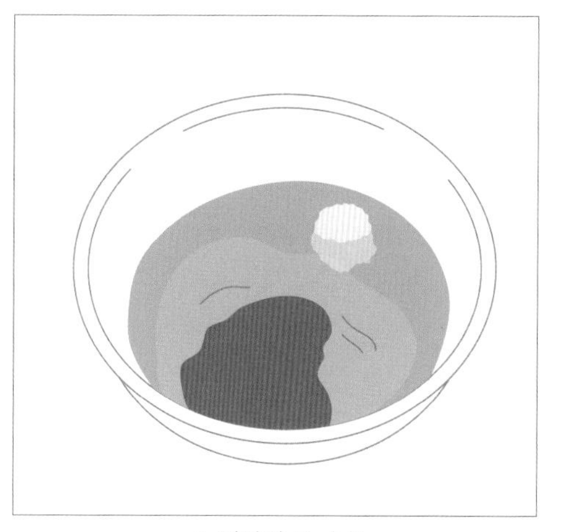

✚ 연하식 Ⅲ 수준

햄버그(인삼 페이스트, 으깬 감자 첨가) : 햄버그에 수분을 첨가해서 믹서를 돌리고, 맑은 수프(콩소메)로 맛을 조절한다. 믹서식이라도 이렇게 보기 좋게 담으면 맛있게 먹을 수 있다.

일반고령자식

✚ 일반고령자용

고기 경단, 토란, 당근 익힘 : 한 입 크기로 잘라서 조리하고 있다. 고기는 갈아서 고기를 경단으로 만들어 사용하면, 저작력이 약한 고령자도 만족시킬 수 있다. 그러나 둥근 것만으로는 곤란하여 연하장애인에게는 적당하지 않다.

✚ 일반고령자용

야채 익힘 : 한입 사이즈로 부드럽게 익혀져 있지만 어느 정도 저작력이 없으면 연하시킬 수 없다. 연하장애인용이라기 보다는 일반고령자용 음식이다.

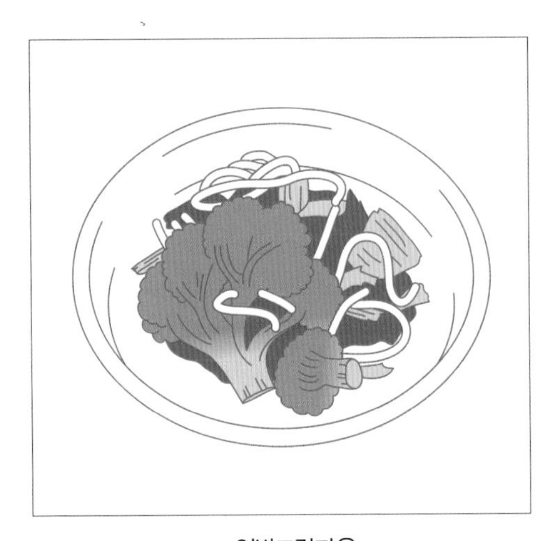

✚ 일반고령자용

브로콜리, 당면, 참치 통조림 무침 : 각각이 부드럽기 때문에 부드러운 야채 메뉴로 넣어서 고령자의 식사로 나올 수 있다. 그러나 충분히 저작하여 타액과 섞이지 않으면 삼키는 것은 곤란하여, 연하장애인에게는 적당하지 않다.

✚ 연하식 Ⅲ 수준

고등어 페이스트 양념 첨가 : 생선은 국물을 추가하는 것만으로 형태가 부서지지 않게 담을 수 있다. 양념을 첨가하면 보다 쉽게 연하하게 된다.

참치와 무 익힘

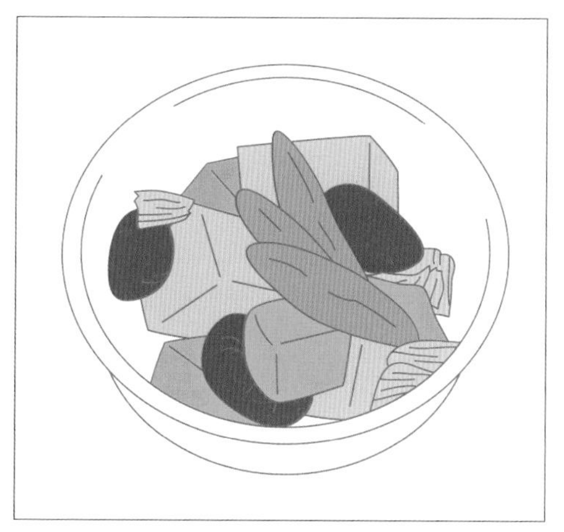

✚ 일반고령자용

한입 사이즈 : 한입 사이즈이지만, 저작력이 약하면 먹을 수 없다. 특히 표고버섯은 상당히 부드러워서 익히지 않으면 먹기 어렵다. 일반고령자용 식품이다.

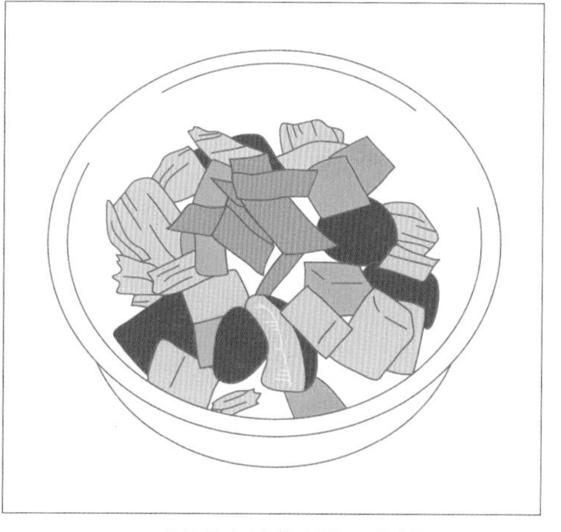

✚ 저작력이 약한 일반고령자용

대강 썬 음식 : 한입 사이즈 보다 작게 썬 것으로 저작력이 약한 일반 고령자가 좋아할 것이라고 생각된다. 그러나 한 개 한 개는 젓가락으로 집기 어렵고 본인 역시 그릇을 손에 잡고 입에 흘려 집어넣게 된다. 그렇다면 주르르 흐르게 되어 식괴형성이 어렵게 된다.

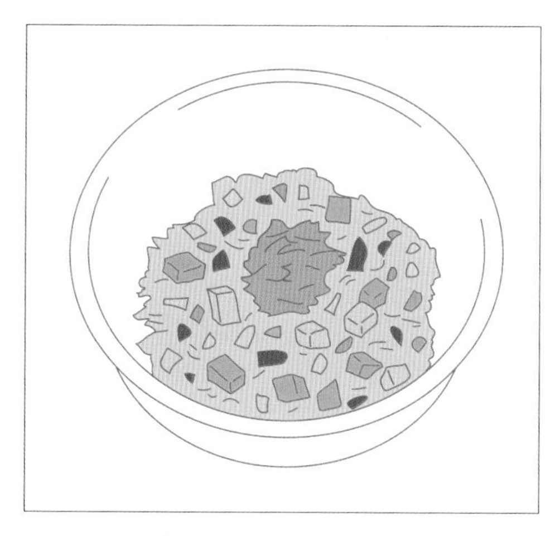

✚ 연하장애인에게는 부적당

잘게 썬 음식 : 잘게 썬 음식을 넣어서 일견 먹기 쉬워 보일 수 있다. 그러나 한 알 한 알이 주르르 흘려서 정돈이 어렵고 식괴형성이 곤란하다. 갑자기 뚝 하고 기관에 들어갈 위험도 크다고 생각한다. 잘게 썬 경우는 한 알 한 알을 혀로 편하게 눌러 부술 수 있을 것이 우선 조건이다. 연하장애가 있는 분에게 음식을 드릴 때는 '연결'의 역할을 하는 소스라든지, 토로메린(음식을 걸쭉하게 만들기 위해 일본에서 시판 중인 보조제) 등을 사용해서 식괴형성을 쉽게 하려는 고려가 필요하지만 그다지 추천할 수 없다.

닭고기와 시금치 볶음(saute : 볶은 요리)

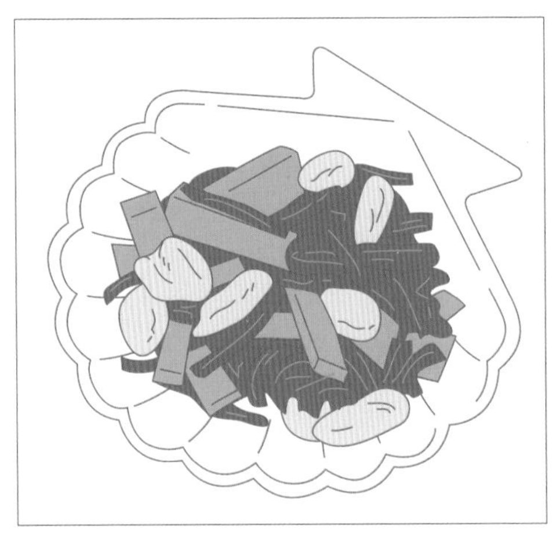

✚ 건강한 사람용

한입 사이즈 : 한입 사이즈이지만, 건강한 사람용의 일반식이다.

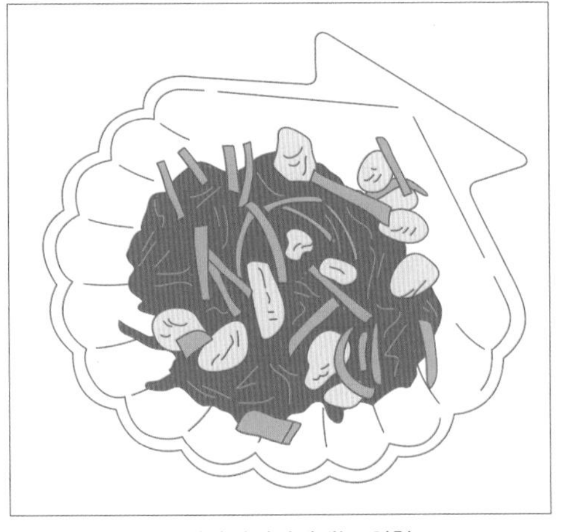

✚ 연하장애인에게는 위험

대강 썬 음식 : 닭고기는 고기 경단으로 하여, 치아가 약한 고령자에게도 저작을 쉽게 할 수 있도록 조리한다. 그렇지만 연하장애인에게는 위험한 음식이다.

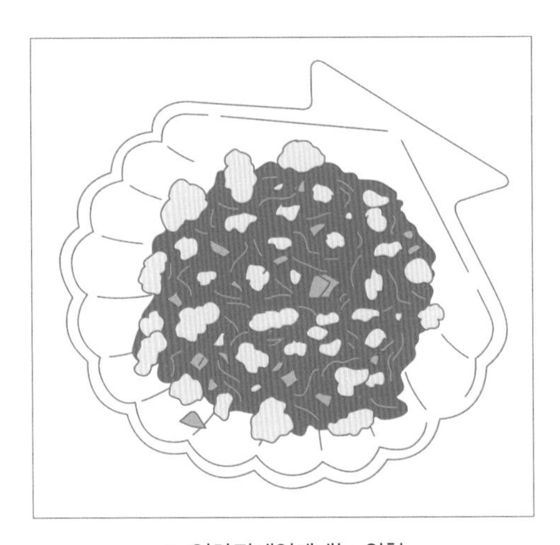

✚ 연하장애인에게는 위험

잘게 썬 음식 : 대강 썬 음식을 보다 잘게 썬 것이지만, 주르르 흘러서 상당히 먹기 어려운 음식이다. 우리들이 먹어보아도, 입 안에서 저작하면서 충분히 타액과 혼합하지 않으면 도무지 연하시키기 어렵다.

연하(조정)식 만드는 방법(예)

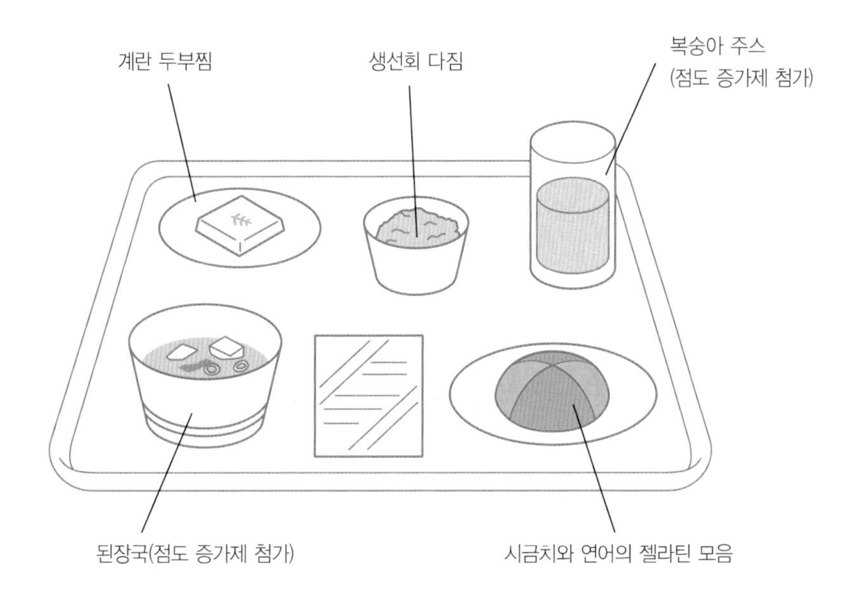

✚ 된장국

❶ 식재료에 다진 즙을 넣어 믹서로 간다.

❷ 젤라틴을 넣어 걸쭉하게 한다.

❸ 용기에 옮긴다.

또한, 된장국은 국물만을 젤리로 만든다. 국거리만 믹서로 갈면 맛이 나쁘게 되어 된장국과 동떨어진 음식이 되고 만다. 꼭 국거리를 넣으려 할 경우에는 연두부를 작게 잘라서 그대로 사용하는 것이 좋을 것 같다.

✚ 시금치와 연어의 젤리 모음

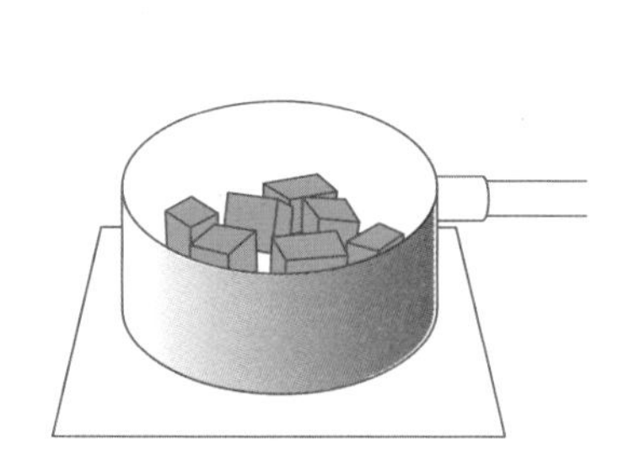

❶ 연어를 찐다.

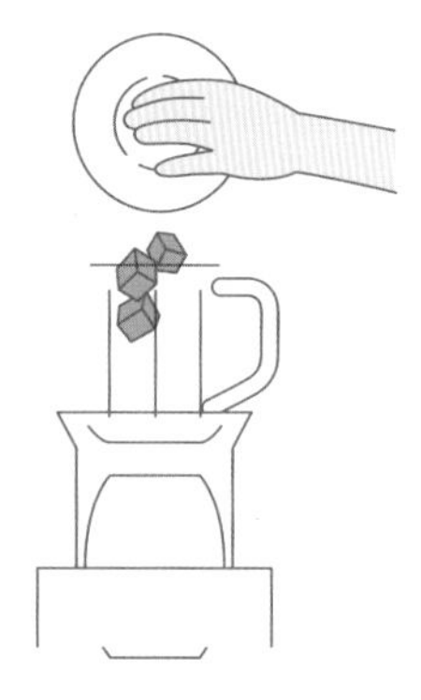

❷ 믹서로 간다.

❸ 데우고 맛을 조절한 뒤 젤라틴을 첨가한다.

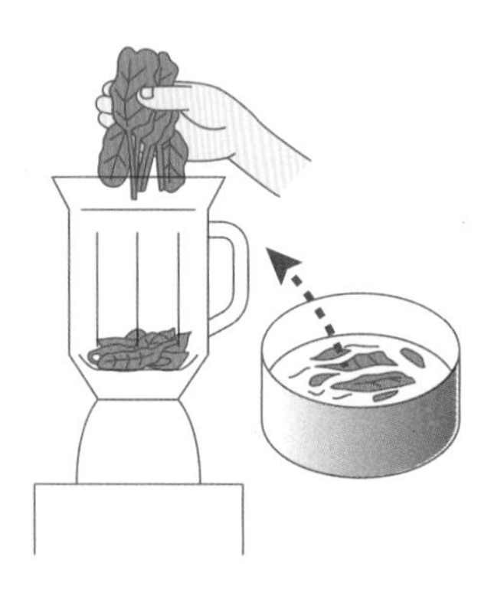

❹ 데친 시금치를 다시마 국물과 함께 믹서로 간다.

❺ 따뜻하게 하고 젤라틴을 첨가한다.

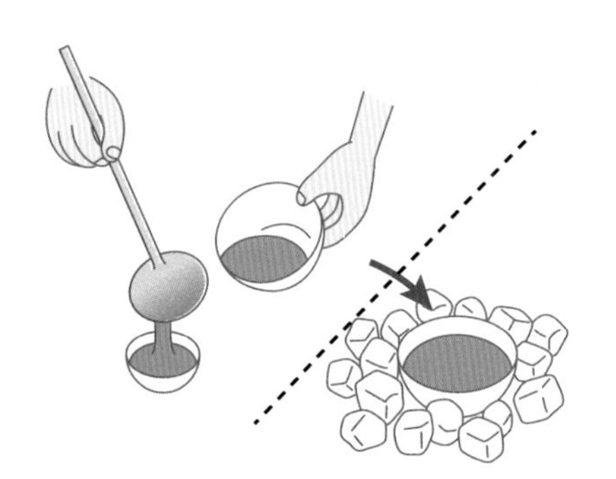

❻ 용기에 옮기고 얼음으로 식힌다.

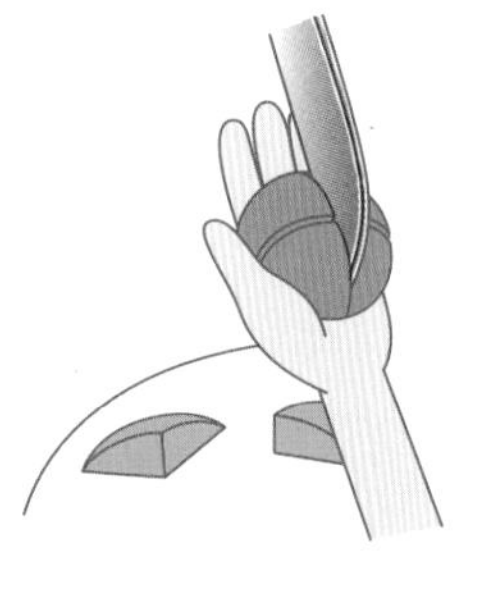

❼ 푸딩 상태가 된 것을 손에 놓고 십자로 자른다.

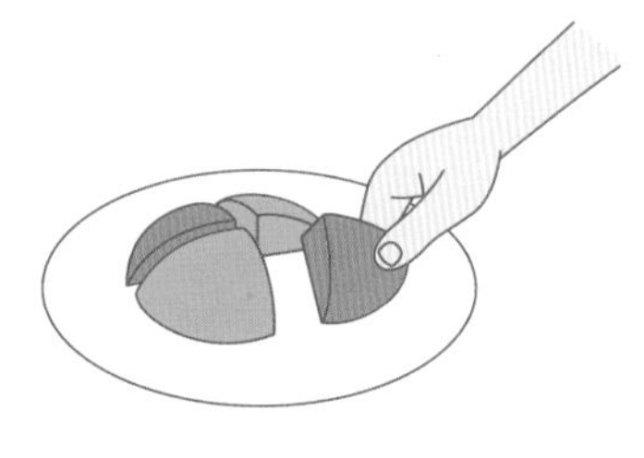

❽ 담는다.

✚ 계란 두부

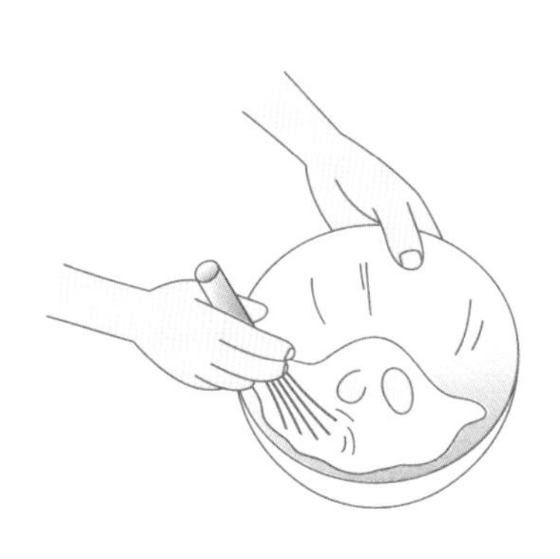

❶ 계란을 푼다.

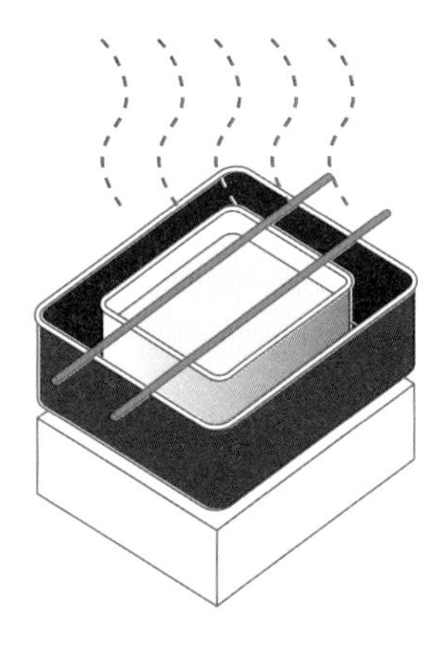

❷ 찜통에서 찐다.

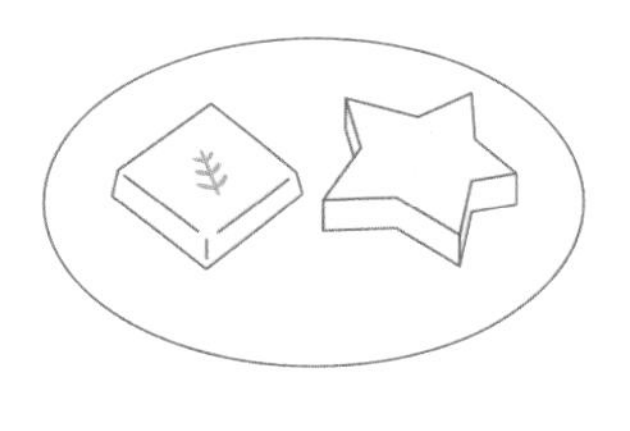

❸ 형태를 뽑아내어 담는다

생선회 다짐은 그대로 이용할 수 있다

완성. 온도가 변하기 전에 배식한다.

Difficulty Swallowing Q&A

Q37 병원에 연하(조정)식이 없는데, 어떻게 하면 좋을까요?

시판중인 푸딩이나 젤리, 계란두부, 보조식품, 베이비 푸드(꽤 종류가 많음) 등을 이용하는 방법, 가정에서 가족이 만들어 오게 하는 방법, 믹서식으로 대용하는 방법 등을 생각할 수 있다. 최근에는 기성품 연하(조정)식도 보조 용품점 등에서 쉽게 구할 수 있게 되었다. 책 말미의 표를 참조하기 바란다.

연하식은 환자 장애의 정도, 전신 상태 등에 맞출 수 있다면 가장 좋겠지만, 지식이 필요하고 수고스럽기 때문에, 만들 수 있는 것의 수가 적다는 문제점이 있다. 영양과(급식)의 적극적인 협력이 불가결하지만 그것도 힘든 일이다. 차분히 영양사와 대화를 나눈다든지, 실제로 환자가 먹을 때 입회해 달라고 한다든지 하여 관심을 갖게 하고 필요성을 이해시키는 것이 중요하다.

필자의 세레미카타하라(聖隷三方原) 병원과 하마마츠(浜松)시 재활병원에서도 긴 시간이 걸려서야 질 좋은 연하식이 공급될 수 있게 되었다. 또한 향후 환자의 기호 문제도 해결해 나가지 않으면 안된다.

어느 병원과 시설이라도 섭식, 연하장애를 치료하고 있는 스탭은 연하식으로 매우 고생하고 있다. '고생하고 있는 것은 우리들뿐만이 아니다'라는 기분으로 할 수 있는 데까지 해보기 바란다. 예를 들면, 어떤 병원에서 양배추 잘게 썬 것이 연하장애가 있는 분에게 그대로 나오고 말았는데, 언어치료사가 영양과에 가지고 가서 부드럽게 삶아서 마요네즈 무침을 해서 가져와 먹게 했던 경우가 있었다. 이것은 좋은 예이다.

중증의 연하장애를 치료, 훈련하려고 생각한다면 스스로 구입해 구해본다든지, 만들어 본다든지, 차려 나온 음식을 가공해 보려는 정도의 마음가짐이 필요하다.

Difficulty Swallowing Q&A

Q38 잘게 썬 음식은 좋지 않다고 들었습니다.

한마디로 말해서 추천할 수 없다. 입으로 운반하기 어렵고, 입안에서 식괴를 만들기 어렵고(정돈이 어렵고), 주르르 흐르고, 목에 남기 쉬운 점 등이 잘게 썬 음식의 문제점이다.

우선, 채소나 고기를 썬 음식을 입에 넣어보기 바란다. 그 상태로는 결코 삼킬 수 없다. 뿔뿔히 흩어지고 바삭바삭해서 어떻게든 씹기 시작하게 된다. 씹고 있는 동안에 타액이 나와서, 잘게 썬 하나하나의 알갱이가 융합하기 시작해서, 알갱이를 포함한 상태(식괴)로 정돈되면 비로소 삼킬 수 있다.

우리들 건강한 사람도, 때로는 잘게 썬 알갱이가 혀 아래나 치아와 잇몸 사이에 남는 경우가 있다. 또한 목에 남는 느낌이 들고, 차나 국물을 도중에 마시고 싶게 된다. 섭식, 연하장애가 있는 고령자에게는 이러한 잘게 썬 음식은 삼키기 매우 어렵고, 위험하다고 까지 말할 수 있을 것이다. 잘게 썬 음식이 적응증이 되는 경우는 연하장애가 없는 사람, 예를 들면, 저작은 할 수 있지만 입을 여는 데 제한이 있다든지 어떠한 원인으로 작은 것은 씹을 수 있지만 큰 것은 씹을 수 없다고 하는 사람이다. 연하장애가 있는 사람에게 잘게 썬 음식을 먹게 한다면 '잘게 썬 하나하나의 알갱이가 혀로 용이하게 눌러 부술 수 있는 정도의 단단함을 가지고 있다'는 조건이 필요할 것이다. 이것은 매우 어려운 일이다.

잘게 썬 음식을 퓨레(수분을 첨가하여 믹서로 충분히 으깬 것), 젤라틴 형태의 음식 등과 혼동하면 큰일이다. 그래도 잘게 썬 음식을 줄 경우에는 우선 재료가 부드러운 지, 실제로 만든 음식을 스스로 먹어보고 통째로 삼켜도 용이하게 삼킬 수 있는 지를 확인하기 바란다. 또한 증점제(增粘劑)[Q39]와 연계해 먹게 하는 것도 좋다고 생각한다.

Difficulty Swallowing Q&A

Q39 증점제는 '맛이 없다'고 해서 사용하기 싫어하는 환자가 있습니다.

확실히 증점제(增粘劑)(토로미(걸쭉하게 만들어주는 첨가제)제)는 아직 맛있지 않다는 문제점이 있다. 먼저 자신에게 시험해 보는 것을 추천하겠지만, 노인이 사레든다고 해서 습관이 들어 익숙한 차 대신에 '토로미가 들어있는 차'를 즐겨 마셔줄 리가 없다. 그러나 증점제는 사용법으로 다소 그 결점을 커버할 수 있다. 포인트는 다음과 같다.

① 소량을 사용한다.

② 차게 하여 마시게 한다.

③ 녹인 후 5분 이상 시간을 준다(부드럽게 된다).

④ 각 회사의 제품을 준비하여 좋아하는 제품을 환자에게 고르게 한다.

또한, 연하조영으로 효과가 있는 경우를 보여 준다든지 '이건은 폐렴에 걸리지 않게 하기 위해 필요한 조처입니다'라고 설명을 충분히 한다면 마음가짐이 바뀌어 마시게 되는 경우가 있다.

또한 소량의 토로미를 넣은 것을 한 모금 마신 후 넣지 않은 것 소량을 교대로 마시게 하는 것도 좋은 방법이다. 연하장애로 사레드는 환자들에서도, 소량이라면 사레들지 않는 경우가 대부분이다. 예를 들면, 된장국이라면 토로미가 들어있는 된장국과 원래 된장국 소량(0.5~2mL을 목표로 사레들지 않는 양) 만큼을 교대로 먹게 하도록 한다. 차도 마찬가지로 마시게 하면 만족감이 높아진다.

증점제는 그 장소에서 무엇이라도 녹게 하면 완성되는 것이어서 바로 손쉽게 인스턴트로 음식이 되므로 편리하다. 그러나 인스턴트이기 때문에 가루 같다는 것이 결점이다. 그 점에서는 칡이라든지 녹말 등, 친숙한 재료로 조리하여 걸쭉하게 한 것이 맛이 좋다. 인스턴트가 안되는 때는 열을 가해서 만드는, 자연의 걸쭉함을 가지는 음식물(갈탕, 단팥죽, 생강탕 등)로 수분을 섭취할 방법을 생각하기 바란다.

최근 개발된 증점제에는 맛도 좋고, 다음과 같은 특징을 가진 우수한 제품이 판매되고 있다.

- 맛에 거부감이 적고 풍미가 쉽게 보존된다.
- 수 분만에 점도가 일정하게 되어 이후 변화되지 않는다.
- 양이 너무 많아도 끈끈하게 달라붙지 않고, 젤리 상이 된다.

이렇게 종래 제품의 결점이 상당히 보완되고 있다.

책 말미의 자료를 참조하기 바란다.

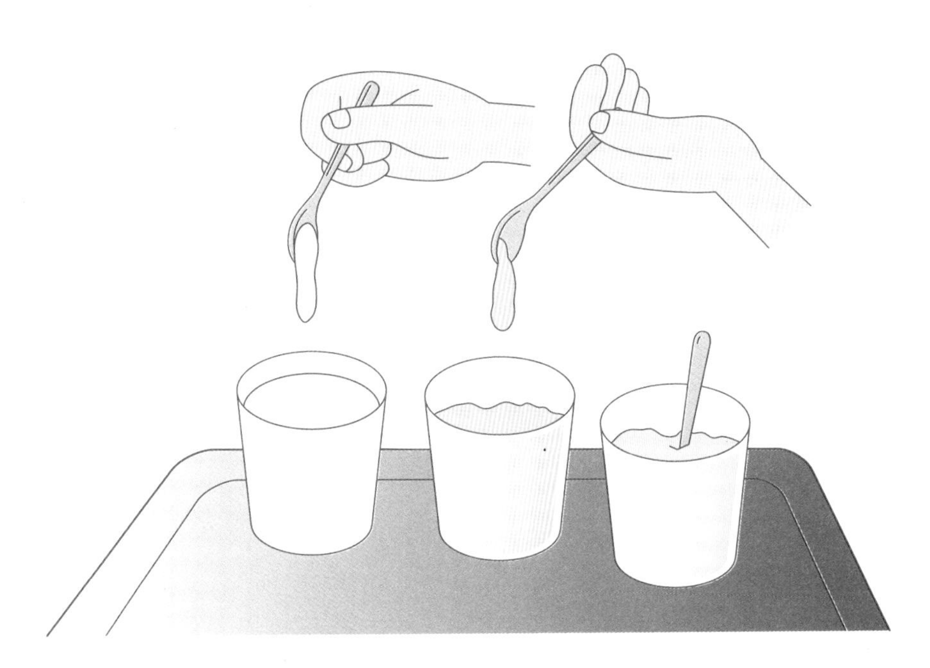

✚ 점도의 차이에 따라 선호하는 것을 고른다.

Difficulty Swallowing Q&A

Q40 연하(조정)식은 언제까지 계속하면 좋을까요?

젤라틴 타입의 음식 등 가장 연하시키기 쉬운 음식을 먹을 수 있게 되면 다음 스텝으로 연하(조정)식의 단계를 높일 수 있는 기준으로 그림을 참조하기 바란다. 단계적으로 음식물의 난이도를 높여 연하장애의 개선을 도모하면서 건강인과 같은 음식을 먹게 될 수 있도록 접근한다. 부록의 연하(조정)식, 단계적 섭식훈련을 참조하기 바란다.

고령자의 경우, 최종적으로 어느 정도 레벨까지 도달하게 될 지는 구강기능에 달려 있다. 그 중에서도 저작력이 결정적이다. 저작에 필요한 치아의 상태도 매우 중요하다. 가령 아무리 연하시키기 어려운 음식물이라도 저작하여 연하시키기 쉬운 형태(식괴=연하식)로 정돈된다면 삼킬 수 있다라고 말할 수 있다.

지적(知的) 기능도 중요하다. 저작력이 있어도 저작하는 것을 잊고 있는 경우는 위험하다. 또한 식괴 보존기능이 불량할 때에는 저작 중에 식괴의 일부가 인두에 흘러들어가 오연하는 경우도 있다. 단, 고령자에서는 반드시 연하력의 저하가 있다고 생각되므로 먹기 쉬운 식사를 배려해야 할 것이다. 한편으로는, 먹기 쉬운 것만 먹고 있으면 섭식, 연하능력의 저하를 가져온다는 딜레마도 안고 있다. 고령자식에서도, 연하식에서도, 안전하게 먹으면서 섭식, 연하기능의 훈련이 되는 식사를 제공하고, 그것을 먹는 방법을 지도한다는 생각이 이상적이다. 향후 고령화사회에 대비하여 추가적 연구가 필요하다.

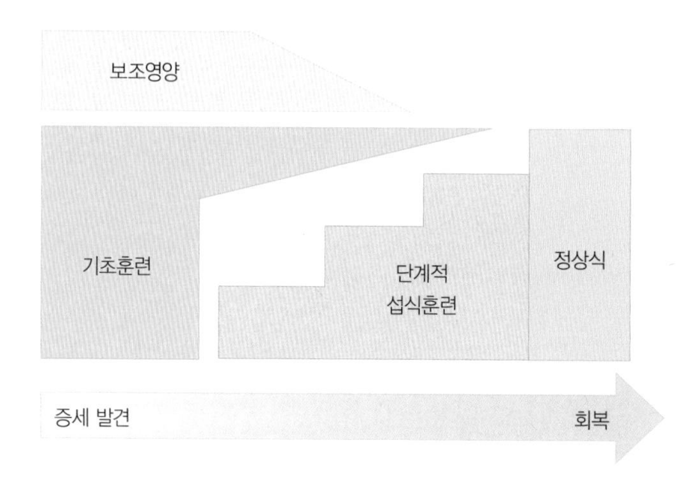

Q41

Difficulty Swallowing Q&A

저염식이라서 '맛을 알 수 없다'고 하면서 먹지 않습니다.

저염식으로 만들었기 때문에, 식욕이 저하되어 오히려 몸상태가 나빠져 버렸다고 하는 예가 꽤 보인다. 우선, 무턱대고 저염식을 시행하는 것은 피하기 바란다.

필자의 경우, 고혈압 환자는 일단 70세를 기준으로 한다. 70세 이하의 분에게는 저염식 지도를 시행하고 있지만 그보다 고령자에게는 묵인하려고 하고 있다. 저염식으로 만들었기 때문에 맛이 없어서 먹을 수 없게 되는 경우가 훨씬 무섭기 때문이다.

그런데 신부전이나 심부전으로 어떻게든 저염식 지도를 하지 않으면 안되는 때는 70세 이하라 해도 되도록 식욕저하가 오지 않는 방법으로, 필자는 표면에 맛을 입히도록 하는 고려를 부탁하고 있다.

찐 음식과 같이 전체에 맛을 스며들게 하면 어떻게 해도 염분섭취량이 증가되고 만다. 국물맛이 잘 나게 해서 전체의 풍미를 살리면서, 먹기 직전에 간장과 타레 국물, 소스 등을 표면에 입히도록 한다. 생리학적으로 미각은 진한 맛에 가장 민감하기 때문에 농도가 높은 표면의 맛으로 만족도가 높아지고, 전체의 염분 섭취량을 감소시킬 수 있게 된다. 옅은 맛이 골고루 칠해져 있는 상태를 피하고 농담의 신축성으로 미각을 즐겁게 하도록 하는 배려가 좋다고 생각한다.

이 감각에 대해서는 영양사나 조리사 분들이 다양한 노하우를 가지고 있으므로, 상담해 보기 바란다.

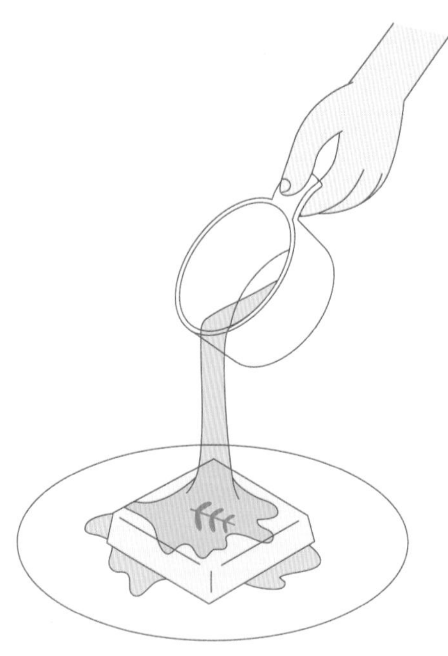

타레 소스를 두른다든지 해서
저염식에 신경 쓴다.

음식 전체에 맛을 스며들게 하는 것은
중지한다.

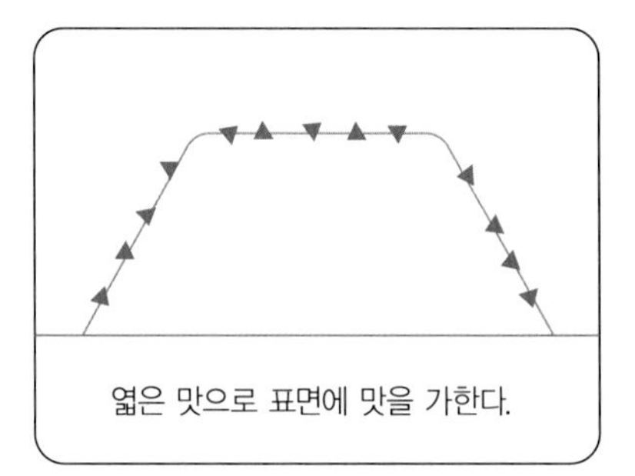

엷은 맛으로 표면에 맛을 가한다.

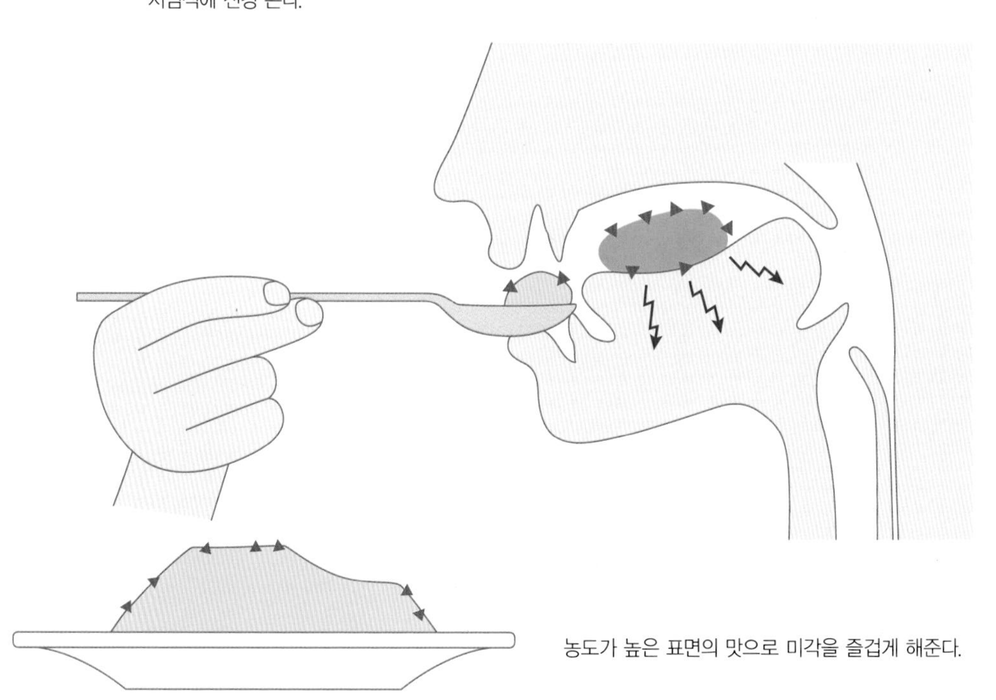

농도가 높은 표면의 맛으로 미각을 즐겁게 해준다.

Difficulty Swallowing Q&A

Q42 씹으면 위험하다고 들었는데 씹는 것은 좋은 것 아닐까요?

이 질문에 답하기 전에 프로세스 모델(process model)이라고 하는 단어를 설명하겠다. 이것은 존스홉킨스 대학의 파머선생이 제창한 개념이다. 고형물을 저작하고 있으면, 저작중에 분쇄된 음식물은 조금씩 인두(특히 후두개곡)로 보내지고, 그곳에서 식괴(분쇄되고 타액과 섞인 삼키기 쉬운 형태가 된 음식물)가 형성된다는 것이다. 연하반사는 저작중에는 억제되어 있다. 후두개곡에 어느 정도 음식물이 모여서 삼키기 쉬운 식괴가 형성된 뒤, 저작이 중단되고 연하반사가 일어난다. 우리들은 보통 이렇게 해서 먹고 있지만, 전혀 신경쓰고 있지 않다.

고전적인 생각은 식괴는 구강내에서 형성되고 인두로 보내짐과 동시에 연하반사가 일어난다고 여겨지고 있었다. 수분을 마실 때는 그대로 이지만, 고형물의 경우는 많이 다르다. 때문에 이전에는 인두에 식괴가 보내지고 연하가 일어나지 않으면, 연하반사가 늦어져서 위험하다고 생각되었다. 그러나 건강인들에서도 연하반사가 일어나기 전에 음식물이 인두로 보내지고 있다는 사실은 새로운 발견으로 이것을 '프로세스 모델'이라고 부르고 있다.

연하장애 환자에게는 젤리를 씹지 않고 통째로 삼켜 보세요라고 지도하는 경우가 있다! 젤리는 저작을 하고 있으면, 그 사이에 저작된 조각이 인두로 보내져서 그것이 후두개곡에 머물지 않고 기도 쪽으로 가버리고 말아 오연으로 쉽게 이어지게 된다. 그것을 방지하기 위해 이용하는 방법이 통째로 삼키는 방법이다.

연하장애 환자는 인두와 후두의 감각도 저하되어 있고, 목에 음식물이 들어와도 연하가 일어나기 힘들기 때문에 저작 연하는 오연으로 쉽게 이어지는 경우가 있다. 또한 유부나 수박과 같이 씹을 때 수분이 나오는 음식물의 경우는 즙이 인두에 쭉 흘러들어가기 쉬워서 오연으로 이어진다.

우리들은 어린이 때부터 '잘 씹어 먹으세요'라고 부모에게 가르침을 받고 컸다. 씹는 것은 매우 중요하고, 장점도 매우 많지만 연하장애 환자들에게는 위험으로 이어지는 경우도 있다는 것을 기억해 두기 바란다.

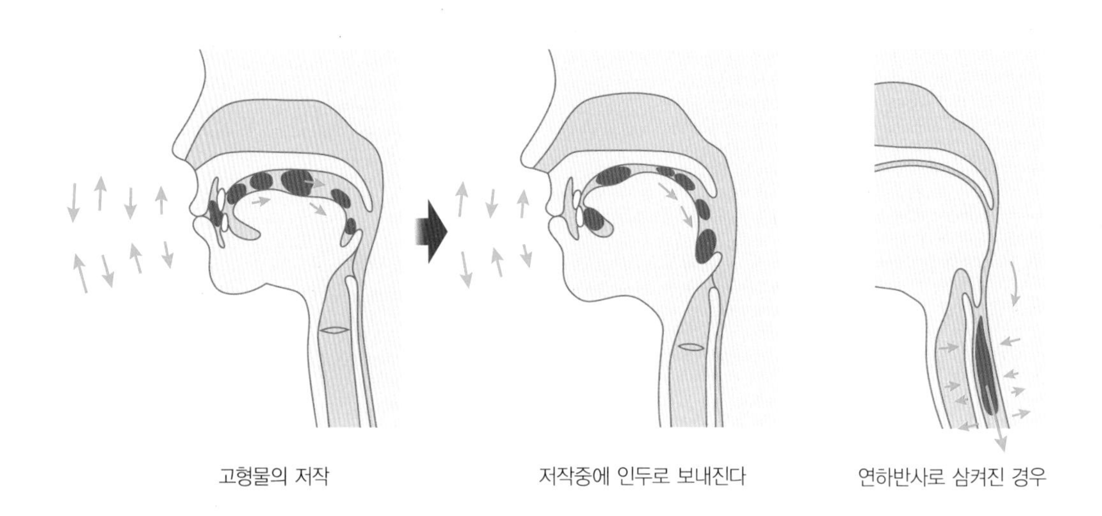

✚ 프로세스 모델

Difficulty Swallowing Q&A

Q43 물을 자유롭게 마시게 하고 있는 시설이 있다고 들었는데 괜찮을까요?

수분 때문에 사레드는 사람은 토로미를 첨가한다. 그러나 토로미는 맛이 좋지 않고, 마셔보면 알겠지만 물을 먹고 있는 느낌이 들지 않는다. 인간은 역시 물을 마시고 싶다고 하는 생리적인 욕구가 있다. 지금은 토로미 전성시대이지만, 조금씩 도를 넘는 것 같다는 생각이 든다. 조사해 보면 프리 워터 프로토콜(free water protocol)이라고 하는 것이 있다. 그것은 미국에 있는 재활센터(FRAZIER Rehabilitation Center)에서 이전부터 시행하고 있다. 심하게 사레든다든지 전신 상태가 나쁘지 않은 환자에게는 구강 내를 깨끗하게 한 후 어느정도 자유롭게 물 마시기를 허락하는 방법이다. 확실히 물이라면 다소 오연해도 폐렴으로 이어질 위험은 적다고 생각된다. 안전하기만 하다면 생각을 새로이 하여 재검토해보는 것도 좋을 것이다.

필자는 최근 이 방법을 익혀서, 물과 차에 한하여 신중하게 임상 관찰을 하면서 토로미를 넣지 않고 섭취할 수 있도록 하고 있다. 지금 단계에서는 큰 문제도 없고 환자의 만족도도 높아 보인다. 이전에 '된장국 폐렴'이라고 하는 단어가 있었다. 된장국은 영양분(유기물)이 많이 함유되어 있고, 동시에 후루룩 마시기 때문에 오연하고, 고령자나 연하장애 환자의 폐렴 원인이 되기 쉬운 경우로 경종을 울리는 단어이다. 필자도 국을 오연하면 위험성이 높다고 생각하고 있다. 그러나 충분히 구강관리한 후에 물을 마시게 하면, 설령 소량 오연한다고 해도 위험은 그다지 높지 않다고 생각하고 있다. 만일, 실시할 경우는 의사와 상담하면서 다음의 조건을 고려하여 시행하기 바란다.

① 처음은 소량씩, 보조자가 붙어 있는 상태에서 실시한다.
② 경과관찰하여 상태가 악화되지 않는 것을 확인한다.
③ 날짜와 시간에 따른 변동이 있기 때문에, 한번 잘 마시게 되었다고 해서 안심하지 않는다.
④ 급성기는 피한다.

⑤ 물 이외에는 시행하지 않는다.
⑥ 심하게 사레든다든지 환자가 싫어하는 경우에는 시행하지 않는다.

실은 필자의 부친이 뇌경색으로 연하장애가 있어서 도와드리고 있었다. 수분은 사레들기 때문에 토로미를 애용하고 있었지만, 물과 차에 대해서는 숟가락, 빨대, 긴 부리가 달린 그릇, 컵으로 직접 등 그날의 상태를 보면서 마시게 해드리고 있었다. 약을 먹을 때는 토로미 물을 사용하고 있었다. 한 번 사레들고 그르렁거리면 바로 중지한다. 무리는 하지 않았지만 연하의 상태는 매일 변동하고 있고 문제없이 마실 수 있는 날이 꽤 많이 있었다. 부친뿐만 아니라 보조자인 필자의 만족도도 높아지게 되었다.

COLUMN

획기적인 연하식

히로시마현이 개발한 동결함침법(凍結含浸法)은 식재의 형태와 맛을 보존하면서, 혀로 가볍게 눌러 부술 수 있지만 매끈함도 있는 식품을 만들 수 있는 우수한 방법이다. 이엔 오츠카(EN Otsuka) 제약회사가 개발한 '섭식회복지원식 아이토'라고 하는 제품은 상온함침법이라고 하는 방법으로 마찬가지로 맛있고 부드러운 식품으로 완성시키고 있다. 양자 모두 이 책의 분류에서는 이행식 레벨(일부의 종류는 연하식 Ⅲ에도)에 해당하는 식품이지만 효소를 특수한 방법으로 세포 사이로 유도해 음식 재료의 세포벽을 파괴하지 않게 조리할 수 있다고 하는 방법이다. 지금까지 이행식은 집에서도 준비하는데 있어 매우 힘든 일이었다. 향후 급속하게 보급되리라고 생각한다.

이외에도 이 분야는 많은 기업이 최신기술을 투입하여 초고령사회에 적합한 식품을 개발하고 있다. 지난 몇 년간 더욱 좋은 제품을 보다 손쉽게 구할 수 있게 되었다고 생각한다.

CHAPTER 05

다양한 증상과 대처법

이 장에서는, 의식장애, 실어증, 편측공간실인(半側空間無視), 인지증 등을 동반한 섭식, 연하장애에 대한 대응, 또한 구체적인 '입으로 먹을 수 없는' 증상에 대한 대처법에 대해서 해설합니다. 다음 장 '기초훈련과 섭식훈련'과 함께 읽는다면 보다 이해하기 쉬울 것이라 생각합니다.

Difficulty Swallowing Q&A

Q44 약을 능숙하게 먹이는 방법에 대해 가르쳐 주세요.

연하에 문제가 없는 사람에게도 약은 먹기 어려운 것이다. 연하장애 환자가 약을 먹으면 인두와 식도에 걸려서 잔류해 버리고, 국소 점막을 손상시킬 위험이 있다. 물론 잘못해서 폐 쪽으로 들어가면 큰일이다. 어떻게 하면 좋을까?

일반적으로 연하장애가 있는 분이 약을 먹을 때는, 약을 부셔서 가루약으로 만들어 식사에 섞어 먹고 있는 경우가 많지 않을까? 그러나, 이 방법으로는 오히려 가루가 사레들게 되는 원인이 된다든지, 약에 의해서 음식의 맛이 매우 좋지 않아 먹기 어렵게 된다든지 하여 매우 괴로워하고 있는 분이 많다고 생각한다. 그래도 달달한 후르츠 젤리 등에 섞어서 가루로 된 약을 먹는 방법이 지금으로서는 가장 자주 이용되는 방법이다.

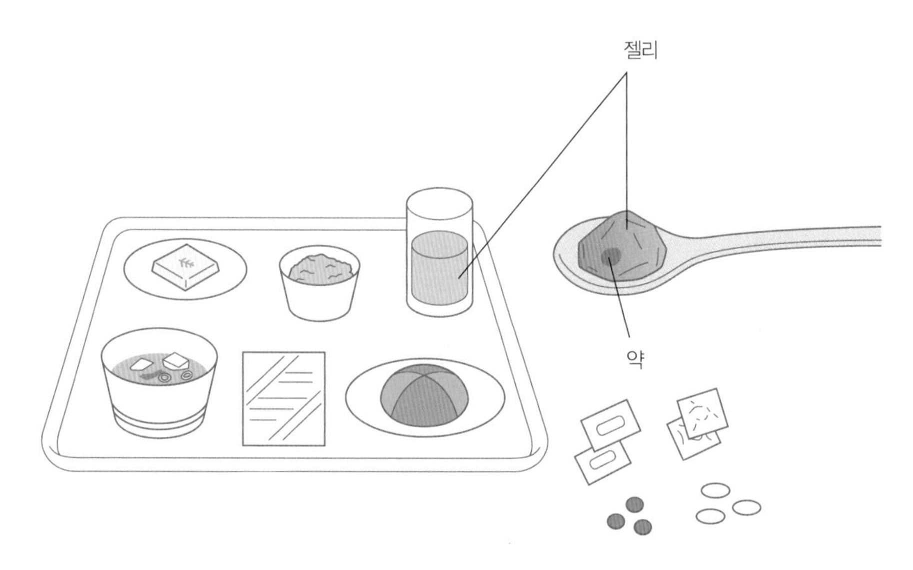

✚ 약은 젤리에 묻혀서 먹게 한다.

필자가 자주 이용하는 것은, 정제를 젤라틴 젤리 안에 묻어서 함께 먹게 하는 방법이다. 작은 약일 경우는 꽤 잘된다. 식후가 아니라 식사 도중에 먹게 하면, 인두나 식도에 잔류했던 경우에도 그 후 음식물과 함께 위까지 운반되기 때문에 안전하다. 시험해 볼 가치가 있는 방법이다.

좌약, 패치약 등 먹을 필요가 없는 제형이 있는 경우는 그러한 제형으로 의사에게 처방을 변경해 달라고 하면 좋겠다고 생각한다. 먹지 않고 입안의 점막으로 흡수되는 약도 있다면 도움이 된다. 현재, 젤리 형태나 입안에서 녹을 수 있는 형태(구강내 붕괴정)로 먹기 쉬운 제형의 약이 차례로 발매되고 있다. 초고령 사회를 맞이하여 우수한 약이 개발될 것을 기대하고 있다.

그 밖에 고려해 볼 점으로서,
① 약을 되도록 줄인다.
② 횟수를 적게 한다. 예를 들면 하루 3회의 약을 1회 투여해도 되는 약제로 변경한다.
③ 약만 간헐적 튜브[Q102]로 주입한다.
가 있다.

또한, 튜브로 약을 넣을 때는 자주 튜브가 막혀 버리는 트러블이 있어 모두가 곤란해 하고 있다고 생각한다. 최근 정제를 그대로 탕에 녹이는 방법이 고안되었다. 쇼와대학 후지가오카 재활병원 약제부의 쿠라타(倉田) 나오미 선생이 보고했던 방법이다. 매우 훌륭한 방법으로 '내복약 경관투여 핸드북'(후지시마 이치로 감수, 쿠라타 나오미 저, 지호(じほう)사, 2001)으로 출판되어 있다. 모든 약을 그대로 탕에 녹일 수는 없겠지만 분쇄시킨 후 탕에 녹임으로써 ① 녹일 수 있는 약의 수가 많고 ② 고생스럽지 않고 ③ 튜브가 막히지 않으며 ④ 분쇄된 약을 보조자가 흡인할 위험이 없는 점 등 획기적인 특징을 가지고 있다. 곤란을 겪고 있는 분은 부디 시행해 보기 바란다.

Q45

Difficulty Swallowing Q&A

연하장애가 있는 사람에게는 무서워서 손댈 수 없습니다. 어떠한 위험 대책을 세우면 좋을까요?

'오연', '질식' 등 호흡관련의 트러블로 어떤 일이 일어날 지 알 수 없기 때문에 무서운 것이라고 생각한다. 그렇다면 어떻게 하면 좋을까?

우선은, 위험이 없는 방법으로 시행하고, 위험한 상태를 일으키지 않는 방법, 즉 예방이 중요하다. 예방의 포인트는 다음의 세 가지이다.

① 의식이 좋을 때에 섭식한다.

② 소량씩 준다.

③ 상태를 잘 관찰하면서 진행하고 조금이라도 불안감이 있다면 중지한다.

섭식중에는 주의 깊은 관찰력이 승부를 결정한다. 오연해도 최소량으로 되도록 신경쓰고, 질식하기 전에 주는 것을 중지하는 것이 중요하다. 다음과 같은 증상에 주의하도록 하자.

- 기운이 나지 않는다.
- 호흡이 빨라지게 되고, 숨소리가 거칠어 진다.
- 얼굴 표정이 험악해진다.
- 질문에 대답이 없게 된다.
- 목이 그르렁거린다.

1. 오연한 경우

불행하게도 오연해 버린 경우의 대책에 대해서 생각해 보자. 오연했다고 생각하면 차분해질 때까지 호흡이 편한 자세로 안정되도록 한다. 오연한 음식물을 스스로 토해내도록 하는 것이 가장 좋고, Huffing[Q85]이나 Squeezing[Q85]을 시행한다든지, 기침을

하임리히 법

큰 덩어리가 인두나 기관을 폐쇄시켜 질식된 경우는, 하임리히법을 시행한다.

① 한 쪽의 손으로 주먹쥐고, 다른 쪽의 손을 그 위에 놓도록 하여 환자를 끌어안는다.

② 손으로 복부에 압력을 가해서, 횡경막을 밀어 올린다.

그것에 의해 흉강 내 압력을 높여서 기도 내 압력을 올리고 기도를 막고 있는 이물을 제거한다.

가정용 전기청소기를 이용한 간이 흡인기

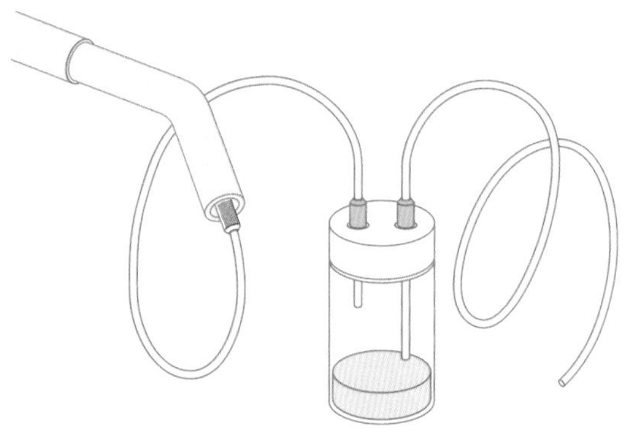

인스턴트 커피 등의 빈 병을 이용하여 흡인관을 다는 것만으로 만들 수 있다.

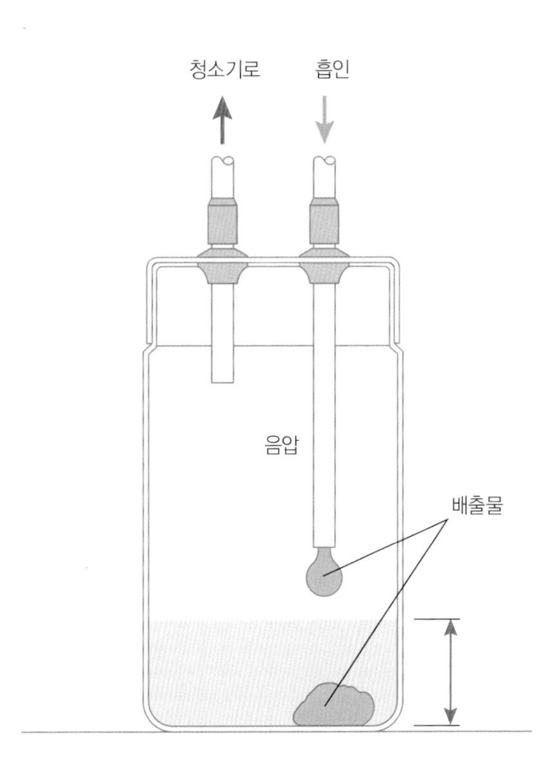

유발하여 기침과 함께 토해내도록 한다. 반복되는 일이지만, 심하게 사레드니까 오연량이 많고, 사레들지 않으니까 오연하고 있지 않다고 하는 판단은 금물이다. 대체로 사레들었던 쪽이 오히려 안전성이 높기 때문에 당황하지 않도록 한다.

그런데 오연한 때나 인두에 잔류한 음식물을 제거하기 위해 흡인기는 필수품이라고 말할 수 있을 것이다. 언제라도 사용할 수 있도록 준비해 두도록 한다. 정작 중요한 때는 보통 힘의 반도 내지 못하는 것이 흔한 사람의 일이다. 평상시 사용법을 늘 연습해 두기 바란다. 충전식 포터블 타입으로는 '사용하려고 보니까 전지가 없었다'고 하는 경우는 웃을 일로만 생각할 수 없다. 경우에 따라서는 흡인관을 자기의 입으로 빨 정도의 각오만 있다면 준비에도 신경을 쓰게 될 것이다. 집에서는 앞페이지의 그림과 같이 인스턴트 커피병으로 흡인기를 만들어 두는 것도 편리하다.

또한, 제품으로서는 아래 그림과 같은 전기청소기에 직접 접속할 수 있는 흡인 노즐이나 수동식 흡인기(吸痰瓶, 블루 크로스 이머징(02-3815-2220)의 HA-210 및 발로 움직이는 흡담장치(블루 크로스 이머징(03-3815-2220)의 FP-300 등)가 발매되어 있고, 방문, 외출시 등 임기응변으로 사용하면 좋을 것이다.

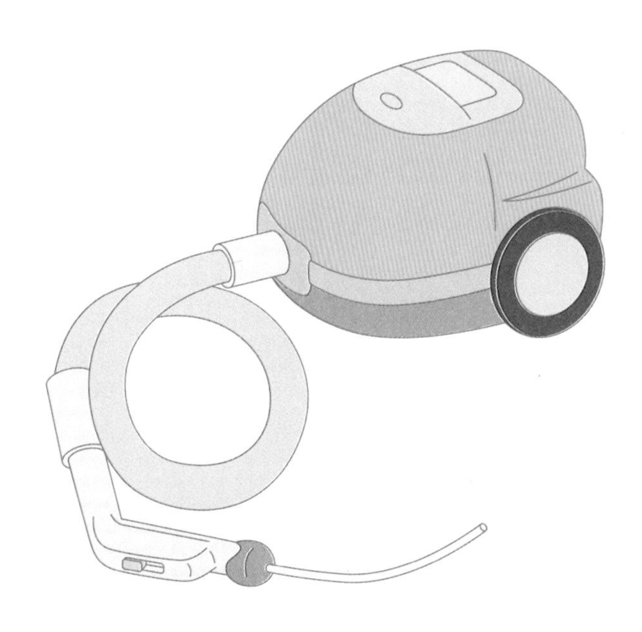

✚ 전기청소기에 직접 접속하는 흡인 노즐

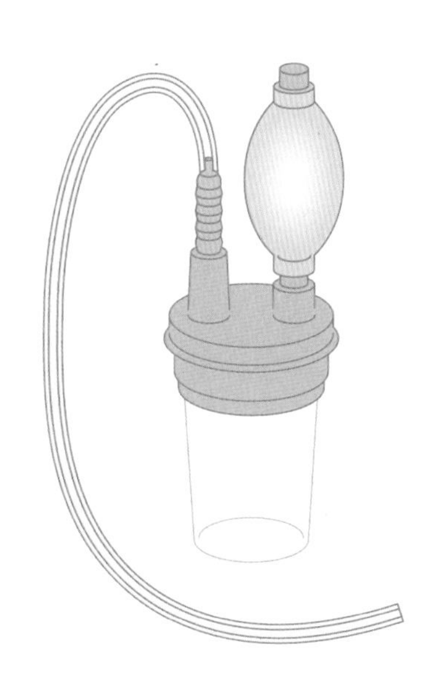

✚ 수동식 흡담장치

요령은, 기침을 하도록 한다든지 흡인관의 자극으로 기침을 일으켜서, 기침과 함께 배출된 음식물이나 가래를 흡인하는 것이다. 의사나 숙련된 의료직이 아닌 분은, 기관까지 흡인관을 넣지 않도록 하는 것이 좋다고 생각한다. 기관지 경련이 일어나서 더 이상 배출되기 어렵게 된다든지, 호흡 상태를 나쁘게 할 우려가 있기 때문이다.

2. 호흡이 일어나지 않게 된 경우

목에 음식물이 걸려서 호흡할 수 없게 되었을 때의 긴급 처치로는, 다음의 세 가지가 있다.

① 손가락을 깊이 넣어서 긁어낸다.

② 환자의 등을 감고 환자의 입을 아래로 향하게 해서, 복부를 강하게 압박하고 복압을 상승시켜, 강한 호기를 일으켜서 토해 내게 한다(하임리히 법 = 129페이지 그림 참조).

③ 흡인[Q61]

음식물이 걸리게 되는 경우는 보조자 없이 먹고 있는 고령자에게도 때때로 일어나지만, 섭식 보조중이거나 훈련 중에 이러한 대처를 필요로 하는 사태를 일으켜서는 안될 것이다. 몇 번이나 강조하지만, 우선 오연시키지 않도록 예방하는 것이 중요하다.

Q46

Difficulty Swallowing Q&A

의식이 없는 사람에게 무언가 해주고 싶습니다.

먼저 구강관리[Q91]를 철저히 해 주기 바란다. 정중하게, 아프지 않도록 가능한 한 환자에게 싫은 표정을 짓게 하지 않는 방법을 선택하여 시행해 주기 바란다.

다음으로, 주의사항을 지켜서 목의 얼음마사지[Q78]를 시행하고, 연하반사를 유발한다. 목의 얼음마사지는 구강과 인두도 깨끗이 닦게 된다. 입술이나 뺨 안쪽, 혀를 얼음마사지 봉으로 마사지 한다.

또한 뺨의 외측과 경부를 손으로 마사지한다(用手的 마사지 : 손과 손가락을 이용해 협부, 구륜근, 경부근을 작은 원을 그리거나 상하로 움직여서 마사지 한다). 레몬이나 레몬 글리세린, 꿀 등을 약간 혀에 묻혀서 미각을 자극하는 것도 좋을 것이다.

이렇게 연하에 관여하는 기관에 대한 기초적인 훈련 외에, 관절가동역(關節可動域) 훈련, 좌위(座位) 훈련, 휠체어 산책, 말 걸기, 음악 들려주기, 좋은 향기를 맡게 하는 것 등 전신으로의 어프로치는 의식장애의 개선에 도움이 되고 연하에도 좋은 영향을 줄 수 있다.

또한 의식이 개선되고 거식의 원인이 되지 않도록, 싫어하는 것, 아픈 것, 불쾌한 것은 될 수 있는 한 피해야 한다고 필자는 생각하고 있다. 의식이 좋지 않을 경우에도 싫은 것은 강하게 인상에 남는다. 말을 걸고 무엇을 하고 있는지 잘 설명하면서 가능한 한 환자가 고통을 느끼지 않는 방법을 선택해야 할 것이다.

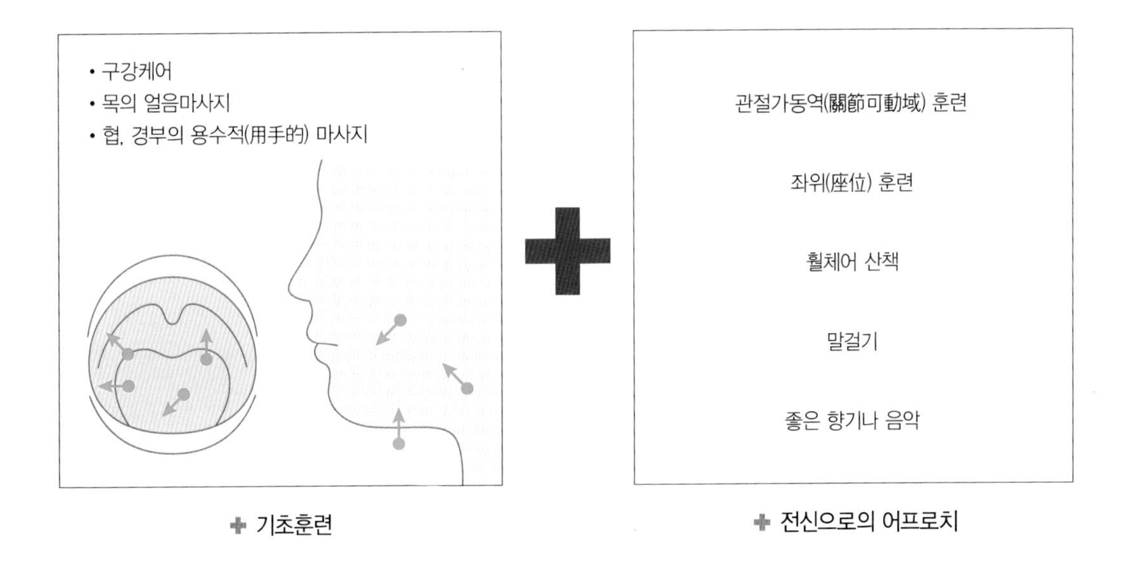

✚ 기초훈련

✚ 전신으로의 어프로치

✚ 휠체어 산책 등은 의식장애의 개선에 도움이 된다.

Difficulty Swallowing Q&A

Q47 두리번두리번 거리면서 식사에 집중하지 못하는 사람이 있습니다.

섭식, 연하장애가 있는 사람은 '식사시에 의식을 집중할 수 없다'는 것도 꽤 많은 문제가 되고 있다. 영어로 think swallow 라든지 think about swallow 라고 표현되고 있지만, 평상시 무의식 중에 행해지고 있는 연하를 의식화하는 것으로 오연이 상당히 예방될 수 있다. 연하시에 일순간 꾹하고 호흡을 멈추게 하는 지도도, 식사중 집중할 수 있어야 비로소 가능하고, 효과를 거둘 수 있다. 두리번두리번 거리는 것은 식사에 시간이 걸릴 뿐만 아니라 섭식, 연하기능도 원활하게 작동하지 않는다.

어찌하여 두리번두리번 거리는 것일까? 뇌의 손상으로 주의 집중할 수 없게 된 경우가 가장 많다고 생각한다. 전두엽의 손상, 우대뇌반구의 손상, 인지증 등이 있는 경우가 많을 것이다.

대처법은, '조용한 환경을 조성하는 것'이 좋다고 생각한다. 커튼으로 칸막이하고, 시간을 늦추는 등 할 수 있는 것부터 배려하도록 한다. 모두 함께 즐겁게 식사를 할 수 있는 환자이면 좋겠지만, 개별적으로 시간을 들여서 대응하지 않으면 안되는 경우도 있다. 환자의 버릇을 알고, 어떻게 하면 식사에 집중할 수 있을까를 생각해 보도록 한다. 보조하여 먹는 경우는 언제나 같은 보조인이 도와주는 것도 좋은 방법의 하나이다.

또한 말을 건다든지, 눈이 마주치면 웃는다든지, 울기 시작하는 환자가 있다. 이것은 감정실금이라고 불리는 증상이다. 이러한 분에게는 입에 넣고 삼킬 때까지 무표정으로 대하고, 삼킴을 확인하고 나서 말을 건다든지, 눈을 보도록 한다. 덧붙여서 필자는 환자의 대각선 뒤에 서서 말을 걸면서, 그러나 환자의 시야에 필자가 들어가지 않도록 주의하면서 식사보조를 해서 성공한 예를 몇 번이나 경험하고 있다.

여담이지만, 예외적으로 먹는 페이스가 너무 빠른 사람은, 두리번두리번 거리는 것이 오히려 천천히 먹는 것으로 이어지고, 좋은 결과가 되는 증례도 있다. 조건 설정은 꽤나 어려운 법이다.

Q48

Difficulty Swallowing Q&A

먹이려고 해도 입을 열지 않습니다.

이것은 '음식의 인식'에 문제가 있다고 생각한다. 가장 많은 경우는 인식장애이다. 의식장애가 없는 환자에서, 음식물을 보아도 어떠한 반응도 나타내지 않고 입술에 숟가락이 닿아서야 반사적으로 입을 열거나 혹은 그래도 개구(開口)하지 않거나, 개구해도 삼키지 않을 때에는 음식물의 인식장애를 우선 의심해 볼 필요가 있다. 거식(拒食)이라고 부르는 상태도 자주 만나게 된다. 무엇이 원인인지 불명확한 경우도 많아 난감한 경우가 있다.

대응법으로서 인식장애가 있는 시기에는 안면 마사지 등 기초훈련이나 구강 청소 등을 인내심을 가지고 계속해 주기 바란다. 환자의 고통이 적은 보조영양을 어떻게 확보하느냐[Q101, 102]도 중요하다. 또한 앉아 있기, 휠체어로 산책 하기, 음악 듣게 하기 등 다양한 자극을 주거나 생활 리듬을 몸에 익히는 것도 중요하다. 입술에 꿀 레몬 등 산뜻한 향과 맛을 묻혀 주고 핥을 수 있게 하는 것도 하나의 방법이다.

의식은 명료한데 완강하게 입을 벌려주지 않고, 명확하게 '먹고 싶지 않다'고 의사표현을 하는 경우가 있다. 식욕이 정말 없는 것일까? 의식적으로 식사 거부를 하고 있는 것일까? 음식물을 음식물이라고 생각하지 않는 것일까?

환자마다 곰곰이 원인을 찾아 나가야 한다. 필자의 경험으로는 집에 돌아오면 먹게 되거나, 숟가락을 자신의 손에 쥐게 해 준다면 먹을 수 있다든지, 주먹밥을 자신의 손으로 잡게 해준다면 우적우적 먹는다든지, 면 종류라면 좋아한다든지, 사용에 익숙한 자신의 식기를 사용하는 경우에 해결된다든지 하는 실로 다양한 경우가 있다. 배를 고프게 하면 먹고 싶게 될 것이라고 생각하여 경관영양의 칼로리를 줄인다면 먹게 된다고 하는 경우도 있다.

물론 잘 되지 않는 경우도 종종 있지만, 무리해서 입을 벌리고 먹게 해서 잘 된 시도는 없다. 이렇게 하면 좋다고 하는 명쾌한 대답은 없다. 환자의 입장이 되어 우선 '싫어'라고 생각되는 경우부터 그만두는 것을 생각해 보기 바란다.

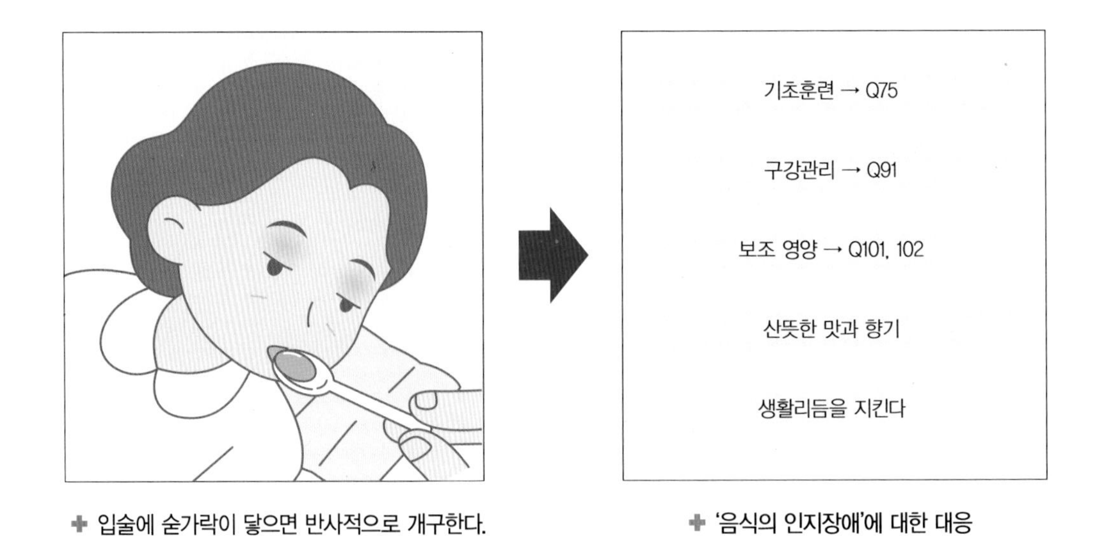

✚ 입술에 숟가락이 닿으면 반사적으로 개구한다.

✚ '음식의 인지장애'에 대한 대응

✚ 억지로 먹게 하면 좋을 것은 아무 것도 없다.

또한 뇌졸중과 인지증 환자가 입원과 입소를 계기로 하여 먹지 않게 되는 경우가 있다. 돌연, 자신의 의사에 반하여 낯선 곳으로 끌려 왔다고 느끼는 것일까?

또 아픈 검사나 병의 상태 악화로 자리에 누울 것을 강요당한 후에 먹게 되지 않는 경우도 경험한다.

이러한 때에는 풀이 죽어 있고, 살아있는 느낌이 없게 되며 산송장이라고 할 만한 반응을 보여주는 경우도 많은 것 같다. 입에 음식을 넣어주어도 완전히 먹어 주지 않아 난감한 경우가 있다. 의료진으로서는 탈수나 영양 장애가 걱정되어 어떻게든 무언가 해주려 초조해지고 환자에게는 불쾌한 경관영양과 혈관 영양공급을 하게 되는 경우가 생기게 된다.

증례마다 원인이 다르기 때문에, 정중히 진찰하고 각각에 대응해야 하겠지만, 다음의 사항에 유의해야 한다.

① 우울증을 의심하여 대응이나 투약을 고려한다.

② 가족의 협력을 얻어 될 수 있는 한 환자를 접하는 시간을 많이 갖도록 한다.

③ 휠체어로 식당으로 나오게 하는 등 환경을 변화시킨다.

그리고 '초조해하지 말고 시간을 가지고 대응한다'고 하는 마음가짐이 무엇보다 중요하다.

Q49

Difficulty Swallowing Q&A

흘리는 침이 많아서 난감합니다.

침이 많이 고이는 원인으로는 ① 실제로 타액의 양이 증가되어 있다. ② 타액을 연하할 수 없다 ③ 입술로 타액을 보관 유지할 수 없다 ④ 심리적인 원인 ⑤ 상기한 내용의 조합 등을 고려할 수 있다.

구강내의 더러움이나 충치가 있으면 침도 증가하기 때문에 우선 구강 청소 및 치료를 하도록 한다.

한랭자극기를 이용한 악하선과 이하선 상의 피부 얼음마사지는 타액을 감소시키는 효과가 있다. 1일 3회, 1회 10분을 목표로 피부가 약간 붉어질 때까지 시행하기 바란다.

입술의 폐쇄훈련도 유용하다. 한랭자극기로 입술(구륜근)을 마사지하면 근 긴장이 증가되어 입술을 쉽게 다물 수 있게 된다. 타액을 연하하는 훈련도 병행하기 바란다.

약으로는 항콜린성 약제가 타액 감소에 효과를 보인다. 뇌졸중 등에서는 우울증이 있으면 침 고이는 정도가 악화되는 경우가 종종 있고, 이때는 항우울제를 사용하면 즉각 효과가 나타난다. 한약 중 인삼탕은 위장 점막의 염증(Katarrh) 증상에 효과가 있다고 하는데 타액 감소 효과도 있는 것 같다.

침 고임의 치료는 여러 가지 방법을 조합하여 시행해 보기 바란다. 표에 제시한 '단계'로 평가하고 치료효과를 보면 좋을 것이다.

✚ 침 고임의 평가기준(후지시마(藤島))
0. 완전히 침의 고임이 없다(정상).
1. 우연히 침이 고인다. 혹은 타액이 많다.
2. 식사나 대화를 할 때 침이 고인다.
3. 종종 침이 고인다(멈춰 있는 시간대가 있음).
4. 항상 침이 고여 멈추지 않는다.

야간 타액이 많아서 사레든다든지 기침 나온다든지 하는 경우는 측와위로 얼굴을 아래로 향하게 해서 타액을 밖으로 유도하는 체위를 취하면 오연을 효과적으로 방지할 수 있다.

피부의 얼음마사지

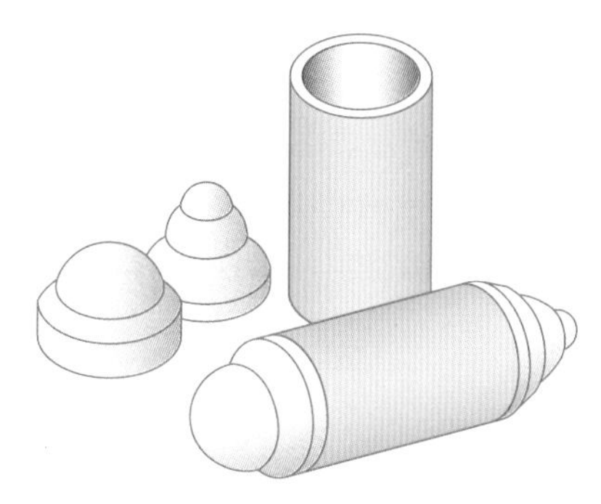

한랭자극기

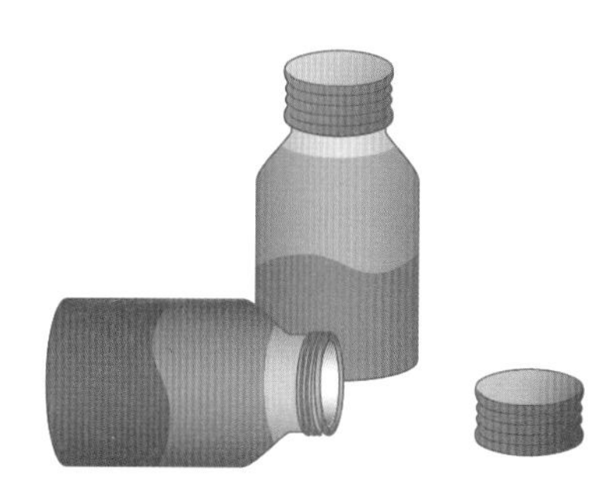

큰 뚜껑이 있는 캔 커피로 대용하는 것도 가능하다.

안에 얼음과 소금을 넣는다.

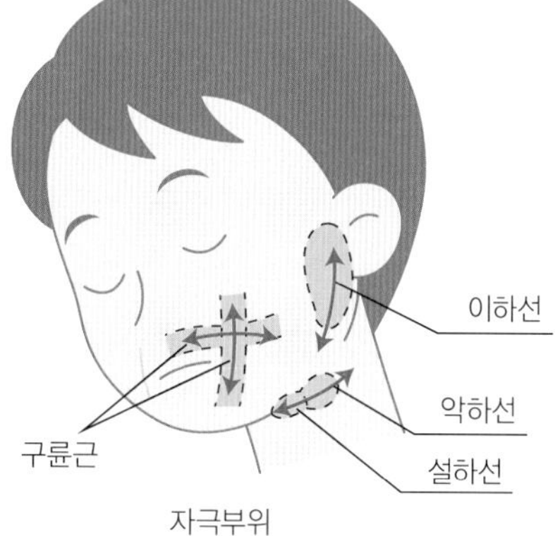

자극부위

피부가 조금 붉게 될 때까지 마사지

Difficulty Swallowing Q&A

Q50 타액을 삼키지 않고 퉤퉤 뱉는 사람이 있는데 왜 그럴까요?

타액을 삼키지 않고 입에서 나오게 되는 것은 두 가지 상태로 생각할 수 있다.

하나는 입의 움직임, 혀나 입술의 움직임이 나빠서 타액이 삼켜지지 않고 침이 고여서 흘러 나오고 마는 상태이다. 이것은 뇌졸중의 가성구마비(假性球麻痹) 환자[Q3]에서 많이 보여지는 증상이다. 또한 인지증이나 우울증의 경우에도 침이 많이 고이게 되는 경우가 있다.

또 한 가지는 구마비(球麻痹)[Q3]라고 부르는 증상으로, 연하운동 자체가 매우 불완전하게 일어날 수 밖에 없는 경우에 보여진다. 말할 수 있고 걸을 수 있어도 먹는다든지 마신다든지 할 수 없어서 타액을 퉤퉤하고 뱉어내기만 하는 환자이다. 또한, 음식은 먹을 수 있지만 타액만은 삼킬 수 없어서 항상 뱉어내고 마는 환자도 있다. 이렇게 타액만 삼키기 어려운 것은 왜일까?

이것은 나고야의 타나하시 테이지(棚橋汀路) 선생에게 배워서 제 환자에게 확인한 사실이지만, 타액은 가볍게 삼키기 어려운 물질이다. 점조도가 있어 공기를 포함하고 있기 때문에 타액은 물에 뜬다. 특히 공기와 섞인 가래 형태의 타액은 매우 연하시키기 어렵다. 구마비 환자는 삼키는 힘이 약하여 연하할 때 중력을 이용하는 방법(배우는 경우도, 자연히 스스로 체득하는 경우도 있다)을 취하는 경우가 많지만 타액은 가볍기 때문에 삼키는 것이 어려워서 입에서 퉤퉤 뱉고 있는 셈이다. 타액을 줄이는 방법이라든지 훈련을 하여 천천히 연하력을 얻을 수 있는 수술을 하는 등의 방법이 있다. 또한 '시큼한 매실장아찌(우메보시)'를 생각하면서 오히려 타액의 액성 성분을 많아지게 하여 '입을 삐죽 내밀어서' 가래 상태의 성분도 함께 연하시켜 버리는 방법이 있다. 무리하여 뱉어내지 않도록 하면 괴로울 위험성도 있기 때문에 병태를 잘 이해하고 뱉어내고 있다면 어쩔 수 없다고 생각해 주기 바란다.

'타액은 가볍다'고 하는 것은 건강한 우리들에게는 전혀 문제가 되지 않는 사소한 사실이지만, 환자에게는 중요한 문제가 된다. 가볍다고 해도 시간이 지나면 서서히 아래로 떨어지게 되기 때문에 야간에는 목에 쌓인 타액이 차례로 폐로 들어가 오연될 위험성이 있는 경우도 있다. 야간에는 앙와위에서 얼굴을 아래로 향하게 해 타액을 밖으로 유도하는[Q31] 방법도 고려할 수 있는 한 가지 방법이다.

COLUMN

뇌를 직접 자극하는 방법

최근 뇌를 외부에서 직접 자극하여 뇌의 신경세포를 재구성해 버리자는 치료가 주목받고 있다. 이 새로운 방법은 반복 경두개 자기 자극(Repetitive Transcranial Magnetic Stimulation; rTMS)과 경두개 직류전기 자극(Transcranial Direct Current Stimulation; tDCS)이 있다. 어려운 말이지요. 이러한 방법으로 뇌혈관 장애 후의 편마비나 편측공간실인(半側空間無視), 실어증 등의 치료에 이용되어 개선을 보였다는 보고가 많이 나오고 있다. 또한 최근에는 연하장애 치료에 응용하였다는 보고도 있다. 인지증으로 입에 잔뜩 모으고 있는 환자 등 지금까지는 어떤 방법도 쓸 수 없었던 연하장애에 대해서 새로운 치료법의 하나로 기대를 모으게 될지 모르겠다.

- 藤原俊之：経頭蓋直流電気刺激のリハビリテーションへの応用.臨床脳波 49(11):683-688, 2007.

Q51

Difficulty Swallowing Q&A

입에서 줄줄 흘러버립니다.

입술의 폐쇄기능에 장애가 있다고 생각할 수 있다. 입으로 가져오는데 문제가 있거나, 가져온 음식을 입안에서 보관 유지하지 못하거나, 혹은 양자의 혼합이 있다고 생각한다. 안면신경 마비, 가성구마비(假性球痲痹) 등 일 때 일어난다.

구체적으로는 다음과 같은 증상이 나타난다.

- 입술을 다물 수 없다. 다무는 데에 좌우차가 있다.
- 턱이 움직이지 않는다.
- 타액이 고이는 것이 눈에 띈다.
- 실제로 음식을 집어 삼킬 수 없다.
- 저작할 때 입에서 줄줄 흐른다.

건강한 사람은 혀와 입술이 정교하게 움직여서 재잘거리면서도 다소 아래로 향하면서도 흘리지 않고 먹을 수 있다. 그러나 입술의 폐쇄기능에 장애가 있으면 의식을 집중하지 않으면 흘려버리고 만다든지, 위로 향하지 않으면 흘려버리게 되는 것이다.

훈련법으로는,

① 입술, 혀의 용수적(用手的)인 마사지

② 한랭자극기를 이용한 피부의 얼음마사지

③ 입술 체조

④ 발음훈련('파파파, 타타타, 카카카, 라라라'하고 확실하면서도 천천히 발음한다)

등을 시행한다. 이것들은 순수한 훈련으로서 뿐만 아니라, 식사전의 준비 운동으로 시행하면 입술의 긴장을 제거할 수 있고 섭식이 smooth하게 된다. 입술을 사용해 포식(捕食)할 수 있게 되면 맛도 좋아지고, 섭식 전반에도 좋은 영향을 줄 수 있다.

실제 식사할 때 흘리는 양이 많은 경우는 신체를 침대에 눕혀(30~60° 앙와위 정도) 중력을 이용하면 좋을 것이다. 머리만 뒤로 젖히는 방법으로는 피로하고 오연의 위험이 높아지게 된다. 앞치마 등을 이용해서 흘리는 양을 정확히 파악하고 흘리는 양을 적게 할 수 있도록 배려 하기 바란다. 한 입량을 적게 하기, 숟가락을 작은 것으로 바꾸기, 부서지기 어려운 음식 형태를 정돈하기, 식사에 의식을 집중하기 등이 효과적이다.

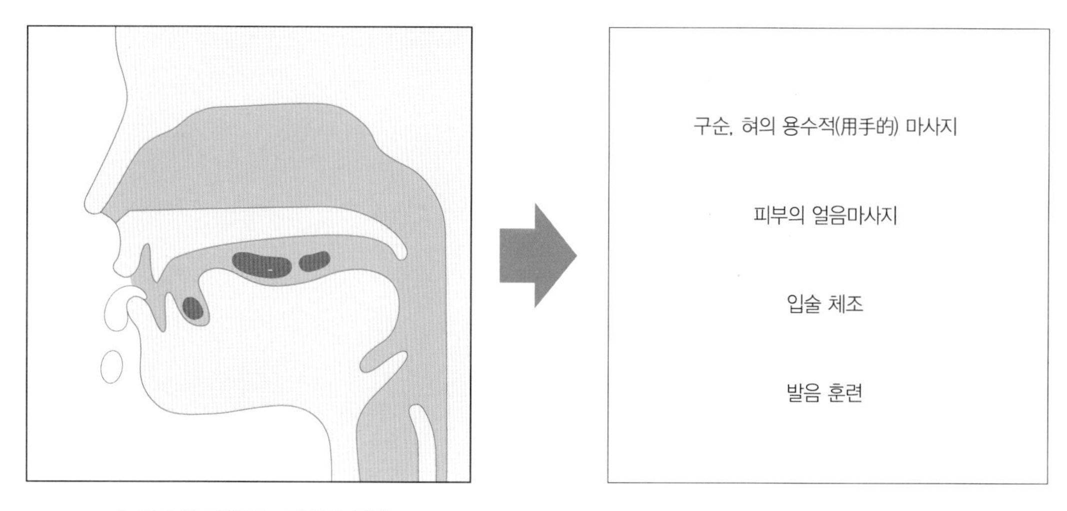

✚ 구순의 폐쇄기능 장애에 의함

✚ 용수적(用手的)인 마사지

Q52

Difficulty Swallowing Q&A

입에서 흘리는 것이 많은 사람은 어떤 식기를 고려하면 좋을까요?

Q51에서 기술한 대응법의 기타 방법으로 그림과 같은 용기를 사용하는 것도 추천한다. 이러한 드레싱 넣는 통을 이용한 식기는 믹서식까지 밖에는 대응할 수 없지만, 손이 흔들려서(실조증 등) 숟가락으로는 흘려버리는 사람에게도 효과적이다. 또한 30° 앙와위(reclining 자세)에서도 사용할 수 있다. 혀로 식괴를 인두로 보내는 것이 좋지 않은 사람들도 음식물을 혀 안(혀의 안쪽 방방)으로 넣을 수 있기 때문에 쉽게 연하시킬 수 있다.

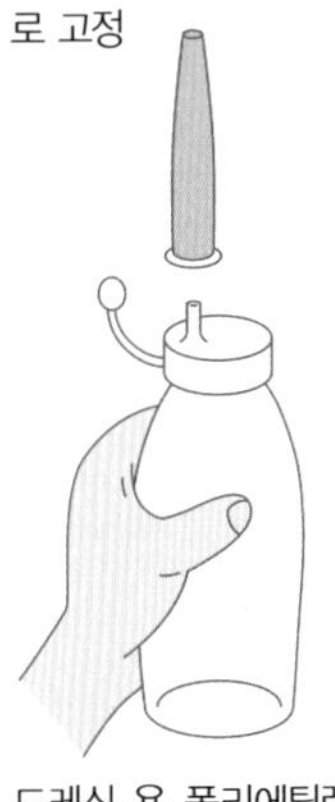

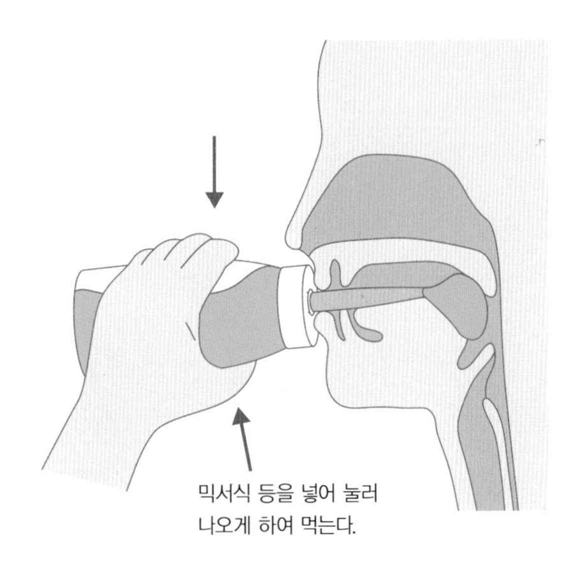

✚ 드레싱 넣는 통을 이용한 식사보조기

━ 聖隷三方原病院 연하 team : 연하장애 포켓 메뉴얼, 제2판, 醫齒藥出版, 2003, p69

Q53

Difficulty Swallowing Q&A

딱딱한 것을 먹을 수 없습니다.

누구나 딱딱한 것을 먹기 위해서는 잘 저작하고 삼킬 수 있는 형태로 정돈하지 않으면 안된다. 그러나 나이를 먹으면 치아는 약해지게 되고, 씹는 힘(교근)도 약해지게 된다. 딱딱한 것을 먹게 될 수 없는 이유의 대부분은 '치아'에 있다고 해도 과언이 아닐 것이다. 치아는 있는지, 틀니는 잘 맞는지, 잇몸과 치아의 질환은 없는지, 치과의사에게 상담하여 신속하게 치료하지 않으면 안된다.

악관절염과 부정교합에도 주의가 필요하다. 씹기 위한 근육은 삼차 신경에 의해 지배되고 있다. 뇌졸중 등의 뇌간부 장애, 삼차 신경의 질환, 근육 질환으로도 씹는 힘이 약해지는 경우가 있다.

관찰의 포인트로는 아래턱의 상하 운동, 선회(旋回) 운동을 할 수 있는지를 관찰하는 것이다. 설압자를 물게 한다든지 해서 씹는 힘을 체크한다.

훈련법으로는,

① 턱, 뺨의 운동, 용수적 마사지

② 브러싱

③ 발음 연습

등을 시행한다. 오징어 등을 씹는 훈련은 교합력 강화에 도움이 된다. 악물었을 때 통증이 있다는 것은 위험 신호이니 중지하고 원인을 찾기 바란다. 무리는 금물이다.

씹는 힘이 약하다는 것을 알게 되면, 섭식시에 단단한 음식을 주는 것은 그만 두어야 한다. 특히 고령자는 충분히 저작하지 않은 채 삼키는 것은 위험하다. 목(인두)에 걸린다든지 잔류한 음식물이 호흡과 함께 폐로 흡인된다면 질식이나 무기폐의 원인이 될 수 있다. 부드럽게 조리하든가, 믹서와 푸드 프로세서로 분쇄하고 삼키기 쉬운 형태로 정돈한 후 먹는 것이 안전하다.

겨울이 되면 어린이나 노인은 떡이 목에 걸려 사망하는 사고가 보고되고 있다. 부드러운 것도 끈적임이 너무 강하면 점막에 달라붙어 버리기 때문에 피해야 할 것이다. 설령 통째로 삼키게 될 지라도 안전한 크기를 염두에 두도록 하자.

씹는 힘을 기르는 운동, 훈련

턱, 뺨의 운동, 용수적 마사지

브러싱

오징어 등을 깨무는 훈련은
교합력 강화에 도움이 된다.

Difficulty Swallowing Q&A

Q54 푸석푸석한 음식을 남기게 됩니다.

푸석푸석한 것은 연하장애가 없어도 그대로는 삼킬 수 없다. 입안에서 저작하고 타액과 혼합하여 표면이 촉촉해지고, 하나의 덩어리가 된 상태로 정돈되어서야 비로소 연하가 가능하게 된다. 고령자나 섭식, 연하장애를 가진 분이 푸석푸석한 것을 먹을 수 없게 되는 이유는 '구강내의 음식을 삼키기 쉽도록 정돈할 수 없기(식괴 형성 불량)' 때문이라고 생각하고 있다. 타액의 분비가 불량한 경우에도 마찬가지이다.

건강한 사람도 푸석푸석한 것을 삼키기 어려운 법이다. 빵과 쿠키는 홍차와 함께 먹고 싶을 것이다. 전병에 녹차는 잘 맞는다. 소보로 계란은 된장국과 함께 삼킨다든지, 양배추 채친 것은 드레싱을 뿌려서 매끄럽게 함과 동시에 산미(酸味)로 타액의 분비를 좋게 하고 삼키기 좋게 정돈하여 먹고 있다.

무리하게 푸석푸석한 음식을 먹으면, 목에 남거나 오연해버리고 만다. 잘 저작하고, 천천히 먹도록 지도함과 동시에 식괴형성 불량 환자에게 식사 내용물을 삼키기 쉬운 상태(젤리식, 국에 달걀 푼 것(卵とじ) 등)로 정돈한 후 드릴 필요가 있다. 세심한 배려를 부탁한다.

Difficulty Swallowing Q&A

Q55 뺨 안쪽을 씹어 버려 아파서 먹을 수 없습니다.

안면신경 마비가 있으면 뺨 근육의 긴장이 떨어지고 어금니로 점막을 씹어 버려, 아파서 먹을 수 없게 되는 경우가 있다. 구강내 아프타성 구내염이 충치가 생긴 즈음에 맞추어 아프게 되어 저작할 수 없는 경험도 있다.

이러한 때는 종이컵을 적당한 크기로 잘라 내고 프로텍터 대신으로 사용하면 좋을 것이다(다음 페이지의 그림 참조). 크기는 몇 가지를 만들어서 가장 적당한 것을 환자에게 선택하도록 한다. 실을 붙여서 바깥으로 내어 놓으면 실수로 연하될 때에도 꺼낼 수 있어서 안전하다. 그러나 의식이 좋지 않은 사람, 인지증이 있는 사람은 잘못 삼킬 위험이 있기 때문에 사용하지 말기 바란다.

CASE | 62세, 남성 : 소뇌 뇌간부 경색, 구마비

수술과 재활 훈련으로 식사가 가능하게 된 환자이다. 그러나 오른쪽 안면 신경마비(뇌간성)가 있고, 식사를 할 수 있게 됨에 따라 오른쪽 점막을 깨물어 아파서 견딜 수 없다는 호소가 있었다. 종이컵을 잘라낸 프로텍터를 입에 넣고 먹게 했더니 매우 좋아졌다. 씹는 것도 없어지고, 통증은 곧 소실했다.

종이컵을 잘라낸 프로텍터

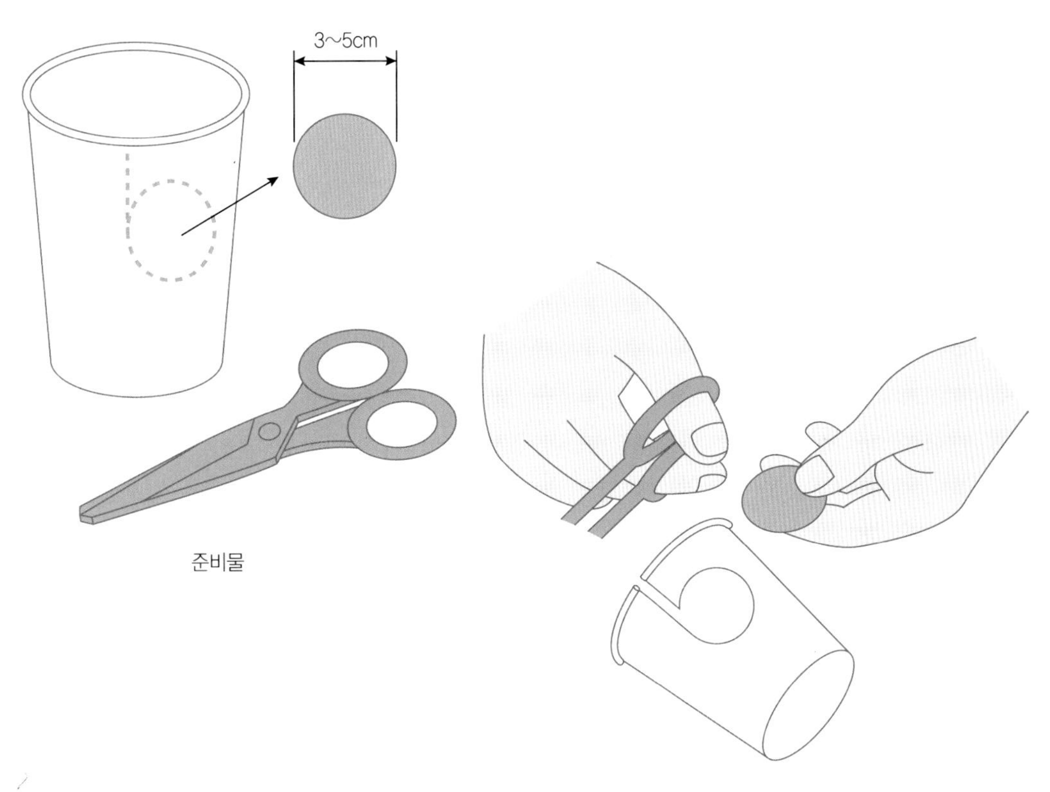

준비물

몇 가지 크기로 만들어 둔다.

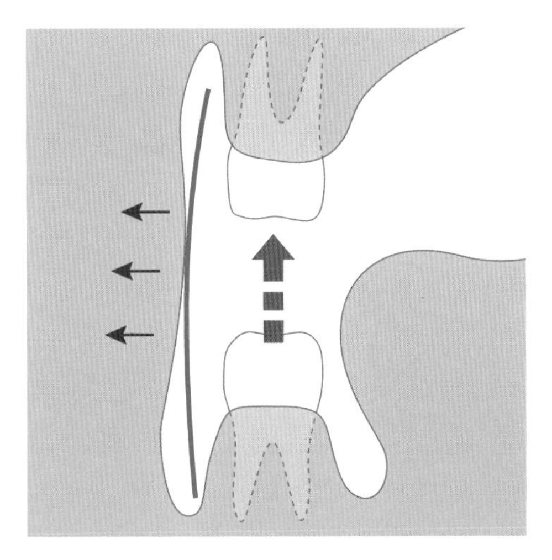

크기를 확인하고, 자신이 맞춘 형상에 수정을 가하여 몇 장 만들어 둔다.

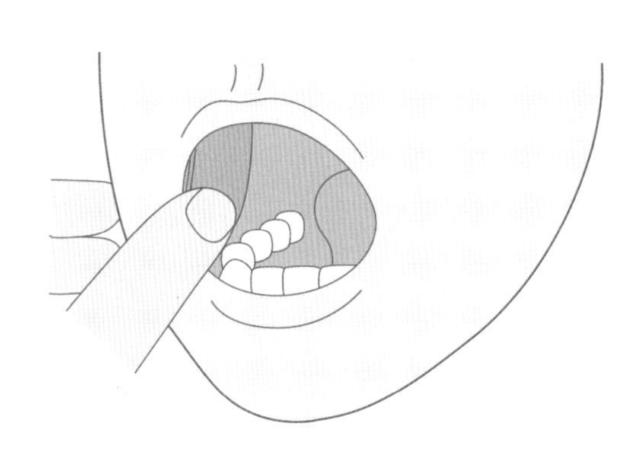

물에 적신 후 입에 넣는다.

Q56

Difficulty Swallowing Q&A

입에 음식을 둔 채로 삼킬 수 없습니다.

꽤 많이 보이는 증상이다. 우선 왜 삼킬 수 없는가 이유를 생각해보지 않으면 안된다.

① 음식의 인지가 나쁘다 : 의식상태가 나쁘다, 음식을 인식하고 있지 않다.

② 구강내의 감각이 나쁘다 : 입안에 들어 있는 것을 깨닫지 못한다.

③ 거식(拒食)

④ 저작이나 음식전달의 장애

⑤ 연하실행(失行) : 인식하면 삼킬 수 없게 되는 증상

등을 생각할 수 있다.

또한 발병의 형식으로는 다음과 같은 것을 생각할 수 있을 것이다.

- 잠시 식사를 하지 않았던 환자에게 식사를 개시하려고 했더니 삼킬 수 없는 경우
- 어제까지는 삼킬 수 있었지만 갑자기 삼킬 수 없게 된 경우
- 점점 삼킬 수 없게 된 경우

대책으로서는 우선 뇌졸중 등의 재발은 없는지, 전신상태에 이상은 없는지를 확인하도록 한다. 특히 탈수가 원인인 경우가 많으므로 주의해주기 바란다. 탈수로 기운이 없게 되고 구강내가 건조하여 삼킬 수 없게 되는 경우를 종종 경험한다. 탈수를 보정하는 것만으로도 구강내가 습윤하게 되고 연하기능이 회복되는 경우가 있다.

저작이나 음식전달이 좋지 않은 경우에는, 연하하기 쉬운 음식으로 체위를 고려한다든지, 먹게 하는 방법을 생각(음식을 혀 안쪽에 넣는다)해 보도록 한다. 인지가 좋지 않은 때는 '식사를 합니다'하고 사전에 말하여 잘 설명한다든지, 환경을 조성한다든지, 도와주기 보다는 환자 자신의 손으로 숟가락을 쥐게 한다든지, 주먹밥 등을 손에 쥐어주고 먹게 하는 등의 어프로치를 시행한다.

또한, 거식증도 자주 보게 된다. 원인을 생각한 후 대책을 세우지 않으면 안된다. 의료행위에 대한 반발이 있다든지, 환경 변화에 따른 혼란이 있다든지, 우울증 상태를 동반한다든지, 뱉어낸 식사가 실제로 맛이 없다든지, 보조자가 싫은 경우라든지 원인은

천차만별로 상당히 어려운 문제이다. 이 책의 다른 항목도 참조하여, 증례마다 하나씩 하나씩 대처하고 경험을 쌓아가는 것 이외에는 방법이 없을 것이다.

왜 삼킬 수 없을까

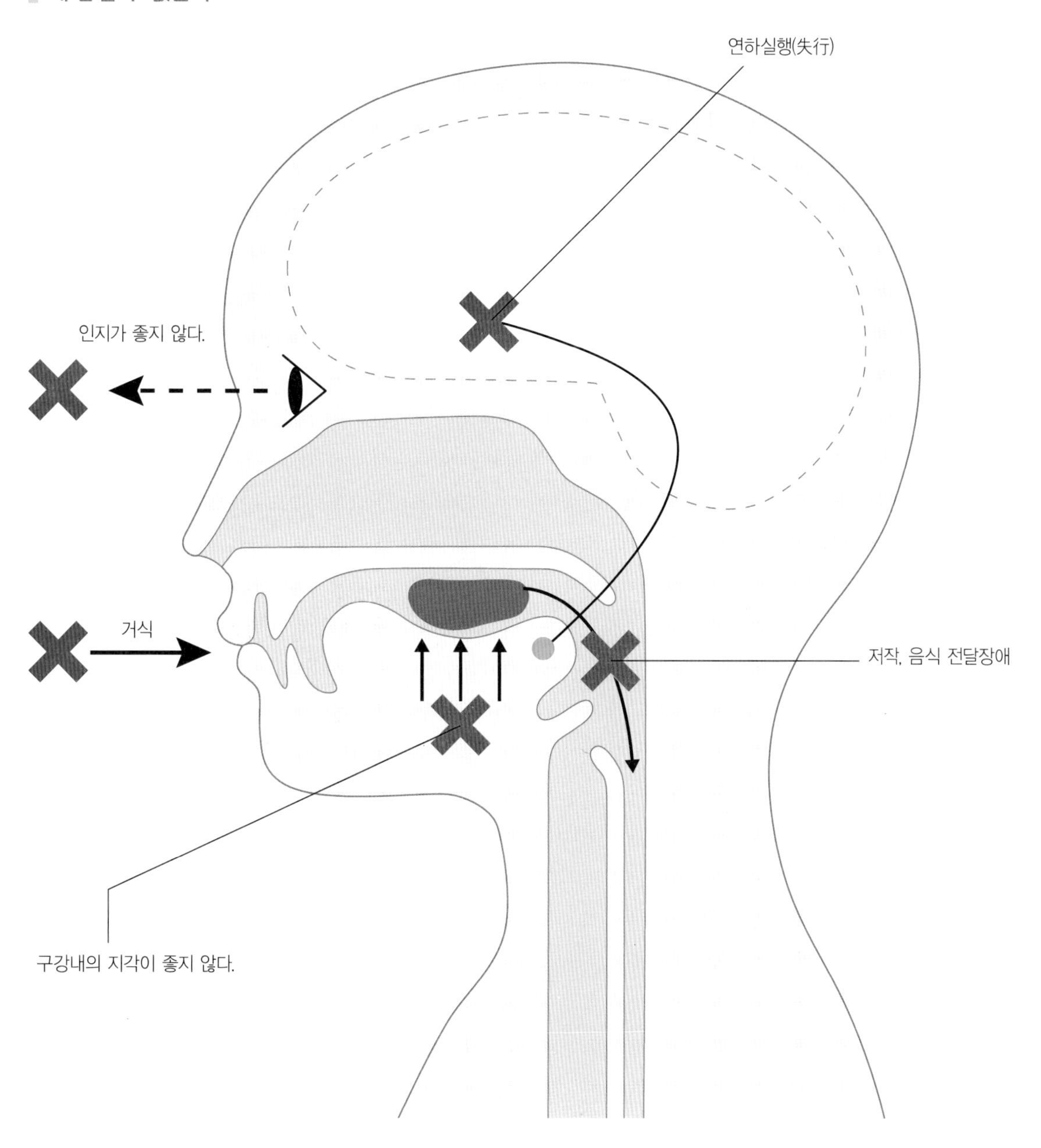

Q57

Difficulty Swallowing Q&A

삼키는 것을 촉진하는 방법이 있습니까?

앞선 질문의 연속이지만, 입에 음식을 넣고 멈추고 마는 환자에게 우리가 시행할 수 있는 두 가지 방법을 소개하고자 한다.

우선은 연하반사 촉진 수기(手技)이다. 이것은 결후(結喉)로부터 턱의 아래를 향하여 피부와 그 아래의 근육을 아래로부터 위로 2, 3회 마사지 하는 방법이다(그림). 연하운동이 멈추어 버렸을 때, 혹은 좀처럼 연하가 일어나지 않을 때, 이와 같이 이 방법으로 마사지하여 상태를 관찰하면 연하가 유발되는 환자가 있다. 연하가 일어나지 않으면 몇 번이든 반복해 보기 바란다.

또 한 가지 방법은 K-포인트 자극법(그림)이다. 이것은 Q96에서 입을 벌려 주지 않는 환자에게 사용하는 방법으로서도 소개되고 있다. K-포인트 자극법은 개구를 촉진하는 방법으로서도 효과적이지만 인지증이나 가성구마비 환자들에게 연하를 일으키는 방법으로서도 매우 우수하다. 자극하는 방법은 평평한 숟가락으로 입에 음식을 넣었을 때 가볍게 K-포인트를 자극(가볍게 닿는 정도도 좋음)해 주는 방법이 좋다고 생각한다. 조금 기술이 필요하지만 익숙해지면 매우 유용해서 훈련법으로 K-포인트 자극을 반복하고 있는 동안 자극하지 않아도 점점 먹게 될 수 있게 되는 환자도 있다.

두 가지 방법은 아울러 '연하장애 비디오 시리즈(7) 연하조영과 섭식훈련'(의치약출판, 2001년, 3400円)에서 실제 기술을 소개하고 있으므로 한 번 보실 것을 권해드리고 싶다.

연하반사 촉진 수기

K-포인트 자극법

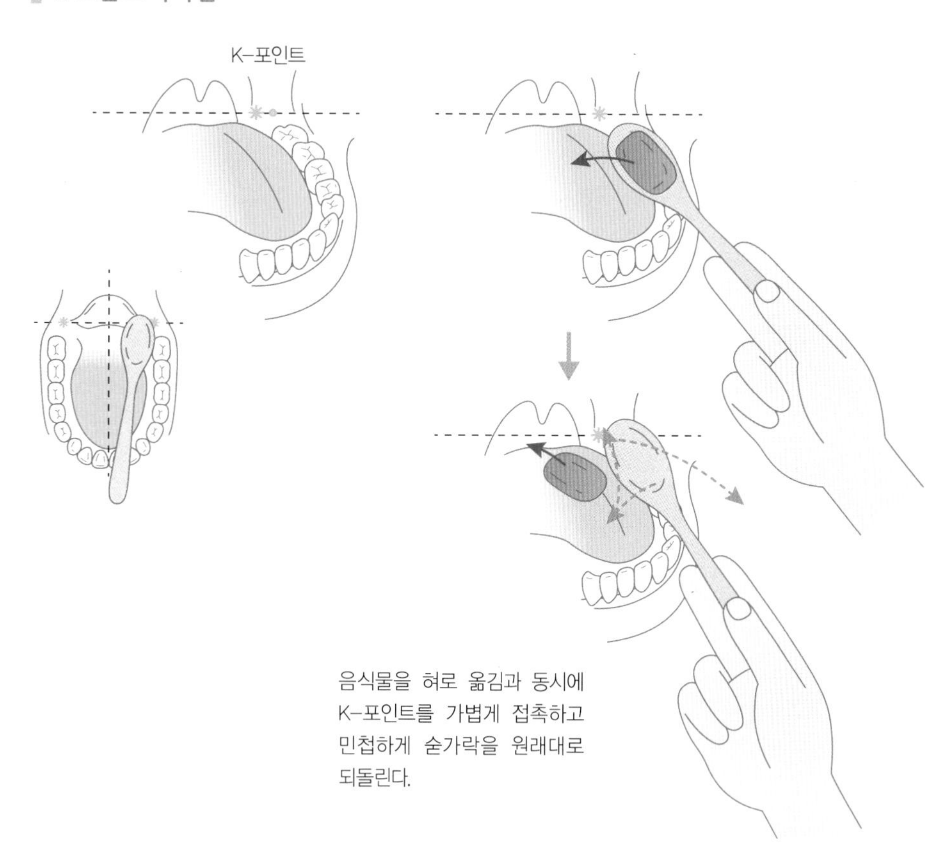

Difficulty Swallowing Q&A

Q58 젤리는 부셔서 먹게 하는 편이 좋다고 생각합니까?

가족이나 간병인이 젤리나 푸딩을 환자에게 먹게 할 때 숟가락으로 휘저은 것을 드리는 장면을 흔히 보게 된다. 플레인 요구르트는 설탕이나 시럽 등을 섞을 수 있다는 의미도 있겠지만 무심코 부수고 있는 장면도 있는 것은 아닐까 생각한다.

하지만 연하장애가 있는 환자는 부수지 않고 통째로 주는 편이 오연이나 인두로의 잔류를 적게 하는 것임을 알고 있다. 우리들은 이것을 '젤라틴 젤리를 통째로 삼키는 법'이라고 하여 적극적으로 훈련에 이용하고 있다. 특히 젤라틴 젤리를 이용하는 이유는 주루룩 목을 잘 통과할 뿐만 아니라 오연한 경우나 잔류한 경우에도 안전성이 높기 때문이다. 통째로 삼키는 법을 시행하는 경우는 젤리의 형태를 산(山)형(그림)이 아닌 2×3×0.5cm 정도의 직사각형(3g 슬라이스형, 그림)이 되면 매우 부드럽게 인두를 통과한다. 절대로 이것 이상의 크기의 것은 통째로 삼키게 해서는 안된다.

젤라틴 젤리 슬라이스 형을 통째로 삼키는 법을 시행하면 좋은 환자는,

① 사레가 심하게 들어 식사가 진행되고 있지 않는 사람
② 오랫동안 절식하고 있던 사람이 오랜만에 식사를 개시할 때
③ 입안에 부지런히 모으지만 삼키지 않는 사람 : 리클라이닝 위와 병행(Q29 참조)
④ 통상의 먹는 법으로는 오연하고 마는 사람

등이다. 또한 Q66에서 통째로 삼키고 게걸스럽게 순식간에 먹어버리는 사람에게 사용하는 통째로 삼킨다는 의미와 여기에서 말하는 통째로 삼키는 방법은 완전히 의미가 다르므로 오해가 없도록 부탁한다.

슬라이스형이 좋은 이유는 입에서 인두, 식도로 삼킬 때 좁은 공간을 쑥하니 쉽게 통과하는 형태이기 때문이라고 이해해 주기 바란다. 산(山)형이면 도중에 쉽게 부셔진다든지 목에 쉽게 걸리게 된다. 부서진 것은 뿔뿔이 흩어져서 입이나 목에 남게 된다면 오연되기 쉽다. 또한 너무 단단한 젤리로 통째로 삼키는 방법을 시행하는 것은 위험하다. 주의하기 바란다.

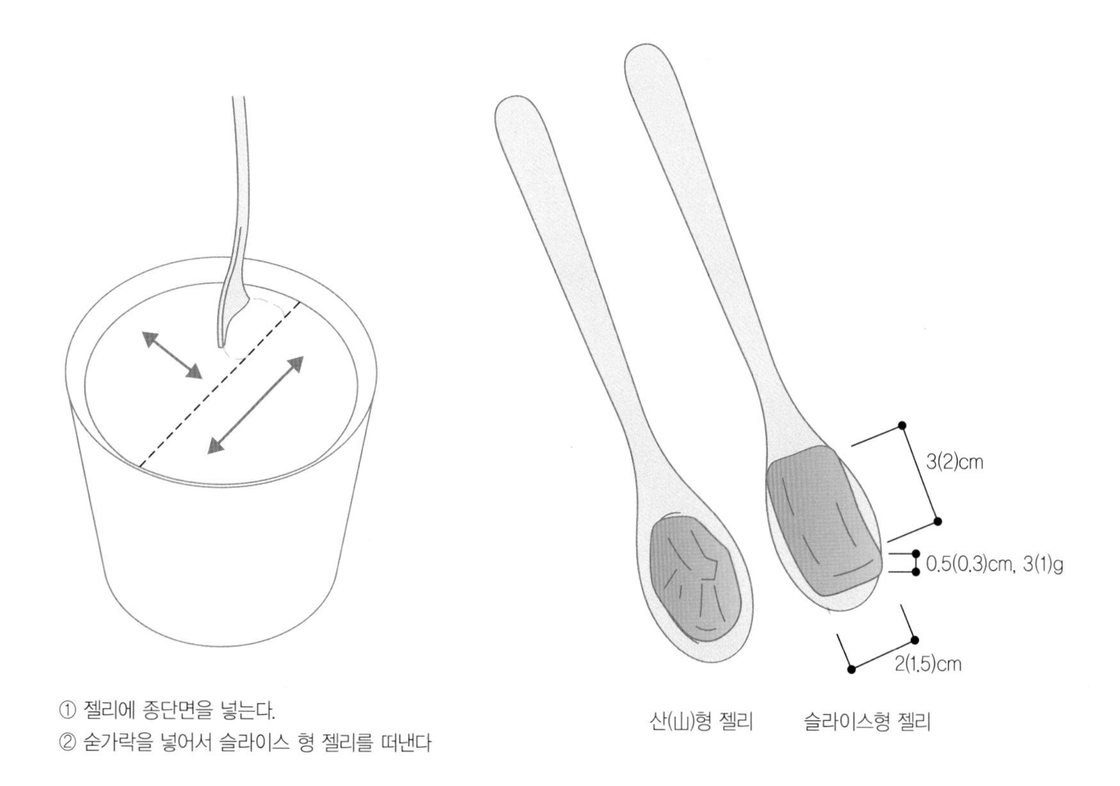

① 젤리에 종단면을 넣는다.
② 숟가락을 넣어서 슬라이스 형 젤리를 떠낸다

산(山)형 젤리　　슬라이스형 젤리

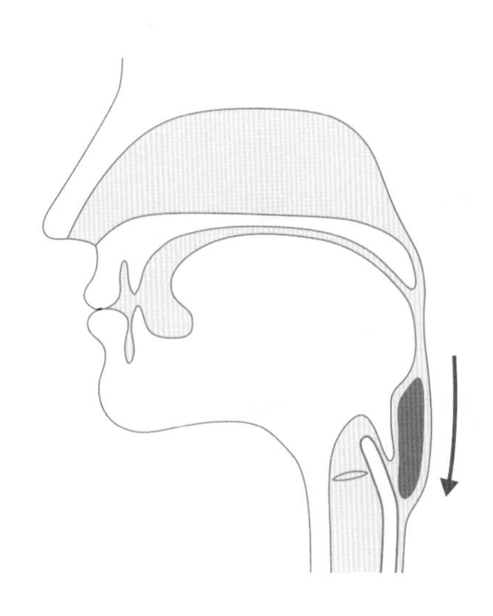

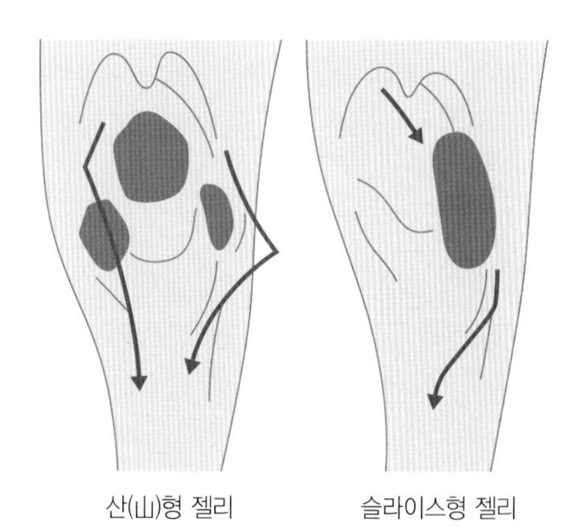

산(山)형 젤리　　슬라이스형 젤리

Difficulty Swallowing Q&A

Q59 삼킬 때 위쪽을 향하지 않으면 삼키지 못하는 사람이 있습니다만 그대로 두어도 될까요?

쓴 약을 삼킬 때 등 우리도 턱을 치켜 올리는 것 같은 반동을 하면서, 위를 보고 삼키는 경우가 있다고 생각한다. 혀의 힘으로 약을 목으로 보내는 것이 통상 먹는 방법이지만, 이러면 약이 혀에 닿아서 쓴 맛이 보다 강하게 느껴지기 때문에 중력을 이용하여 살짝 흘려 넣어버리자는 것이다. 이 모습을 떠올려 주시면 음식을 인두로 보내는 것에 장애가 있는 경우에는 어떠한 삼키는 방법이 될런지 상상할 수 있을 것이다. 실제로 혀의 운동장애로 음식을 보내는 것에 문제가 있으면 위를 보고 삼키게 된다.

수반되는 증상으로 조음장애가 있고, 입안에 음식물이 남게 되는 경우가 있다. 입술이 음식물을 담고 폐쇄하는 것이 불량한 경우에도 위를 향해 삼키는 경우가 많아 양자는 혼용되는 경우가 많은 것 같다.

기초훈련으로 다음의 것을 시행한다.

① 혀의 마사지

② 혀의 전후, 좌우, 상하로의 운동

③ 혀로 입천장을 누르는 운동, 하악을 꽉 무는(하악의 고정) 운동

또한 발음(조음) 훈련(파파파, 타타타, 라라라, 카카카 등 발음하기)도 매우 효과적이다. 섭식 장면에서 매 한 입마다 위를 향해 먹는 것은 피로하다. 또한 위를 향한 후 원래대로 돌아오는 타이밍이 어긋나면 오연의 위험이 높아지게 된다. 또한 고령자는 경추 질환 합병증이 있는 경우가 있어서, 경부의 신전(위를 향하는 것)은 경추증 악화로 이어지게 됨에 주의하지 않으면 안된다. 리클라이닝 의자에 편하게 앉아 경부를 약간 굴곡위로만 해줘도 중력을 이용할 수 있기 때문에 이 방법을 추천할 수 있다. 또한 음식물을 혀 안쪽에 넣으면 인두로 보내기 쉽게 된다.

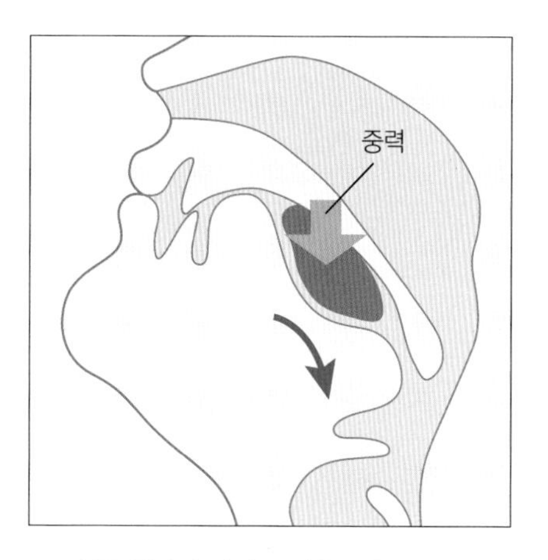

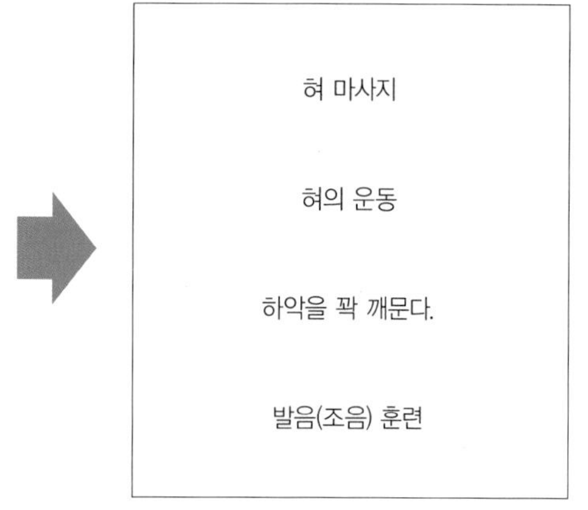

✚ 위를 향하게 하여 중력을 이용해 삼킨다.

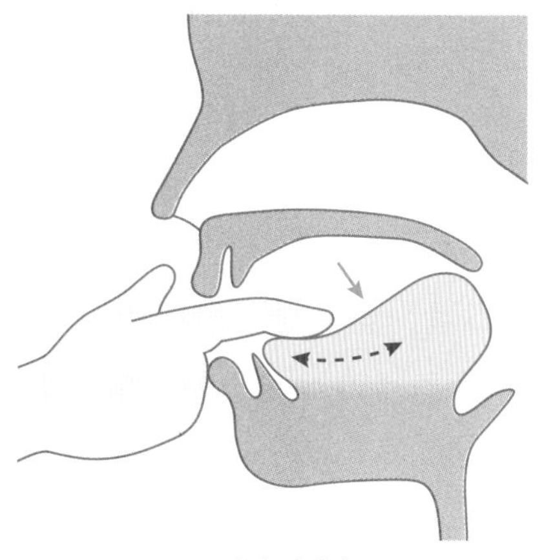

✚ 혀의 마사지

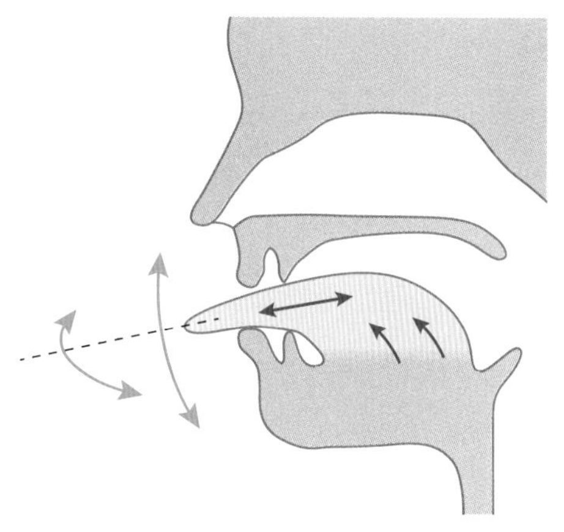

✚ 혀의 전후, 좌우, 상하의 운동

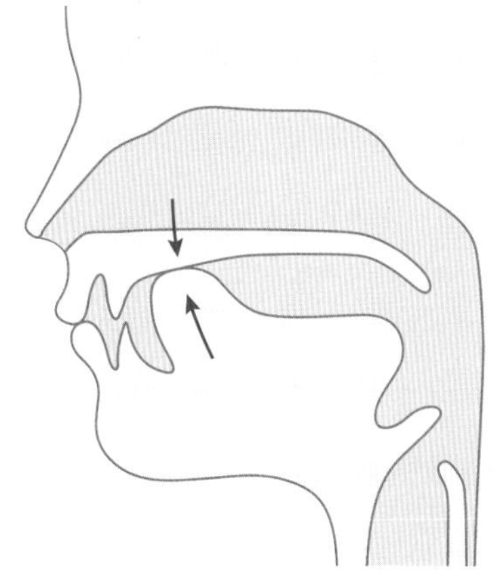

✚ 혀로 구개를 누르는 운동

✚ 발음(조음) 훈련

Difficulty Swallowing Q&A

Q60 수분을 섭취하라고 했지만 사레들고 본인도 마시고 싶어하지 않습니다.

수분은 가장 사레들기 쉬운 것으로, 사레들기 때문에 마시지 않고, 마시지 않기 때문에 탈수가 되며, 탈수가 되면 점점 연하기능이 저하되는 악순환에 빠지게 된다. 탈수증상은 고령자에 종종 보이는 병태로 뇌경색이나 심근 경색 등의 혈관 폐쇄성 병변, 신장병, 요로감염증, 저혈압 등 각종 질병의 원인이 된다.

다른 것을 먹을 수 있지만 국물만 사레든다는 분은, 다음 방법으로 거의 사레들지 않게 될 것이다. 그 다음은 사레들지 않는 상태로 조금씩 삼키는 연습을 반복해 주기 바란다.

① 소량(5mL 이하)의 차가운 물을 입에 머금고, 입을 다물고, 숨을 꾹 참고 연하에 의식을 집중해 삼키기 바란다.

② 할 수 없는 경우는, 먹기 전 준비 체조 후, 목의 얼음마사지를 여러 번 시행한 후 마찬가지로 해보기 바란다.

③ 그래도 안될 경우는, 리클라이닝 의자나 리클라이닝 침대에 사장님이 느긋하게 쉴 때처럼 몸을 뒤로 기대고 편하게 앉아서, 경부를 전굴시켜 소량씩 마셔보기 바란다.

물은 가장 사레들기 쉽지만, 오연한 경우에도 안전성은 높기 때문에 훈련에 적당하다. 맛이 가미된 쥬스나 국물은 일반적으로 물보다도 사레들기 어렵기 때문에, 물이 사레들지 않는다면 마실 수 있다고 생각한다. 사람에 따라서는 자극이 있는 탄산수가 사레들기 어렵다고 하는 경우도 있다. 신중하게 환자에게 알맞은 마실 것을 찾아보는 것도 중요할 것이다.

증점제(增粘劑)를 넣거나, 간편하게 사레들기 어렵고 삼키기 쉬운 토로미를 섞을 수 있다. 단, ① 적당한 정도의 토로미를 넣는다 ② 시간을 두고 토로미를 증가시킨다 ③ 맛이 나쁘게 되면 식욕이 없어질 우려가 있다 등에 주의하기 바란다. 실제로 삼키기 쉬운 농도가 되었는지 스스로 먹어보는 것이 중요하다. 아이소토닉 젤리®(三共製藥), 야와라카 젤리®(明治製藥), 곳쿤 젤리®(三和化學硏究所) 등 수분 보급용 토로미 첨가 음료도 편리하다.

국물이 사레들 뿐, 폐렴 등 호흡기 질환을 일으키지 않는다면 오연은 적다고 생각한다. 사레드는 작용에 의해 폐에서 배설되기 때문이다. 그러나 방치해서는 안된다. 되도록 사레들지 않는 방법을 지도한다.

사레든다고 해서 수분을 섭취하지 않으면 수분섭취량이 줄어서 만성적인 탈수 상태가 된다. 이것은 뇌경색과 신기능 장애 등의 원인이 될 위험이 있다. '얼음 핥기'는 연하 훈련과 수분 보급에 유용하지만, 그래도 수분을 섭취할 수 없는 경우는 젤리 음식을 넉넉하게 먹도록 한다. 젤리에는 수분이 많이 함유되어 있는 특징이 있다. 수분 그 자체가 아니더라도 수분 보급이 가능하다. 최근에는 토로미가 든 음료를 쉽게 구할 수 있기 때문에 이러한 제품을 이용하는 것도 추천된다.

더운 여름에는 탈수증상이 종종 보이므로, 소변량이나 피부, 구강 점막 등의 건조 상태를 참고하여 탈수증상을 예방하기 바란다. 또한 기운이 없고, 식욕이 떨어지는 등 탈수 증상의 징후가 나타나면 바로 의사에게 진찰을 받게 하고 정맥 영양공급을 받는다는지 경관으로 보충하는 등 조기 처치가 중요하다.

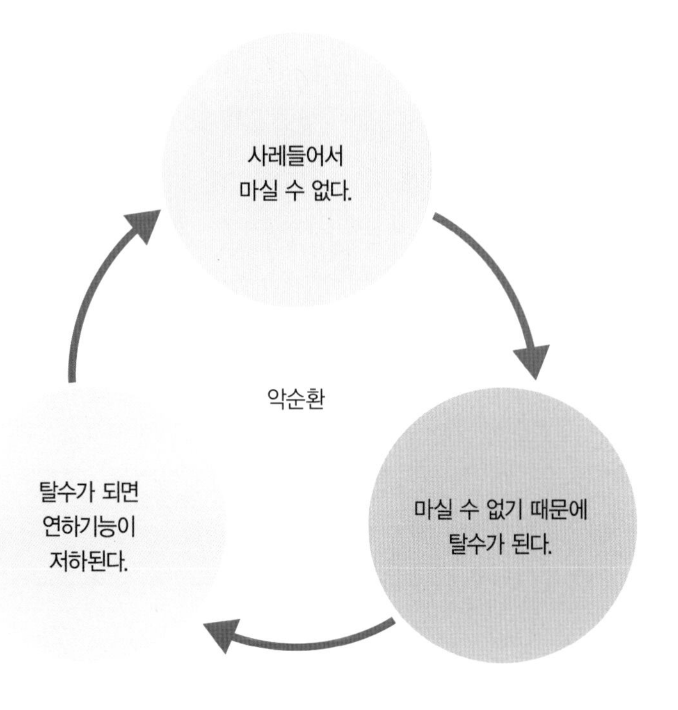

Q61

Difficulty Swallowing Q&A

흡인을 하는 판단기준을 가르쳐 주세요.

기준을 언급하기 전에 우선, '함부로 흡인하지 말 것', '흡인력을 과신하지 말 것'의 두 가지를 지적하고 싶다.

식사의 전후에 흡인하는 것은 그다지 추천할 수 없다. 가래가 많아서 흡인하는 경우에도, 가능한 한 식사 전후 15분 정도는 흡인하지 않는 쪽이 좋다고 생각한다. 환자의 먹는 의욕을 저해할 우려가 있기 때문이다. '한입마다 흡인하지 않으면 안된다고 환자가 있다'고 듣는 경우가 있지만, 이것은 고문에 다름 아니다. 흡인이 얼마나 괴로운지 눈물을 흘리며 호소하는 환자의 목소리에 귀를 기울이지 않으면 안된다.

그러면 흡인을 시행하는 기준은 대체로 다음과 같지 않을까 한다.

① 목에서 그르렁 거리는 소리가 항상 난다.

② 먹은 후에 그르렁 거리는 소리가 목에 남아 있다.

③ 기침을 하고 가래나 음식물이 인두까지 들어갔지만 입까지 토해 나올 수 없어서, 삼킬 수 없어 남아 있다.

④ 흡인할 수 있는 푸딩이나 젤리 등이 목에 걸려 있다.

단순히 '사레들었다'고 하는 것만으로 흡인하는 것은 좋지 않다. 사레들었어도 호흡 상태가 안정되어 있다든지 질식 증상이 없으면 잠시 안정하고 상태를 보기 바란다. 상태에 따라서는 흡인하지 않아도 지낼 수 있으면 좋기 때문에 Squeezing* 후에 기침이나 Hoffing**을 시킨다든지 얼굴을 아래로 향하게 하고 체위를 변화시키도록 하여 토해 내게 하는 고려도 있다고 생각한다.

물론, 필자는 흡인을 부정하고 있는 것은 아니다. 흡인이 폐렴을 예방한다든지 질식으로부터 생명을 구하는 경우가 있기 때문에 언제라도 흡인할 수 있는 태세를 갖출 필요성이 있다는 것도 강조하고 싶다.

---

* : 호기에 맞추어 흉곽을 용수적으로 밀어서, 가래 배출을 촉진하는 수기

** : 소리를 내지 않고 '하-압'하고 강하게 호기를 내는 방법. Squeezing과 Hoffing은 가장 효율적인 가래 배출 수기로 알려져 있다.

Q62

Difficulty Swallowing Q&A

흡인할 때의 주의사항을 가르쳐 주세요.

환자에게 있어서 흡인은 기분 좋은 것은 아니다. 갑자기 입이나 코로 관을 넣고 흡인당하는 것을 상상해 보기 바란다. 그럴 경우 어처구니 없다고 생각할 것이다[Q45].

흡인시의 주의점과 순서를 다음과 같이 제시한다.

① 우선 흡인의 의미와 방법을 잘 설명한다. '목이 그르렁 거려서 가래가 막혀 있기 때문에 흡인으로 제거한다. 천천히 조금씩 하기 때문에 힘을 빼고 편안하게 있어 주십시오' 등과 같이 말을 걸면서, 충분히 납득시킨 후에 시행한다.

② Gag(목에 닿으면 우웩하는 반응)가 없고 협력적인 사람은 입으로 흡인하는 쪽이 고통이 없다.

③ 협력적이지 않은 사람이나 gag가 강한 사람에서는 코로 시행한다. 코에 xylocaine spray 액을 뿌리면 그 자체가 자극이 되고, 1,2시간은 비강이 아프고 기분이 나쁘게 된다. 마취를 하면 아프지 않다고 생각하는 것은 오해이다. 가능하면 부드럽고 가는 흡인관으로 spray없이 행하는 것도 좋은 방법이다. Xylocaine 젤리를 흡인관의 주위에 바르는 것은 자극을 감소시킬 수 있어 좋다고 생각한다.

④ 흡인 압력은 100mmHg 전후로 해 준다. 이것보다 세면 조직을 흡인하여 점막을 손상시키고 만다(사진).

⑤ 입으로 시행하는 경우는 처음 구강내를 흡인하고 조금씩 안쪽으로 나아가서 목(인두)를 흡인하도록 한다.

⑥ 목으로 넣기 어려운 때는 '오–'하는 소리를 내게 하면서 진행하면 입에서 또아리를 틀지 않고도 목에 쉽게 도달하게 된다.

⑦ 흡인하는 시간은 우선 식사 직전을 피하도록 한다. 직전에 시행하면 인두의 감각이 장애받아서 연하시키기 어렵게 된다.

⑧ 식사나 주입 직후도 구토를 유발하는 경우가 있기 때문에 피하도록 한다. 반드시 시행해야 할 때는 세심한 주의를 기울여 언제 구토해도 오연하지 않도록 측와위를 취하고 시행하도록 하는 배려가 필요하다.

⑨ 기관절개공으로부터의 흡인도 매우 괴로운 것이다. 기침이 나오는 사람에서는 기침으로 카뉼라(삽관, Kanüle)까지 나오는 가래를 흡인하도록 한다. 너무 깊게 흡인관을 넣지 않도록 하기 바란다. 기관의 점막은 매우 민감해서 흡인관의 자극으로 기관지 경련을 일으킨다든지, 점막 출혈을 일으키는 경우도 있다.

⑩ 스태프 간에 흡인 방법을 통일하는 것도 중요하다. 환자는 잘 알고 있어서 저 사람은 잘한다, 저 사람은 안돼 하면서 다 보고 있는 법이다.

이상 흡인에 대해서 주의점을 설명하였다. 환자의 상태에 맞추어 의사나 다른 스태프와 상담하면서 적절한 흡인방법을 궁리해 보기 바란다.

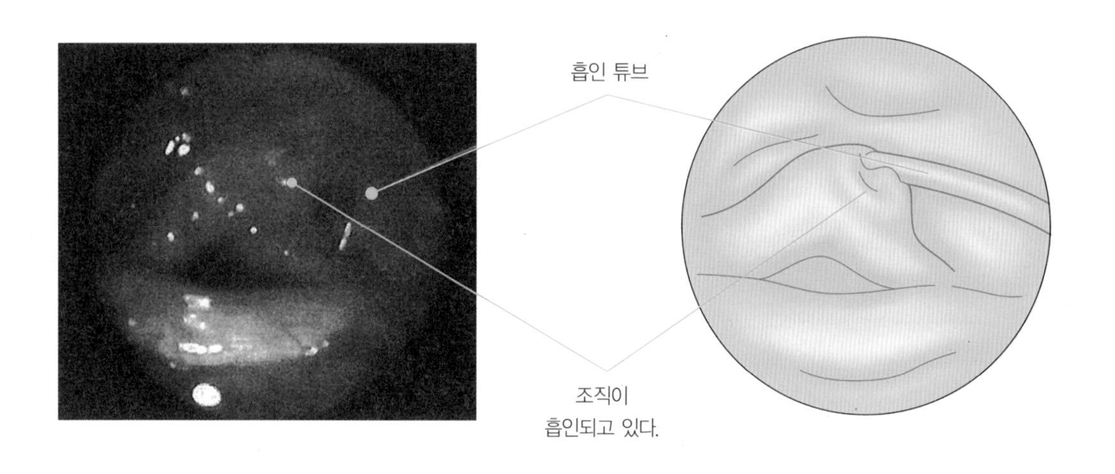

Q63

Difficulty Swallowing Q&A

식사 중이나 식후에 목소리가 바뀝니다.
목에 무언가가 남아 있는 것 같은 기분이 듭니다.

음식이 기도로 들어간다든지(오연, 침입), 인두에 남아 있으면 목소리가 바뀐다. '목소리가 변하는 경우'는 사레들지 않았는데도 오연하고 있는 케이스를 발견하는 방법의 하나이다. 단, 식사를 하면 기도의 분비물도 증가하고, 그렇기 때문에 성문에 가래가 얽혀 있게 되어 목소리가 변하는 경우도 있어서, 목소리가 변한다는 이유만으로 오연이 있다고 잘라 말할 수는 없다.

연하장애 환자의 호소는 꽤 정확하게 병변을 잘 맞추고 있는 편이다. 목에 무언가 남아있는 것 같은 기분이 든다고 호소하는 때는 인두잔류가 의심된다. 또한 종양이나 염증이 보이는 경우도 많기 때문에 이비인후과에서 제대로 진찰받을 것을 추천한다.

인두잔류의 대처법으로는, 횡향(横向き) 연하, 교대(相互) 연하, 끄덕(うなずき) 연하가 있다[Q82, 83].

암 등 질병에 대한 심리적 불안이 원인인 경우도 적지 않은 것 같다. 중년 여성에게 많은 인후두 이물감은, 갱년기 장애가 관여되어 있다고 생각되고 있다. 원인이 확실히 없는 경우도 있어 경시적(経時的)인 관찰이 필요하다.

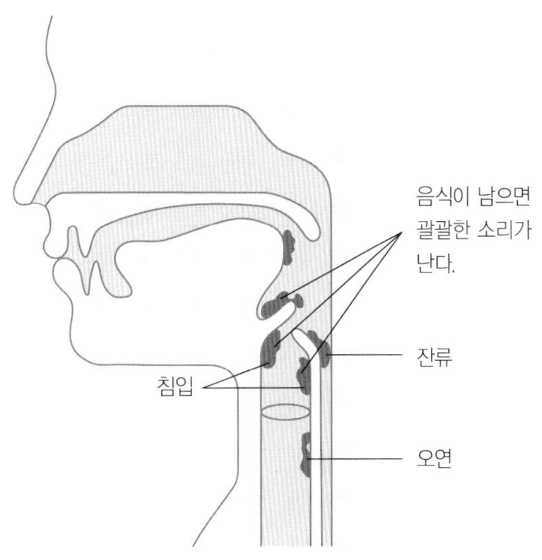

Q64

Difficulty Swallowing Q&A

식사 도중이나 식후에 기침이 나옵니다.

이것도 오연을 의심하게 하는 중요한 소견이다. 오연을 해도 바로는 사레들지 않고 오연량이 증가한다든지 오연물이 폐의 안쪽 깊은 곳까지 도달하고 나서야 비로소 기침이 나는 증상을 보이는 경우가 있기 때문이다. 감기에 걸려서 장기간 감기약을 먹고 있는 분이 있어 잘 들어보니 '식사 도중부터 식후에 걸쳐서만 기침이 나온다'고 말하는 것을 발견하고 연하 지도로 개선된 예가 있다.

또한 식사를 할 때 기침이 나지만 연하조영을 시행해보니 연하에는 아무런 문제가 없는 환자도 있었다. 가래 배출이 없고, 지금까지 폐렴에 걸린 적도 없었다. 대화를 나누어보니 음식물이 인두를 통과할 때의 자극으로 목이 아리게 되기 때문에 언제나 기침을 하려고 하게 되었다. 이것은 버릇처럼 되어 식사이외의 때에도 기침을 하고 있는 경우가 많지만 식사 때에 가장 많이 한다고 했다. 언제나 헛기침하고 있기 때문에 내시경으로 보면 성문이나 성문전정, 인두에 가벼운 발적이 보이고 있었다.

위 내용물이 식도에 역류하여 식도점막을 자극시켜 기침이 나오는 경우도 알려져 있다. 식후에 누우면 위식도 역류가 발생하기 쉬우므로, 2시간 정도는 눕는 자세를 취하지 않도록 부탁드린다.

이렇듯 기침은 중요한 sign으로 간과할 수 없지만 이것만으로 오연이 있다고 말할 수는 없다.

Difficulty Swallowing Q&A

Q65 삼킨 것이 목으로 역류해 옵니다.

이것은 식도 통과장애를 의심할 수 있는 증상이다. 종양, Web(막이 생겨버리는 것) 등으로 통로가 막혀있는 경우(기질적인 원인), 식도의 연동운동 부전일 경우(기질적인 원인)가 있다. 역류성 식도염이 있으면 연동운동이 좋지 않게 되고 뇌졸중은 뇌간부의 장애로 식도의 연동운동이 나빠지게 된다. 우선, 소화기 내과에 잘 알아봐 달라고 할 필요가 있다. 전혀 증상이 없는 고령자에서도 식도의 연동장애가 숨어 있는 경우가 있다.

복압이 너무 지나치면 식도 중간까지 온 것이나 위까지 삼켜진 것이 역류되어 오는 경우가 있다. 다발성 뇌혈관 장애, 두부 외상 후 등 전신의 근긴장도가 높고 특히 복부의 긴장이 강한 환자는 요주의 대상이다. 복부를 가볍게 만져 자신의 단단함과 비교해 보기 바란다. 경련이 일어나는 때 등도 갑자기 복부의 긴장이 올라가서 역류하고 구토에 이르는 경우가 있다.

원인 치료를 최우선시 하지만, 대처법으로는 릴렉스시켜 신체를 일으키는 기분으로 하고, 60° 정도의 각도로 리클라이닝 의자에 기대는 것처럼 앉고, 전신 근육의 긴장을 제거하고 중력도 효과적으로 이용하여 음식물이 위로 운반되도록 하기 바란다. 국물과 고형물을 번갈아 먹는 것도 효과적이다.

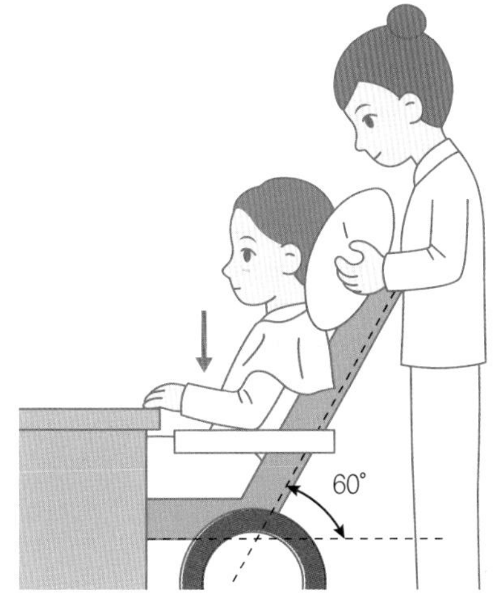

Difficulty Swallowing Q&A

Q66 통째로 삼켜서 바로 식사가 끝나 버리는 사람이 있습니다.

환자 뿐만아니라 우리 한국인이나 일본인은 식사시간이 짧다고 흔히 지적받는다.

차분히 생각해 보면, 우리자신 그다지 씹지 않고 삼키고 있다는 것을 느끼게 된다. 그래도 연하력이 강하기 때문에 거의 문제가 일어나지 않지만, 고령자나 연하장애가 있는 사람은 천천히 먹게 하면 안전한데 급하게 먹기 때문에 실패하는 경우가 있다. 보조자가 항상 옆에서 주의하고 있으면 좋겠지만, 옆에 없으면 실패하는 경우도 있을 것이다. 젊은 시절의 습성과 함께 pacing 장애(천천히 먹는 속도를 지킬 수 없음)가 있다고 생각할 수 있다.

대처법은 다음과 같다.

① 시간을 들여 천천히 식사하는 훈련을 한다.

② 씹는 횟수를 정한다(예를 들면 15회 씹고 나서 꿀꺽하는 등 : 최저라도 10회는 씹도록 한다)

③ 한 번에 모든 음식을 주지 말고 조금씩 시간을 늦추어 상을 차리도록 한다.

④ 음식을 잘게 나누어 둔다.

⑤ 작은 숟가락을 사용한다

특히 고령자는 섭식, 연하장애가 나타나기 전부터 천천히 먹도록 지도하는 것이 중요하다. 비만 체질인 사람에게 천천히, 잘 씹어 먹도록 하는 지도를 한다면 소량으로 포만감을 얻을 수 있게 되고 체중도 감소되는 경험이 있다. 이렇듯 천천히 먹는 것에 의의는 여러 가지가 있다고 생각한다.

CASE | 20세, 남성 : 미만성(DIFFUSE) 뇌손상(교통사고)

사고 후 약 2개월 의식장애가 계속되고, 사지 마비, 기명력(記銘力: 새로운 것을 기억하는 능력) 장애, 방향감각상실(失見当識, disorientation), 발음(構音)장애가 있었다. 기관절개로 급성기의 관리를 시행하고, 3개월 정도까지는 연하장애(가성구마비)에 의한 오연을 보였지만 급속히 연하기능은 개선되었다. 전혀 문제없다고 생각하던 차에 어느 아침, 식사 중에 질식하여, 헐떡이고 있는 것을 간호사가 발견하였다. 등을 두드리고, 손으로 긁어내어보니, 사과와 삶은 달걀의 큰 덩어리가 목으로부터 나왔다. 인지 장애가 있고, 평소 걸신들린 것처럼 먹고 있었기 때문에 이날도 통째에 가까운 상태로 사과와 계란을 먹어서 목에 걸리게 되었다고 생각한다. 그 후 혼자인 경우는 부드러운 야채를 잘게 썬 음식을 주도록 하고, 감시할 수 있을 때는 말을 걸면서 천천히 평상식을 주어서 문제없이 경과하게 되었다.

천천히 먹기 위한 고려

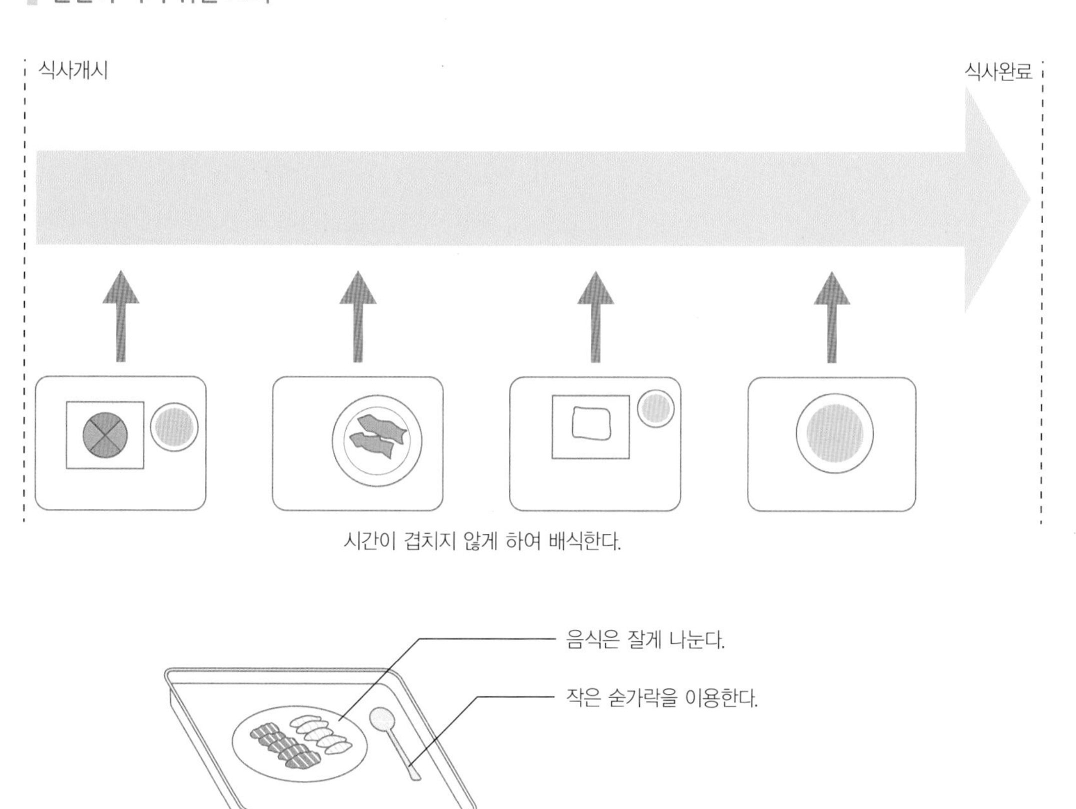

Difficulty Swallowing Q&A

Q67 식사에 시간이 걸리는 사람이 있습니다.

전 페이지와는 반대의 현상이다. 극단적으로 식사시간이 긴 경우, 예를 들면 2시간이든 3시간이든 걸린다는 것은 사회생활에서 문제가 된다. 그러나 일반적으로 식사에 시간이 결려도 오연 없이 영양이 충분히 섭취할 수 있게 되면 일단 좋다고 하는 경우도 있다.

느린 이유를 생각해 보자. 파킨슨병에서 긴 때는 한 끼에 2시간 정도 걸려서 먹고 있는 환자의 경험이 있다. 입에 음식을 운반하는 동작이 늦고, 저작이 늦고, 저작으로부터 연하개시까지가 늦고, 이것이 반복되어 끝없이 식사를 하고 있는 것이다. 입원 중에는 잘못하여 식사를 치우지 않도록 주의하지 않으면 안되었다. 케이스 바이 케이스로 대응하지 않으면 안된다. 이 분은 본인, 가족 모두 납득하고 있었기 때문에 그대로 두었다.

또한 식사에 의식이 집중하지 않기 때문에 늦는 경우가 있다. 어린이가 놀면서 먹는다든지, 텔레비전을 보면서 먹는다든지 하면 식사가 늦어지게 되는 것과 같다. 이것은 조용한 환경으로 조성하면 비교적 용이하게 해결된다고 생각한다.

식괴의 구강내 보관 유지 및 배송이 좋지 않은 경우는 흘리지 않도록, 쉽게 보낼 수 있도록 음식 형태나 체위의 고려를 시행하여야 한다.

피곤해서 식사 도중에 쉬지 않으면 안되는 경우는 오히려 의도적으로 쉬게 해서 장기간 식사시간을 유도하는 편이 좋을 지도 모르겠다. 맛이 변하지 않도록 냉장고에 넣는다든지, 다시 데운다든지 하면 더 좋을 것이라 생각한다.

일반적으로는 성인의 경우 45분 정도 식사시간을 설정하고 부족분은 간식이나 보조영양(주입) 으로 보충하는 것을 생각한다.

Q68 실어증으로 커뮤니케이션을 할 수 없습니다. 연하훈련은 어떻게 하면 좋을까요?

중증의 실어증이 있으면 일상의 커뮤니케이션을 할 수 없어서 곤란하다. 또한 똑같은 중증이라고 해도 완전실어증으로 언어적인 이해와 표현을 전혀 할 수 없는 것으로부터, 이해력이 극단적으로 나쁜 '감각실어증', 표현할 때 큰 장애가 있는 '운동실어증' 등의 형태가 있다.

섭식, 연하장애의 훈련 시 곤란한 경우는 이해할 때의 장애가 심하고 지시를 받기 어려운 경우이다. 중도의 실어증에는 실행증이라고 하는 동작에서의 장애가 추가되어 있는 경우도 많고, 제스쳐로 흉내를 내도록 하는 것도 곤란한 경우가 있다. 또한 '보속(保続)'라고 하여 한 번 어떤 것을 시작하면 같은 동작이 반복되어 새로운 동작으로 이행되지 않는 증상이 합병증으로 나타나면 더욱 힘들어 지게 된다.

우선, 환자의 이해 정도가 어느 정도인지를 정확히 평가하고 만나도록 할 필요가 있다. 언어치료사의 도움이 있다면 가장 좋겠지만 없는 경우는 구두지시에 응하는지, 글자의 이해는 어느 정도인지, 제스쳐의 이해는 어떤지, 그림의 이해는 어떤지를 조사한다. '무엇을 말해도 끄덕인다', '지시를 하면 혼동한다' 등 곤란한 경우도 종종 있지만, 좋다고 생각되는 방법을 선택하여 환자와 만나도록 한다.

또한 이해 정도가 좋지 않을 때는 피해망상적으로 되고, 정신적인 침체가 걱정된다. 처음은 우리가 움직이기 보다는 안심시키는 태도로 '환자를 이해하자'는 접근 방식이 중요하다.

언제 사레드는지, 목에 남는 느낌이 있는지 등의 세세한 증상을 물어보는 것, 호흡법, 헛기침을 하는 것, 횡향 연하의 의미를 이해하도록 하는 것 등 세세한 지도를 철저히 하기 어렵다는 것도 실어증 환자에게서 어려운 점이다.

막상, 실어증 환자에게 대응함에 있어 가장 중요한 점은, 환자의 행동 관찰이다. 특히 섭식장면을 잘 관찰하면 행동양식에 무언가 문제가 있는지를 유추할 수 있을 것이다. 언어에만 의존한다면 좀처럼 진척되지 않는다.

다음으로 중요한 것은, 섭식, 연하장애에 필요한 최소한의 지시를 하는 것이다.

① '지금부터 섭식, 연하훈련을 시작합니다'하고 의식한다.

② 식사에 집중한다.

③ 입을 확실히 다물고 연하한다.

④ 기침한다.

의 네 가지일 것이다. 증례에 따라서는 필요한 메시지는 바뀌지만, 시간이 지남에 따라 환자의 행동이나 특징을 어림잡아 대응하도록 해주기 바란다. 그러나 심한 실어증에 연하장애를 동반하면 훈련은 상당히 어려운 것도 확실하다.

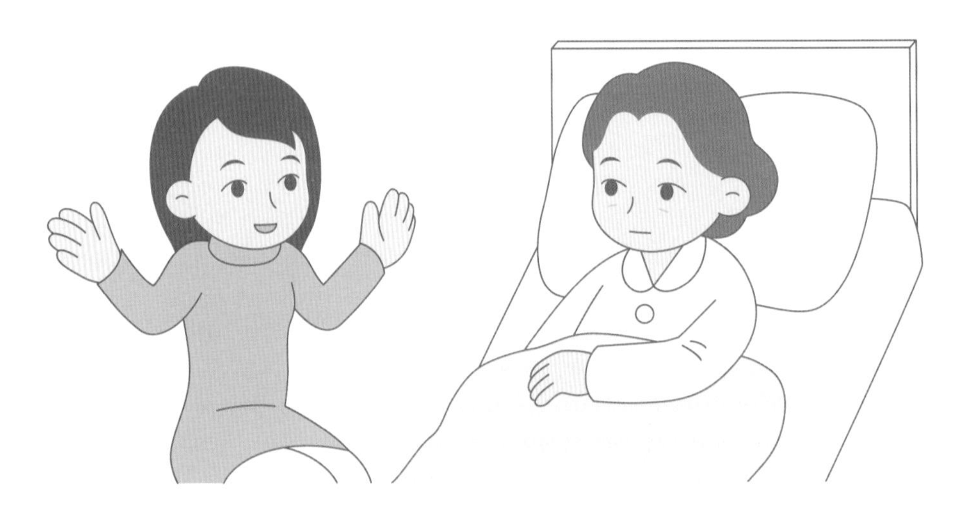

제스처로 최소한의 지시를 전달한다.

Difficulty Swallowing Q&A

Q69 식사보조를 하는 쪽이 좋을지 스스로 먹게 하는 쪽이 좋을지 어떻게 판단하면 좋겠습니까?

식사를 스스로 할 수 있는 분은 자신이 먹게 하는 것이 당연하겠지만 이러한 질문이 나오는 데에는 그 나름의 이유가 있다. 몇 가지 경우로 나누어 대처법을 생각해 보도록 하자.

① 스스로 먹으면 시간이 너무 걸리고 만다.

② 식사 후반에 지쳐서 먹을 수 없게 되고 만다. 식사 후반에 사레들고 만다. 식사 도중에 잠들고 만다.

③ 스스로 먹으면 반 이상 남기고 만다.

이러한 경우는 처음 15~20분 정도는 스스로 먹게 하고 후반은 식사보조를 하는 방법이 있다고 생각한다.

④ 흘리는 것이 많아서 실제 섭식량이 적다.

주먹밥 등을 손에 쥐고 먹을 수 있다든지 식기를 배려해 주면 흘리는 것이 적은 경우는 스스로 먹게 하고, 흘리기 쉬운 음식은 보조하는 방법이 고려된다.

⑤ 30° 리클라이닝 자세일 때는 보조한다.

훈련으로 연하기능이 개선되고 45° 이상, 60°, 90°로 상체를 일으킬 수 있으면 자력섭식(自力攝食)을 시작할 수 있게 한다. 원칙적으로 환자의 능력을 최대한 끌어낼 궁리를 하는 것이 재활의 기본이다. 스스로 먹을 수 있는 사람에게는 스스로 먹게 해야 할 것이다. 그 경우 '지켜보지만 될 수 있는 한 손을 대지는 않는다'라고 하는 생각이 중요하다. 이것은 재활에 보편적으로 해당되지만, 연하장애에는 오연이라는 위험이 항상 따라다니게 된다. 한입은 확실하게 삼킨 다음 한 입을 먹지 않고 오연하는 환자에게 스스로 먹게 하면 차례로 입에 가득 음식을 채우게 되는 매우 위험한 사태로 발전하는 경우도 있다. 잘 관찰하고 우선 안전을 확인하는 자세를 잊어서는 안된다.

한편, 보조하는 분이 일찍 먹어 수고스럽지 않다는 이유로 보조하는 경우도 있는 것 같다. 또한 먹는 것이 늦고 먹게 하는 것이 힘들다는 이유로 입으로 먹게 하는 것을 시도조차 하지 않고 경관영양을 하고 있는 케이스도 있다. 슬픈 현실이지만 인력이나 시간, 경제면에서의 관계도 어려운 문제이다. 입으로 먹는 것은 살아있는 동안 최대의 기쁨임을 잊고 싶지 않다. 또한 많은 사람이 남에게 먹게 하는 것보다 스스로 먹는 쪽이 맛있다는 것을 기억하게 하고 싶다. 인지증 등 인지장애가 있는 사람에서 숟가락을 자신의 손에 쥐어준다든지 주먹밥을 손에 쥐어주고 먹게 한다면 그 때까지의 식사거부가 거짓말처럼 없어지게 된 증례도 많이 존재한다.

Q70 인지증으로 연하장애가 있는 분에게는 어떻게 대처하면 좋을까요?

Q68에서 실어증 환자의 이야기를 했지만, 실어증보다도 힘든 것이 인지증이라고 말할 수 있다. 섭식, 연하장애가 있고, 실어증에 인지증이 합병증으로 있다면 벌써 어찌할 도리가 없는 상태이다.

경험적으로도, 학회나 문헌에서의 보고를 읽어도, 인지적인 면에서 장애가 있는 환자, 특히 인지증에서는 섭식, 연하훈련의 성적이 극단적으로 나쁘게 된다. 아무튼 주의를 집중시킬 수 없고 학습능력이 저하됨을 이유로 훈련이 축적되지도 않는다. 노력이 많이 들고, 잠시도 한 눈을 팔 수 없고, 방심하면 입안에 볼이 터지도록 음식을 넣어 먹고 사레들거나, 심할 때에는 질식하기도 한다. 입에 음식물이 들어가 있는 것을 잊은 채 말하고, 삼키면서 호흡하여 격하게 콜록거리는 경우도 경험하고 있다. 무엇보다 무서운 것은 '오늘은 좋네'라고 생각하면 다음은 '완전히 안되네'하고 변화가 급격한 경우이다.

인지증은 이처럼 어려운 것임을 이해하시고, 섭식, 연하훈련의 요령과 마찬가지로 기술하자면,

① 조용한 환경으로 조성한다.
② 같은 보조자가 전속으로 관계한다.
③ 같은 방법으로 반복한다.
④ 초조해하지 말고 시간을 충분히 둔다.
⑤ 환자의 버릇을 포착한다.
⑥ 좋아하는 음식을 먹게 한다.
⑦ 싫어하는 것은 하지 않는다.
⑧ 바로 단념하지 않는다.

는 것이지 않을까. 딱히 '이것이다'라고 할만한 묘안이 있지 않아서, 섭식·연하훈련에 공통 기본사항을 철저하게 지키는 것 이외에는 방법이 없는 것 같다.

필자의 경험으로는 인지증으로 가장 힘들다고 생각했던 환자는 '입을 비워 주지 않고', '입에 넣은 것을 삼켜주지 않는' 경우이다. 이것저것 여러 가지 시도해도, 잘 안되는 경우가 많지만, 숟가락으로 보조하고 있는 환자가 있을 때, 환자 자신의 손에 숟가락을 쥐게 해주면 잘되는 경우가 있다. 이것은 반드시 시도해 보기 바란다. 또한 다소 사레들어 버리는 경우도 각오하면서 주먹밥이나 샌드위치를 손에 쥐어줘 보면, 스스로 잘 먹게 되는 경우가 있다.

또한, 입에 부지런히 모아두는 경우는 '아기용 센베 과자', '빼빼로' 같이 바삭바삭하게 씹는 맛이 있고 바로 부서지고 입안에서는 타액과 쉽게 섞여 녹을 것 같은 성질을 가진 음식물을 먹게 하면, 씹어 부수는 것이 자극이 되어 연하가 쉽게 일어나게 된다. 틀니에서도 이가 확실히 고정되어 있으면 괜찮고, 제 아버지도 딱딱한 전병 등은 바삭바삭하면서 잘 드시지만 죽은 먹는 것을 멈추게 돼버리는 증상이 보였다. 죽이나 믹서식을 먹게 할 때에 먹는 것을 멈춰 버린다고 할 때 유용한 경우가 있다. 시험해 보시기 바란다.

Q71

Difficulty Swallowing Q&A

왼쪽의 음식을 남깁니다.

좌편측 공간무시가 의심된다. 뇌졸중 등으로 대뇌의 오른쪽 절반이 손상되었을 때 일어나는 증상이다. 부주의나 집중력 장애도 동시에 보이는 경우가 많으므로 섭식, 연하장애의 치료에는 요주의 대상이다.

식사의 왼쪽을 언제나 남긴다고 하는 경우는 거의 틀림없이 편측공간무시가 있다고 생각되지만, 다음의 테스트를 해 본다.

① 선분 이등분 테스트

② 사람의 얼굴이나 꽃 그림을 그리게 한다.

③ 입방체의 그림을 그리게 한다.

편측공간무시는 일과성으로 상실되는 경우도 많지만, 영구적으로 장애가 남는 경우도 있다. 그래도 매일 끈기있게 왼쪽에 주의를 기울이면서 훈련하면 익숙한 상황에서는 증상이 소실된다.

거울을 환자의 오른쪽에 두고 왼쪽에 남아 있는 음식을 비추고 신경 쓰게 하는 방법이 효과를 가져올 수 있는 경우도 있다.

중증의 편측공간무시에서는 경부의 근육이 긴장하여 얼굴이 항상 오른쪽을 향하게 되버리고, 보조할 때 왼쪽을 향하게 하려고 해도 곤란한 경우가 있다. 물리치료사의 도움을 받아 경부의 근긴장을 제거하고 경부의 관절가동역을 확대하고, 베개를 대주는 등 체위를 잡아주는 방법을 고려하고 시간을 들여서 얼굴이 정면으로 향하도록 하지 않으면 안된다. 심한 편측공간무시에 연하장애가 동반되는 경우에는 훈련이 매우 어렵다.

식사를 보조할 때는 주의를 기울여 우측(건강한 쪽)으로 시행하는 것이 원칙이다. 무시측에서 보조하면 환자에게는, 갑자기 입에 음식이 들어가는 것 같은 경우가 되어 연하를 쉽게 할 수 없다. 충분히 주의해 주기 바란다.

편측공간무시 테스트

과제로 준 그림을 그대로 그리게 하면(색선), 좌측의 부분을 그릴 수 없다.

스탠드 형의 거울을 식기의 전방 우측에 둔다. 각도를 조절하면 식기의 전체 모습을 확인할 수 있다.

Difficulty Swallowing Q&A

Q72 식사 도중에 잠들어 버려 먹을 수 없는 사람이 있습니다.

뱃속에 음식이 들어가면 위장의 움직임이 활발해지게 된다. 위장에 혈액이 많이 모여서 머리 쪽으로 가는 혈액은 상대적으로 적어지게 된다. 또한, 위장의 움직임은 부교감신경이 조절하고 있기 때문에, 부교감신경이 활발하게 되면 편안해지고 졸립게 된다. 아기가 엄마의 젖을 반쯤 자면서 먹고 있는 것을 종종 보게 되는 것도 이 때문이다.

우리 어른들도 식후에 졸립게 된다든지, 몸에 힘이 빠지게 된다든지 하는 경우가 있다. 이것은 극히 자연스러운 것으로 그러한 때는 조금 휴식을 취하는 것이 신체를 위해서 가장 좋은 일이다.

교감신경과 부교감신경은 교대로 하루 중 리듬을 가지고 활동하고 있다. 밤과 오후 1시부터 2시까지 부교감신경의 작용이 활발해지고 졸립게 된다. 신체의 리듬으로 보면 낮잠은 이치에 맞는 것을 알 수 있다. 식후 잠시 시간이 지나면 영양이 온몸으로 골고루 퍼지고, 이번에는 교감신경이 작용하게 되어 활력이 샘솟게 된다.

그래서 고령자나 연하장애 환자가 식사 도중에 잠들어 버리고 마는 것도 같은 이치에서이다. 잠들어 버리면 삼키기가 어렵게 되고 사레든다든지 입안에 남아있게 된다.

그렇다면 어떻게 하면 좋을까. 이 경우 억지로 입에 밀어 넣도록 하고 먹게 하는 것은 위험하다. 시간을 들여서 눈이 떠지는 것을 기다린 후에 식사를 재개하는 것이 좋다고 생각한다.

즐거운 식사 분위기를 만든다든지, 말을 걸어 각성을 촉구한다든지, 맛이나 음식을 배치하는 것에 신경을 써서 식사에 흥미를 갖게 하도록 한다. 언제나 점심식사 시간에 잠들어 버리게 되는 경우는 과감하게 시간을 1~2시간 비워 놓으면 좋은 경우가 있다. 환자의 수면 사이클이 식사시간에 딱 맞아 버리는 경우도 있다.

시설이나 가정의 사정도 있겠지만, 이 쪽의 시간에 환자를 맞추지 말고 환자의 리듬에 이 쪽을 맞추려는 마음가짐이 중요하다.

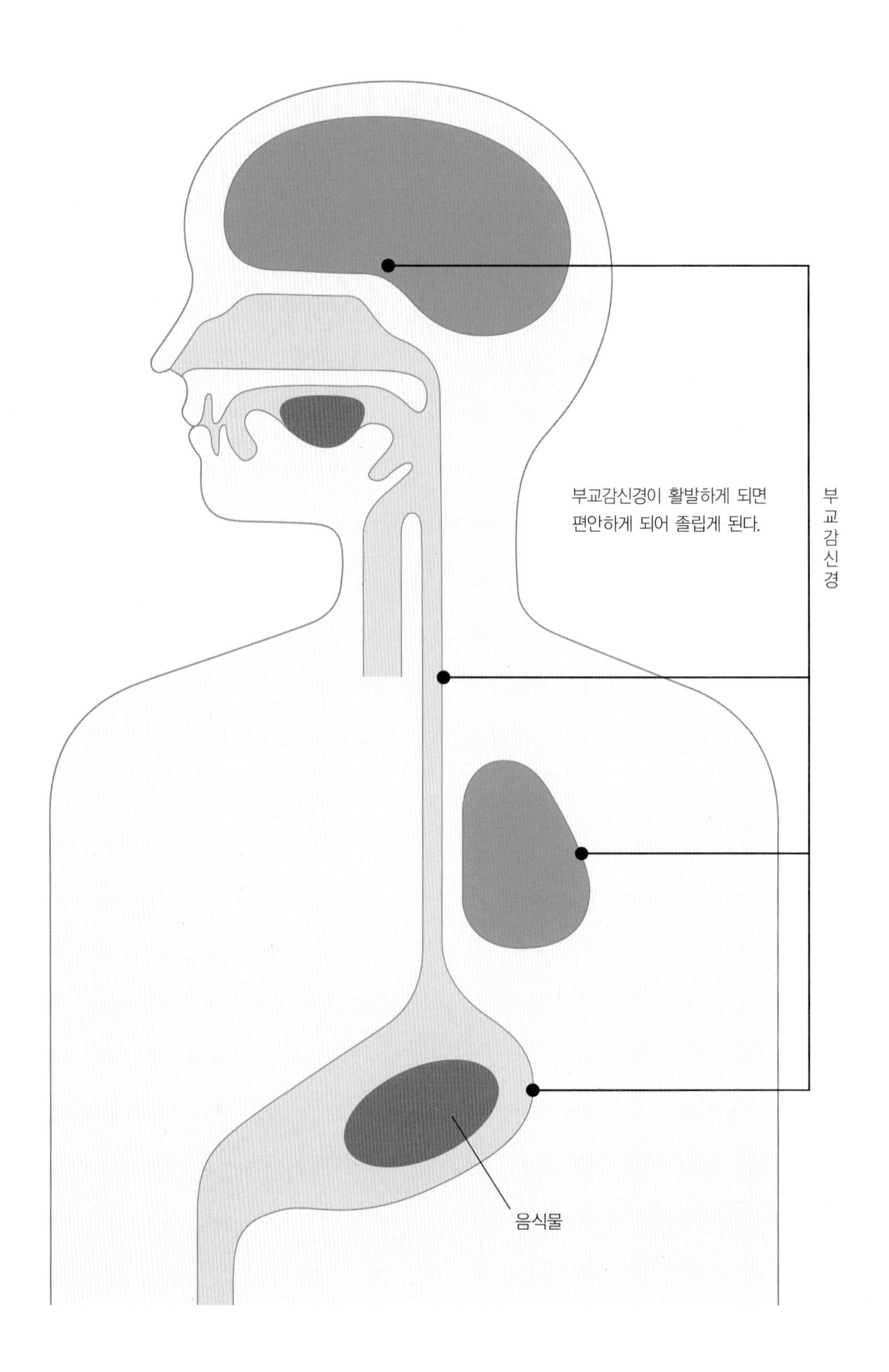
부교감신경이 활발하게 되면
편안하게 되어 졸립게 된다.
부교감신경
음식물

Q73

Difficulty Swallowing Q&A

식후에 혈압이 떨어지고 현기증이 납니다.

식사성 저혈압이라고 알려져 있는 것이다. 음식물이 위에 들어가 위장의 운동이 활발하게 되면, 신체 중의 혈액이 소화관에 모이게 된다. 또한 부교감신경의 운동도 활발하게 되기 때문에 말초혈관이 열려서 혈압이 쉽게 내려가는 상태가 된다. 식후에 졸립게 되는 것도 마찬가지 이유이다. 빈혈이 있는 사람과 저혈압이 있는 사람에게 보이는 증상으로, 샤이 드레이저(Shy Drager) 증후군이나 척수 소뇌 변성증 등의 질환, 또 오래 누워있다가 기립성 저혈압이 있는 경우도 요주의 대상이다. 심할 때는 혈압저하로 의식이 없어지는 경우도 있다.

대책으로 아래와 같은 것이 있다.

① 천천히 먹는다 : 한 번에 많은 양의 음식이 위장으로 운반되면 혈압의 변화도 일어나기 쉽다.

② 다리를 아래에 두지 않는다 : 의자에 앉아서 식사를 하고 있는 경우는, gatch bed(핸들이나 단추 조작만으로 환자를 누인 채 상반신을 일으키게 하거나, 무릎을 굽히게 할 수 있는 침대)나 다다미 위에 의자를 놓는다든지 해서 하지가 아래로 내려가지 않도록 한다. 정좌도 좋을 것이다. 식후에도 다리를 내려놓지 않도록 한다.

③ 식후 급히 일어서지 않는다 : 최저 30분은 안정을 취하고 천천히 일어나도록 한다.

④ 탄력 스타킹을 신는다 : 하지를 탄력 스타킹이나 탄력 붕대 등으로 압박하면 혈압저하를 예방할 수 있다.

⑤ 탈수에 주의한다 : 오전 10시와 오후 3시, 잠자기 전에 수분 보충에 힘쓰고 탈수증이 없는 상태로 식사를 하는 것이 중요하다.

저혈압으로 현기증이 난다든지, 의식이 멍해지게 되는 경우가 있다고 할 때는 '언제' '어떠한 때'에 증상이 나타나는지를 관찰해 보기 바란다. 식후에 집중하여 일어난다는 환자가 반드시 있을 것이다. 우선 증상이 개선되는지 위에 기술한 대책을 시도해보기 바란다. 물론 의사에게 상담하고 원인을 밝혀내서 약물치료나 올바른 지도를 받을 것을 추천한다.

또한, 식사 때 편안하게 부교감신경이 '적당하게' 활발하게 되는 경우는, 타액의 분비나 위장의 움직임도 좋게 되어 바람직한 상태가 된다고 생각한다. 반대로 긴장하면 타액의 분비가 감소하고(입이 끈적끈적거리게 된다), 위장의 움직임이 저하되고 식욕도 상실하게 되고 만다.

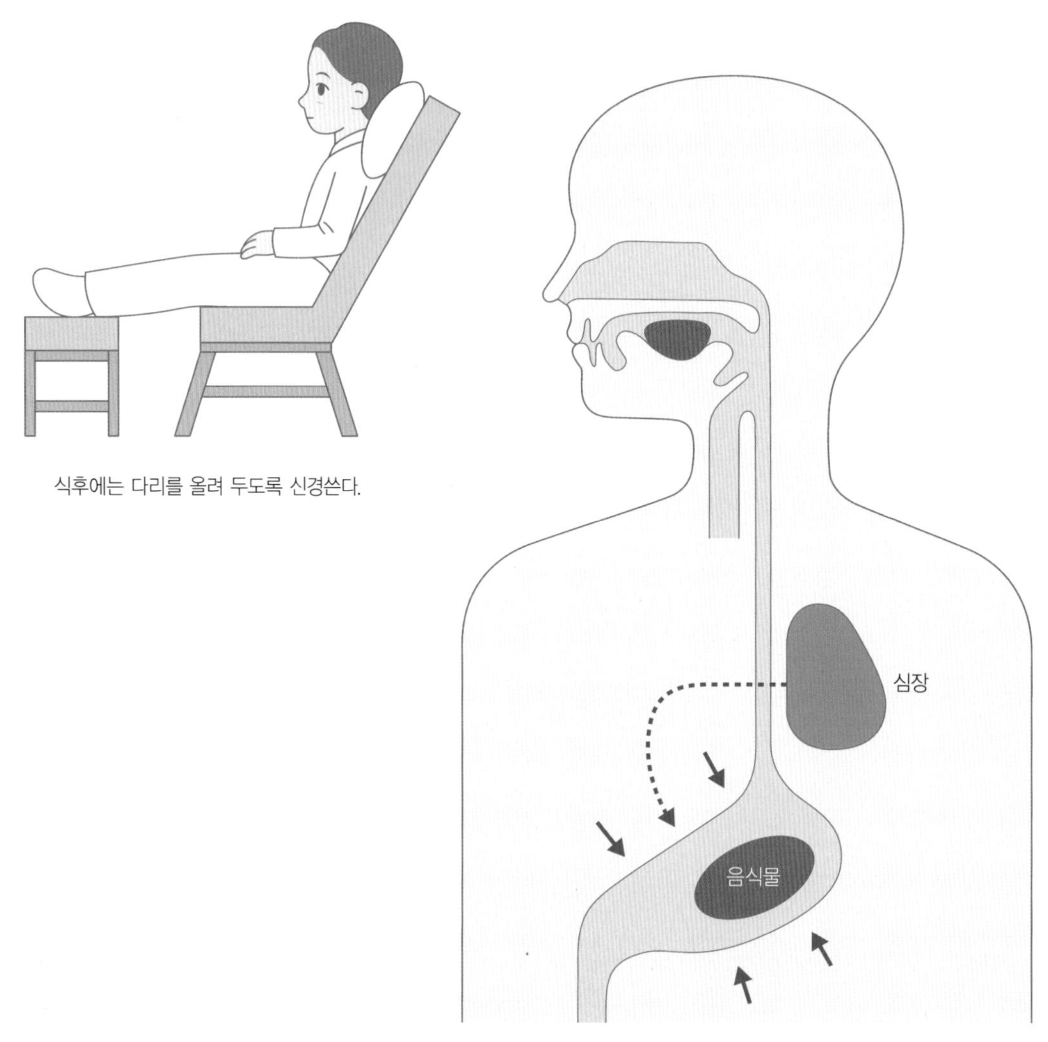

식후에는 다리를 올려 두도록 신경쓴다.

혈액이 소화기관에 집중되고 혈압이 내려가기 쉽게 된다.

Q74

Difficulty Swallowing Q&A

식후 지쳐서 잠들어 버립니다.

Q72에서 기술한 것처럼 식후에 졸립게 되는 것은 어떤 의미에서는 당연하고 생리적인 현상이라고 말할 수 있다. 아기는 먹으면 언제나 자는 것을 반복한다. 위에 음식물이 들어가 혈액이 집중되기 때문에 졸립게 되는 것이다. 그러나 '지친다'고 하는 것에 대해서는 이야기가 달라진다.

삼키는 데 매우 고생을 하고 있는 것일까? 연하근이 약해져 있어, 여분의 힘을 필요로 하기 때문에 식후에 피로를 느끼는 경우를 생각할 수 있다.

잔류가 있고 몇 번이나 '꿀꺽'하지 않으면 연하할 수 없는 사람은 '꿀꺽' 할 때 마다 호흡을 정지하지 않으면 안된다. 그렇기 때문에 혈중의 산소가 감소하고 지쳐버리고 마는 증상이 생길 가능성도 있다.

오연을 하고 있는 것일까?

'사레들지 않는 오연'이 있어서, 식사중에 호흡이 어렵게 되고 피로를 느끼는 경우가 있다. 또한 애초에 체력이 없어서 식사로 인해 지쳐버리고 마는 경우가 있다.

체력이 극도로 저하되어 있는 것일까? 식사를 하는 것은 실제로는 에너지를 상당히 사용하는 동작이다. 심폐가 좋지 않은 사람(심부전)은 식사를 하면 씨근거리기 때문에 액상영양식(Ensure Liquid® 등)을 마셔서 가급적 단시간에 칼로리를 얻을 수 있게 하려는 고려가 필요하다.

어쨌든 식사중이나 식후에 지쳐서 자버리고 마는 상태는 무언가 이상하다고 의심하고 대처해주기 바란다.

또한, 식후 바로 자면 위식도 역류의 원인이 되고, 역류성 식도염으로 오연성 폐렴으로 이어질 위험성이 높기 때문에 요주의 대상이다. 잠들어 버려도 식후 2시간은 최저라도 30°, 될 수 있는 한 45~60°로 상체를 세워 두도록 해주기 바란다. 90°의 좌위가 가능하다면 더 말할 나위가 없다.

CHAPTER 06

기초훈련과 섭식훈련

이 장에서는 '음식물을 이용하지 않는 훈련 = 기초훈련'과 '음식물을 이용하는 훈련 = 섭식훈련'에 대해 설명합니다. 기초훈련은 1) 그것만 독자적으로 시행하는 경우 2) 매 식사 전 훈련(prefeeding technique)으로 섭식훈련과 조합시켜 사용하는 경우가 있습니다. 바로 도움이 되는 방법으로, 특히 '횡향(横向き) 연하'와 '호흡법'은 반드시 활용해 보도록 하세요.

Difficulty Swallowing Q&A

Q75 섭식, 연하장애가 있는 사람들에게 어떤 훈련 방법이 있습니까?

섭식, 연하장애 환자에게 먹는 훈련을 시행할 때에는, 우선 안전한 것, 즉 '오연을 예방'하면서 '충분한 경구 영양 섭취'를 목표로 하고 시행하지 않으면 안된다.

구체적으로는 Q2에서 기술한 섭식, 연하의 6가지 단계 마다 어디에 문제가 있는가를 관찰한다. 그리고 그에 따라 훈련을 시행하게 되는데, 훈련법으로는,

① 음식물을 이용하지 않는 기초훈련(간접적 훈련)

② 음식물을 이용하는 섭식훈련(직접적 훈련)

의 두 가지가 있다. 각각의 훈련법에 대해서는 다음 항목의 표로 정리해 두었다.

기초훈련은 안전하게 시행할 수 있지만, 이것만 먹게 하도록 할 수는 없다. 그래서 실제로 음식물을 먹는 훈련 = 섭식훈련이 시행되어야 하는 것이다. 이것은 실천적이고 가장 효과적인 반면, 오연의 위험성과 서로 이웃 관계에 있다.

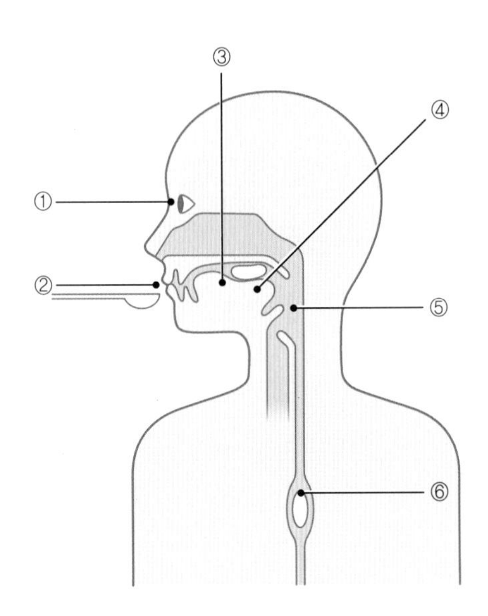

✚ 섭식·연하 관찰 포인트와 훈련의 정리

	관찰 포인트	기초훈련	섭식훈련
① 음식물의 인식장애	• 의식 레벨에 문제는 없는지(멍하니 있음, 졸고 있음 등) • 음식물에 무반응(보아도 입을 열지 않음, 입술에 숟가락이 닿지 않으면 열지 않음, 닿아도 열지 않음)	• 입주변의 마사지 • 구강 청소 • 차가운 숟가락이나 레몬 글리세린으로 입술이나 혀에 닿게 한다 • 생활에 리듬을 갖게 하고 각성을 촉구한다(산책, 말 걸기 등)	• 일반적으로는 시행하지 않음
② 입으로의 섭취장애	• 입안에 집어넣을 수 없다 • 음식물이 입에서 흐른다 • 침이 많다 • 아래턱이 상하로 움직이는지 • 입술을 닫을 수 있는 지 • 닫는 법이 좌우차가 나는지	• 입술이나 뺨 마사지 • 입술이나 뺨의 체조(입술을 삐쭉 내밀음, 옆으로 당김) • 한랭 자극기를 이용한 입주변의 얼음마사지(입술 주변, 아래턱, 이하선 위의 피부)	• 아래턱의 거상과 입술의 폐쇄를 해제하고 섭취를 돕는다 • 30° 앙와위 경부 전굴*로 중력을 이용한다
③ 저작 식괴 형성장애	• 고형물을 먹기 어렵다 • 혀의 돌출 후퇴가 가능한지 • 혀로 입술 주변을 매끄럽게 할 수 있는지 • 혀로 입천장을 밀어 누를 수 있는지 • 아래턱이 상하로 움직이는지 • 입이 어느 정도로 벌려지는지 • 회선운동이 가능한지 • 치아는 있는지, 틀니는 맞고 있는지	• 마사지(상동) • 혀의 운동(돌출 후퇴, 입술 주변을 매끄럽게 함, 입천장 안을 매끄럽게 함) • 말린 오징어 등을 씹는다	• 30° 앙와위 경부 전굴 • 건강한 쪽에 음식물을 넣는다 • 마비된 쪽의 안쪽 뺨에 음식물을 모으고 있을 때는, 뺨을 누른다 • 마비된 쪽의 뺨을 문 때에는, 종이컵을 둥글게 잘라서 만든 프로텍터를 넣는다
④ 인두로의 전달장애	• 혀로 입천장을 밀어 누를 수 있는지 • 아래턱을 꽉 물 수 있는지 • 입안에 음식물 잔류가 있음 • 위를 향해 삼킴	• 혀, 하악의 운동(상동) • 아래턱을 꽉 물고 혀를 입천정에 밀어누르는 연습	• 30° 앙와위 경부 전굴로 중력을 이용 • 음식물을 직접 혀 안에 넣는다.***

⑤ 인두 통과, 식도로의 전달장애	• 먹으면 사레든다 • 식후에 기침이 난다 • 목에 잔류감이 있다 • 물을 먹은 후에 목소리가 변한다	• 목의 얼음마사지* 후, 공연하(空嚥下)**를 한다 • 기침하는 연습 • 입 오므리기 호흡 • 경부 근육 긴장을 제거한다	• 30° 앙와위 경부 전굴 • 소량부터 시작해 점차 양을 증가시킴 • 한입씩 헛기침한 후 공연하(空嚥下) • 극소량의 물로 교대(相互)연하* • 횡향연하*와 끄덕 연하* • 호흡정지연하(크게 숨을 마시기 → 숨을 참고 음식물을 넣고 연하 → 숨을 내쉼)
⑥ 식도 통과 장애	• 가슴이 메인다 • 삼킨 것이 목에 역류되어 온다 • 유동식 밖에 들어가지 않는다	• 공연하 • 식도에 관(위관 등)을 넣어 공기나 물 등을 주입한다	• 전신을 릴렉스시킨다 • 체위를 일으킨다 • 점도가 적은 유동식 • 꿀꺽을 반복한다

* : 본문 중의 설명을 참조
** : 음식물 없이 '꿀꺽'하는 것
*** : 소량을 넣는 것. 대량을 넣으면 인두에 걸리고 마는 위험 있음

Q40의 그림에 나타낸 것 같이 기초훈련만을 시행하는 시기도 있지만, 현실적으로는 기초훈련을 시행하면서 섭식훈련을 함께 시행하게 된다. 체위[Q29]나 음식물 형태[Q33, 38]의 내용을 생각하면서 환자마다 효과적인 방법을 조합시켜 훈련 계획을 세울 필요가 있다. 훈련 중의 영양 확보의 방법[Q101, 102]도 고려하고 고통을 최소화시키려는 노력이 필요하다. 환자에 대한 정신적인 보살핌도 잊어서는 안된다.

또한, 매우 어렵고 전문적인 일이지만 'Goal(목표)를 어디에 둘 것인지'에 대해서 단기적인 관점, 장기적인 관점에서 생각해야 하는 점도 훈련을 시행함에 있어 매우 중요하다. 유감스럽게도 훈련을 하면 누구라도 먹을 수 있게 되는 것은 아니다. '즐거울 정도로 먹는다'고 하는 레벨에 도달하는 경우도 많다.

각각의 훈련 테크닉은, 이 책의 다른 항목이나 권말에 소개된 비디오나 서적을 참조하기 바란다.

Difficulty Swallowing Q&A

Q76 훈련을 해도 먹을 수 없는 경우에는 어떻게 하면 좋을까요?

나이를 먹으면 그 자체만으로도, 딱딱한 것이나 바삭바삭한 것을 먹기 힘들게 되고, 섭식, 연하장애를 가진 사람에게 열심히 훈련을 시켜도 반드시 그들 전부가 원래대로 먹을 수 있게 되는 것은 아니다. 아래에 다양한 접근법에 대해 기술하고 대답하도록 하겠다.

1. 치료적 접근

우리들은 우선 장애 그 자체를 치료하고자 노력한다. 이른바 훈련으로 장애를 치료해내자는 생각이다. 마비된 혀와 입술, 목 등을 훈련하여 기능이 회복되고 먹을 수 있게 되도록 노력한다. 이것을 치료적 접근이라고 부른다.

2. 대상적(代償的) 접근

그러나 반드시 기능이 완전히 회복되지 않는 경우도 많고, 또한 회복하는 데에 긴 시간이 걸리는 경우도 있다. 이러한 때, 불완전한 기능일지라도 어떻게든 먹을 수 있도록 대상적인 방법을 고려한다. 먹기 쉬운 음식형태나 체위를 고려하는 것이다. 일어나서 보통의 식사를 할 수 없다고 해도, 리클라이닝 의자에 걸터앉아 연하식을 먹는 경우가 여기에 해당된다. 입으로만은 영양섭취가 불충분한 때에는 보조적으로 영양을 보충하는 것도 대상적인 접근에 해당할 수 있다.

3. 환경개선적 접근

재활은 사회적 불리(핸디캡)를 극복하는 것을 최종 목표로 하고 있다. 이것은 매우 어렵고 간단하게 언급할 수 없는 것일지도 모르겠다. 하지만 섭식, 연하장애에 대해서 굳이 예를 들어 보면, '먹을 수 없기 때문에 집에 돌아갈 수 없고, 일하러 나갈 수 없다'고 하는 경우에는 전술한 대상적인 방법을 최대한 활용함과 동시에, 집이나 직장의 환경을 조성하고, 주위의 사람들의 인식을 바꿔 주어 장애를 가지고 있어도 사회생활을 할 수 있게 해주는 것을 생각해볼 수 있다. 이것이 환경개선적 접근법이다.

4. 심리적 접근

'살아 있어도 먹을 수 없는 것은 어쩔 수 없다', '코로 관을 넣어서 남들에게 보이는 것이 창피하다' 등 먹을 수 없기 때문에, 사람은 심리적으로 상당한 부담을 느끼게 된다. 또한 훈련이 생각처럼 진행되지 않을 때에 우울해진다든지, 살려는 희망을 잃게 되는 일 조차도 있다고 생각한다. 환자나 가족의 기분에 공감하고, 심리적인 문제에 접근하지 않으면 안된다. 빨리 전문가의 의견을 구해야 하는 때도 있다고 생각한다.

또한, 바라지 않은 입원이나 의료 행위, 시설 입소 등을 계기로 하여 전혀 먹지 않게 되어 버리는 때가 있다. 특히 고차 뇌기능 장애(인지증, 실어증, 병태실인(病態失認; 자기 병을 부정하는 병) 등)가 있는 환자에게 보여지는 '거식' 등은, 심리적 접근법 말고는 대응할 수 없다.

재활에는 ① 치료적 접근 ② 대상적 접근 ③ 환경개선적 접근 ④ 심리적 접근의 네 가지가 있다는 것을 설명했지만, 이것은 따로따로 존재하고 있는 것이 아니라, 네 가지의 어디에 역점을 두고 환자에게 접근해야 하는 것인가를 생각하면서, 동시에 병행해 나아가야 할 필요가 있다. 또한 섭식, 연하장애뿐만 아니라 편마비나 언어장애 등도 함께 고려할 필요가 있다. 환자의 상태는 시시각각 변화하고 있기 때문에 치료하는 사람은 항상 환자를 관찰하고, 역점을 두고자 하는 방법을 변화시킬 필요가 있다.

우리들은 흔히 우선 연하기능을 회복시키려(치료적 접근) 하고, 그것이 안되면 대상적으로 무언가 하려고(대상적 접근) 하고, 그리고... 라고 생각하기 쉽다. 그러나 심리적 접근이나 환경개선적 접근이 성공함으로써 치료적 접근이 순조롭게 진행되는 케이스도 많이 있다. 또한 대상적 접근을 시행하고 있는 사이에 기능 개선이 보여진다고 하는 경우도 자주 있다. 기능훈련만이 연하장애의 재활은 아니고, 먹을 수 있도록 할 수 없어도, 연하장애를 갖고 있으면서도 전체적으로 생활의 질(QOL: quality of life)의 향상에 노력하는 것이야 말로 중요하다고 생각한다. 이것은 '걸을 수 없게 될 때는 어떻게 할 것인가, 마비된 손이 움직일 수 없게 될 때 어떻게 할 것인가, 말할 수 없을 때 어떻게 할 것인가' 등의 경우에서도 마찬가지이다.

하지만 먹는다는 기능은 근원적이기 때문에, 문제는 보다 심각한 것이다. 그런데도 코로 관을 넣어 영양 공급만 해서 관점이 동떨어지게 된 경우도 많지 않을까 한다. 예를 들어 그런 경우에 우수한 대상적 방법의 하나로서 OE법이 있다[Q102]. OE법에 의해 주입시간이 짧고, 코의 관을 빼고 있을 수 있는 시간이 길어진다면, 사회적 불리나 심리적인 부담을 가볍게 할 수 있다.

이렇듯 우선, '어떻게든 해보자', '느긋하게 노력해 보자'고 생각하는 것이다. 섭식, 연하장애 치료나 재활은 이제 막 시작된 참이다. 모두의 지혜를 모아 새로운 방법을 개발하려는 정도의 마음가짐으로 시행하고, 포기하지 않는 것이 중요하다.

이상, '먹을 수 없는 경우 어떻게 하는가'라는 문제에 대한 답이 되었을지 모르겠다. 핑계가 많고 모호하게 생각할 수 있을 지도 모르겠지만 이것이 현재 필자의 솔직한 생각이다.

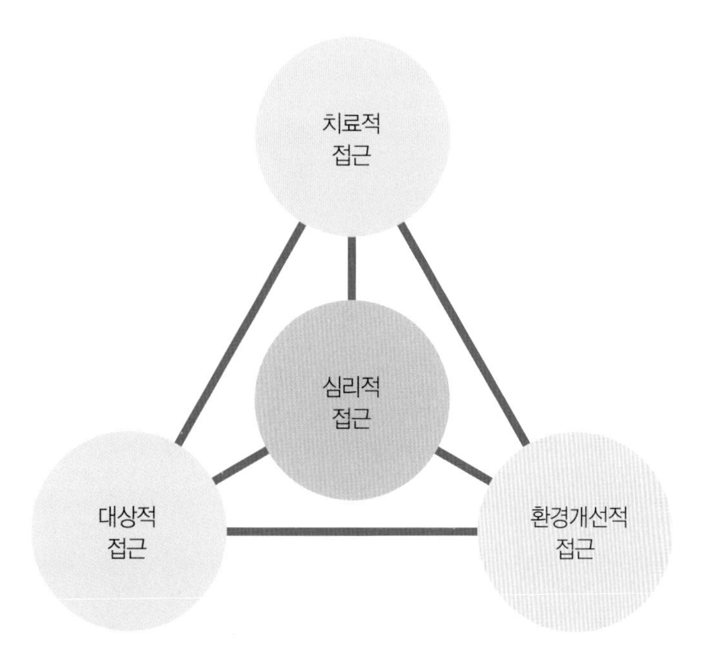

Q77

Difficulty Swallowing Q&A

연하체조를 가르쳐 주세요.

연하장애로 뒤숭숭하기 시작했던 시절, 라디오 체조에 힌트를 얻어서, '먹기 전에 준비체조를 한다면 어떨까'하고 연하체조를 만들어 보았는데, 효과가 직방이었다. 이것만으로 연하가 부드럽게 되었다는 분이 속출하였다. 경부나 입술의 긴장을 제거하여 연하에 대한 마음가짐이 생기기 때문이다라고 생각하고 있다. 간단하므로 다 같이 꼭 시도해 보기 바란다.

이러한 운동은 매 식사 전에 잊지 말고 시행하도록 지도한다. 이것 이외에도, 각각의 환자에게 적절한 방법이 있는지 고려해보기 바란다.

연하체조의 시행방법

❶ 느긋하게 걸터앉아 심호흡을 하자. 먼저 코로 숨을 들이시고 입으로 천천히 내쉰다. 손을 배에 대고, 들이마실 때 배가 부풀어 오르도록 하고 내쉴 때 배가 들어가도록 한다. 또한 내쉴 때는 입을 작게 오므려서 촛불을 끌 수 있도록 한다(입 오므리기 호흡). 천천히 심호흡을 몇 번 반복하면 다음으로 넘어간다.

❷ 심호흡을 반복하면서, 천천히 머리 운동을 한다. 우선 머리를 좌우로 기울인다. 다음에는 옆으로 향한다. 그리고 크게 돌린다.

❸ 어깨운동이다. 양 어깨를 움츠리도록 한 후 쑥 힘을 뺀다.

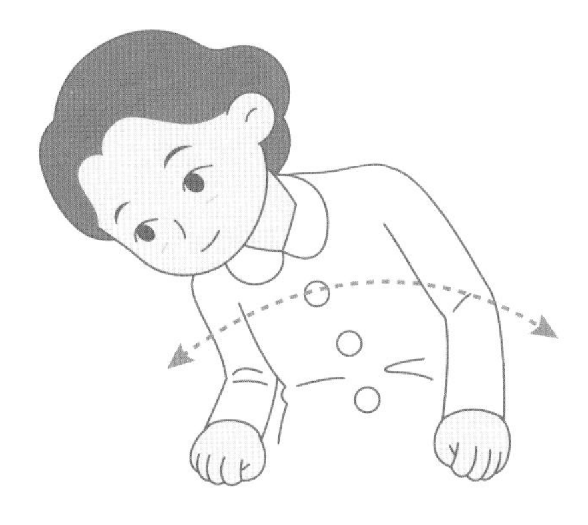

❹ 힘을 빼고, 상체를 천천히 좌우로 쓰러뜨려 준다.

❺ 입을 닫은 채 뺨을 부풀렸다가 느슨하게 했다가 한다(2~3회).

❻ 입을 크게 벌리고 혀를 내밀다가 집어넣다가 한다(2~3회).

❼ 혀로 좌우의 구각을 닿게 한다 (2~3회).

❽ 강하게 숨을 들여마시고 멈춰서, 셋을 센 후 내쉰다.

❾ 파파파, 타타타, 카카카, 라라라를 발음한다.

❿ 마지막으로 한번 더 심호흡을 하고 끝낸다.

Q78

Difficulty Swallowing Q&A

목의 얼음마사지에 대해 가르쳐 주세요.

음식을 삼키지 않고 연하반사(꿀꺽)를 일으키는 방법이다. 얼린 면봉에 소량의 물을 묻혀서 구개궁, 설근부, 인두후벽(195페이지의 그림 : 연하반사 유도부위) 등을 자극(마사지)한 후 꿀꺽하게 한다. **가볍게 표면을 어루만지는 듯한 기분으로 시행해 주기 바란다.** 너무 강하게 힘껏 마사지를 하지 않도록 주의하기 바란다. 미주신경 반사가 일어나면 혈압 저하나 서맥이 될 위험이 있다.

의식적으로 꿀꺽할 수 없는 환자에게도 수초간 부드럽게 면봉으로 목을 자극하면 연하반사가 일어난다. 살짝 설근부를 누르는 듯이 하고 움직이지 않고 반사를 기다린다. 면봉으로 목을 자극하고 있는 한 중간에 꿀꺽하게 된다면, 면봉을 뽑아서 제거하고 입을 다물고 경부를 가볍게 앞으로 숙이면 꿀꺽하기 쉬운 경우도 있다.

지시에 따라 공연하(空嚥下)[Q82]를 할 수 없는 경우에도, 의식장애가 있는 경우에도, 목의 얼음마사지로 연하반사를 일으킬 수 있다. 입을 벌리지 않을 때는 무리를 해서는 안된다. 그 때 구강을 잘 관찰하면 어금니가 빠져 있는 환자가 많고, 빠진 치아의 사이로 마사지를 할 수 있는 경우가 있다.

솜의 크기는 직경 1cm, 길이는 3~4cm가 적당하다. 기성품 면봉을 이용해도 좋지만 나무젓가락과 자른 솜(綿)으로 그림과 같이 만드는 것도 가능하다. 또한 나무젓가락은 구부러지기 어렵고, 동시에 혀나 협점막을 마사지할 때에 효과를 발휘한다. 면봉을 얼리는 이유는, ① 차가운 자극이 효과적이고 ② 면봉이 얼어 있을 때 뽕 하니 빠지지 않고 안전하기 때문이다. 시판중인 면봉을 사용할 수 있지만 손잡이 부분(대부분은 가는 대나무 제품)에서 부러져서 입이나 목으로 들어가 버리고 마는 경우가 있기 때문에 주의하기 바란다. 종이 제품으로 된 것은 부러져도 떨어지지 않아서 입이나 목으로 들어가 버릴 위험이 적은 것 같다.

얼음마사지 봉 만드는 방법

✚ 준비할 물건

• 나무젓가락(절반으로 자른 것)
• 자른(cut) 솜(綿)(7×7cm 정도의 것, 두꺼운 것은 절반의 두께로 한다)

✚ 만드는 법

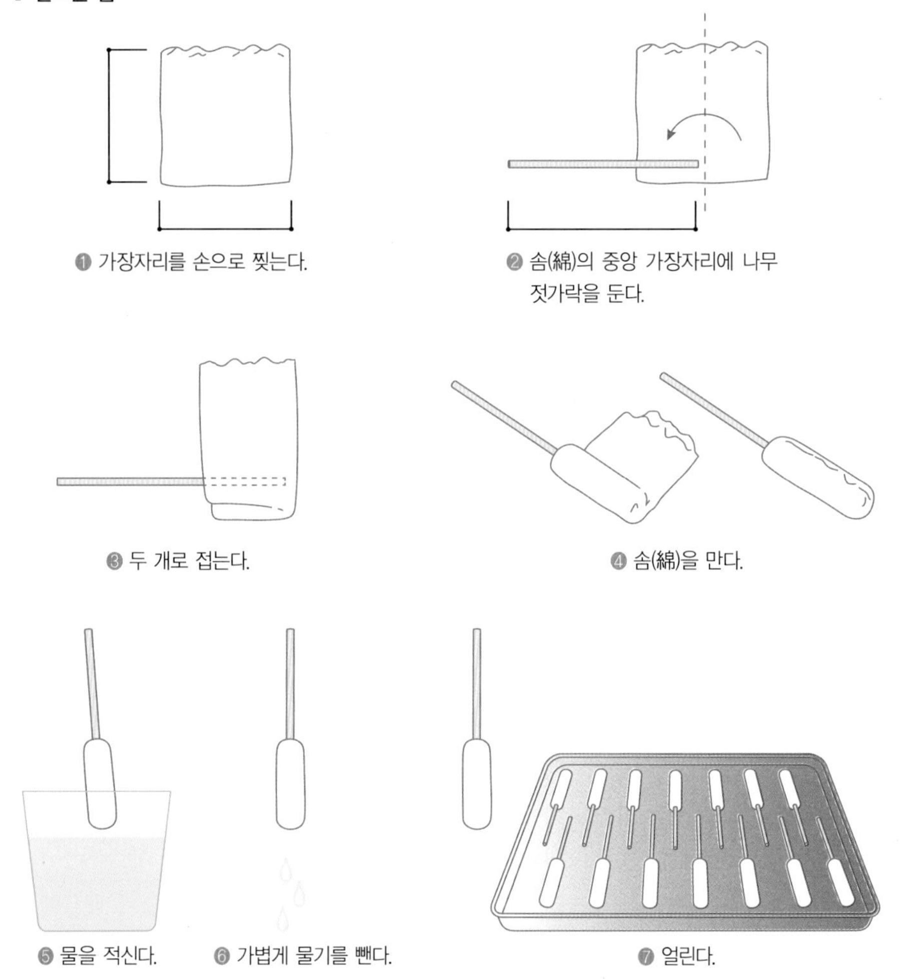

❶ 가장자리를 손으로 찢는다.
❷ 솜(綿)의 중앙 가장자리에 나무젓가락을 둔다.
❸ 두 개로 접는다.
❹ 솜(綿)을 만다.
❺ 물을 적신다.
❻ 가볍게 물기를 뺀다.
❼ 얼린다.

* 한번에 수십개를 트레이에 늘어놓고 만들어 둔다. 손잡이는 조금 떨어뜨려서 솜(綿) 부분을 교대로 늘어놓으면 얼었을 때에 달라붙지 않는다.
* 솜(綿)은 손잡이에 말아 두었을 뿐이기 때문에, 물에 풀리면 빠지게 되므로, 물에 넣은 채로 두지 않도록 한다(솜을 삼키지 않도록 주의!).

마사지 부위

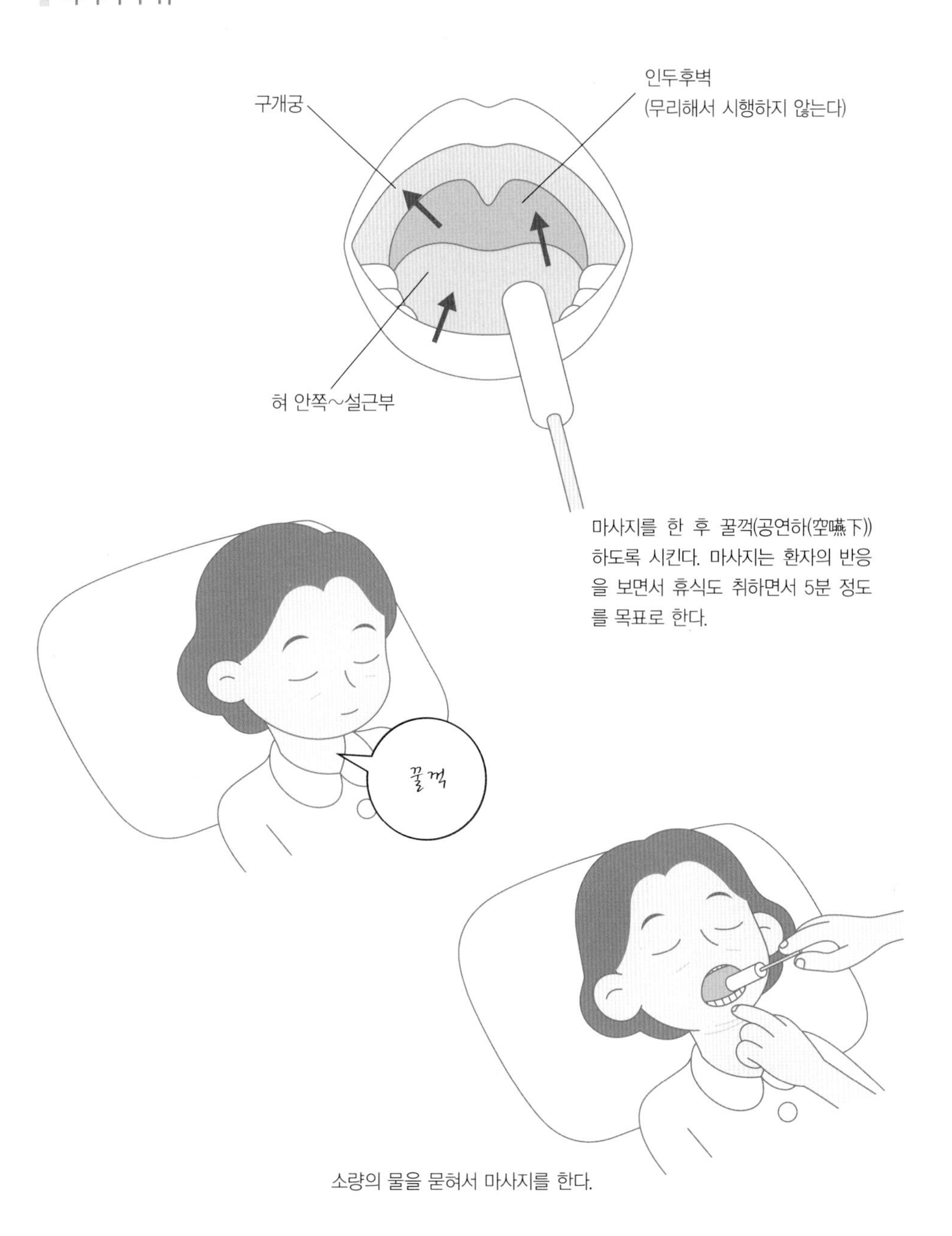

마사지를 한 후 꿀꺽(공연하(空嚥下)) 하도록 시킨다. 마사지는 환자의 반응을 보면서 휴식도 취하면서 5분 정도를 목표로 한다.

소량의 물을 묻혀서 마사지를 한다.

물도 매우 중요한 요소이다. 소량의 물을 묻히는 것을 잊지 말도록 한다. 냉수가 아닌 보통의 온도, 온수라도 꿀꺽하게 할 수 있지만, 냉수가 가장 효과적이다. 면봉 이외로는 목에 상처를 줄 우려가 있기 때문에 시행하지 않는 쪽이 좋다고 생각한다.

연하반사를 강화하는 방법으로 이 얼음마사지는 효과적이고, 한랭 자극을 가하면 연하반사가 일어나기 쉽고, 게다가 강력하게 일어나기 때문에 반복해서 시행하면 기초훈련이 된다. 식사 전에 시행한다면 준비운동이 되고, 식사중이나 식후에 시행하면 목에 남은 잔류 음식을 삼켜서 목이 깨끗하게 된다.

연하반사가 일어나기 어려운 경우는, 설근부나 인두후벽 등을 약간 강하게 자극하면 유용하다. 다시 말하지만, 이때는 미주신경 반사가 일어나서 위험한 경우가 있기 때문에 의사의 지도하에 시행하기 바란다.

Difficulty Swallowing Q&A

Q79 얼음마사지나 먹기 전 준비체조는 언제까지 계속하면 좋을까요?

고령자로 이따금 사레드는 등의 연하장애 증상이 있는 사람은 얼음마사지나 먹기 전 준비체조를 평생 계속할 마음가짐으로 매일 습관처럼 하게 한다. 연하장애에서 일어나는 오연성 폐렴은 매우 염려스럽고, 폐렴 때문에 쭉 누워 있게 된다든지, 목숨을 잃게 되는 분이 많이 있다. 오연은 발생했을 때부터 치료해야 할 뿐만 아니라, 예방하지 않으면 안된다. 얼음마사지나 먹기 전 준비체조는 이 때문에 매우 도움이 된다. 284페이지의 '오랫동안 계속 먹을 수 있게 하기 위한 10가지 조건'을 참조하고, 한번 연하장애가 생긴 사람은 특히 정신을 집중해서 예방을 위한 훈련을 계속하도록 한다.

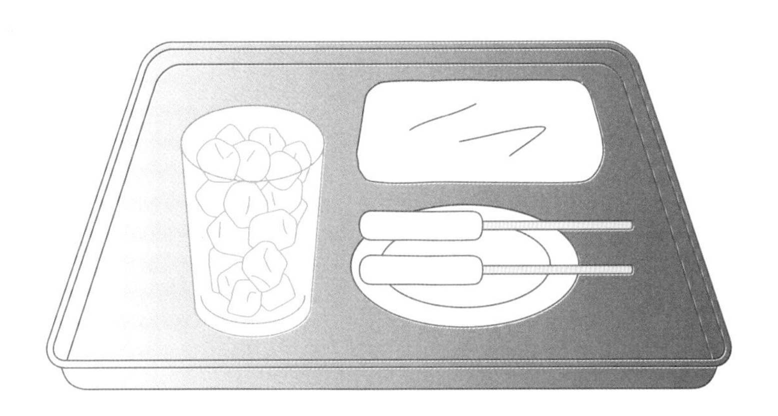

Difficulty Swallowing Q&A

Q80 연하를 강화시켜 주는 좋은 방법 1 : 두부거상 훈련

이것은 그림과 같이 평평하게 눕고 머리를 들어 올려서, 발가락 끝을 보는 훈련이다. 미국의 Shaker 선생이 개발한 방법이다. 머리를 들어 올림으로써 꿀꺽하고 삼킬 때의 두부나 설골상근군을 단련한다. 이 근육이 강화되면 연하력이 증가하여 삼킴이 개선된다는 데이터가 나와 있다. 선생의 이름을 붙여 미국에서는 Shaker exercise라고도 불리고 있다. 원래 방법은 '1분간 머리를 들어 올린 후, 1분간 쉬고, 이것을 3회 반복한다(지속거상(持續擧上))' 다음으로 '1초씩(2초에 1회 들어 올리게 된다) 머리를 들었다가 내렸다가 하는 것을 30회 반복한다(반복거상(反復擧上))'는 것으로 상당히 하드하게 시간이 걸리는 것이다. 그리 간단히는 할 수 없고 혈압이 상승한다든지, 머리나 어깨, 등이 아프게 되어 버리는 경우가 있다.

그래서 우리들은 우선 두부거상 테스트를 시행하고, 운동 강도를 결정하도록 하고 있다.

두부거상 훈련

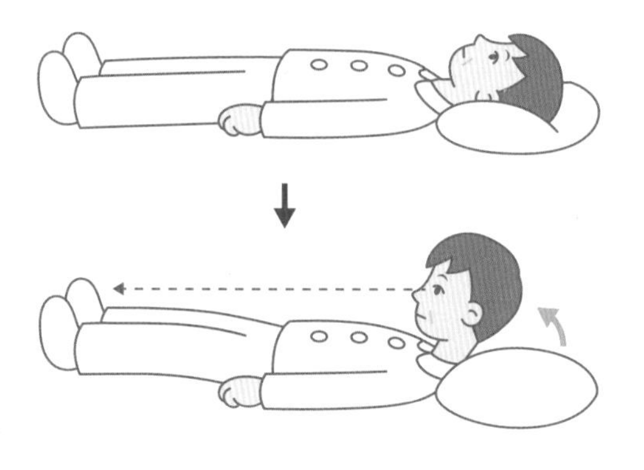

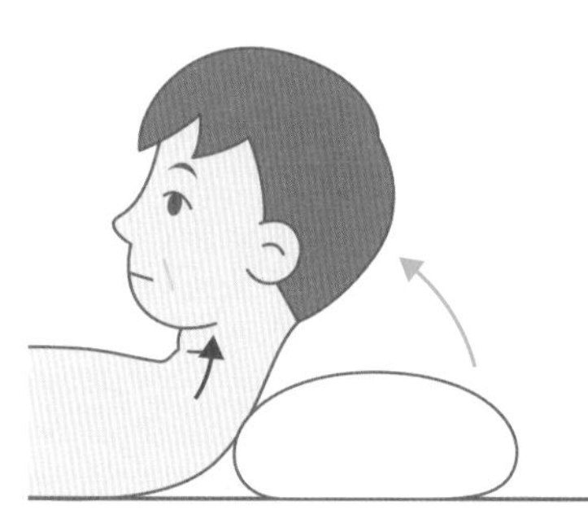

✚ 설골상근군(舌骨上筋群)

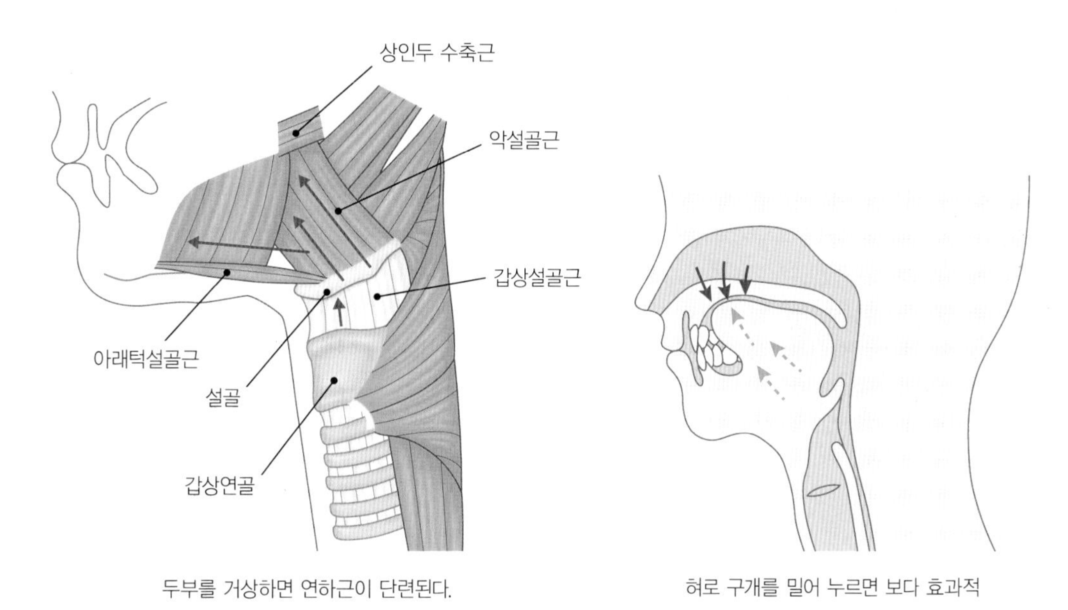

두부를 거상하면 연하근이 단련된다.

혀로 구개를 밀어 누르면 보다 효과적

두부거상 테스트를 기본으로 한 운동량의 결정법

① 누운 채로 혈압과 맥박을 측정 : 기록

② 두부거상 훈련과 마찬가지 요령으로 두부를 거상하게 하고, 지속 시간을 측정한다. 어느 정도 노력하게 하지만 필사적이 될 정도로 노력하지 않도록 한다.
X초(가령 20초)로 한다.

③ 혈압과 맥박을 측정 : 이 데이터로부터 전후의 혈압과 맥박이 20 이상 상승되지 않는 것을 확인하고, 절반의 지속시간 즉 1/2X초(이 경우는 10초)를 그 환자의 지속거상시간으로 한다. 다음으로

④ 1초마다(2초에 1회 들어 올리게 된다) 머리를 들어 올렸다가 내렸다가를 반복하게 하고, 몇 번 할 수 있는지 센다. 느려진다든지, 지쳐간다면 완료하도록 한다.
Y회(가령 10회)로 한다.
성공한 횟수의 1/2회(즉 1/2Y회, 여기에서는 5회)를 반복거상 횟수라고 한다.

⑤ 이 데이터를 토대로 하여 지속거상(여기서는 10초)을 1분 간격으로 3회, 반복 거상(5회)을 1세트로 해서 1일 2, 3세트 시행한다.

⑥ 혈압이나 맥박이 안정시로부터 20 이상 상승한다든지, 원래 혈압이 높은 사람이나 경추에 이상이 있는 사람은 의사에게 상담한 후 운동량을 결정하기 바란다. 또한, 누운 자세에서는 완전히 머리를 들어 올릴 수 없는 환자에게는 리클라이닝 자세(位) 침대에서 머리를 가볍게 거상하는 각도부터 훈련하면 좋을 것이다.

1개월 정도 경과하고 두부거상 테스트를 시행하고, 운동강도를 결정한다. 단 원래 방법인 '1분간 머리를 들어 올린 후, 1분간 쉬고, 이것을 3회 반복한다(지속거상)' 다음으로 '1초씩(2초에 1회 들어 올리게 된다) 머리를 들어 올리고 내리는 것을 30회 반복한다(반복거상)' 이상은 시행하지 않아도 좋다.

지속거상시는 혀를 구개로 밀어 누르게 하도록 하면 더욱 효과적이다. 또한 반복거상시에는 '하나' '둘' '셋'처럼 거상시에 소리를 내면서 횟수를 센다면 성문폐쇄의 훈련도 된다.

① 이마에 손을 대고 머리를 강하게 민다(아래쪽을 보는 것처럼). 천천히 다섯을 세면서 밀고, 10초 정도 휴식을 취해서 3회 시행한다.
② 다음으로 1초씩 '하나' '둘' '셋' 하면서 다섯 까지 수를 소리내어 세면서 간헐적으로 시행한다.
③ '①, ②'가 한 세트 → 1횟수 세트(최저 3세트) 시행한다.

✚ 연하 이마 체조

사레드는 횟수, 연하의 용이함, 섭식시간, 구강내 잔류, 물 마시는 테스트, 반복 타액 연하 테스트 등을 정기적으로 조사하고 연하의 개선을 본다. 연하에 문제가 없게 되면 종료하지만, 고령자의 경우는 기초운동으로서 쭉 계속하는 것도 추천하고 있다.

또한, 척추후만증(kyphosis)이 있어서 누운 자세를 취할 수 없는 사람이나, 누운 자세를 취하면 경부가 과신전되고 마는 사람은 그림(필자는 연하 이마 체조라고 부르고 있다)과 같이 손으로 이마를 누르면서 두부를 앞으로 구부리는 방법[1,2]을 지도하고 있다. 이 방법으로도 연하근력을 단련할 수 있다. 그림과 같이 자신의 이마를 눌러도 좋고, 보조자가 누르도록 훈련시켜도 좋다고 생각한다. 이 경우도 지속적인 훈련과 반복훈련을 시행한다. 지속적으로 앞으로 구부릴 때는 혀를 구개로 밀어 누르도록 하고, 반복 전굴시에는 소리를 내어 숫자를 세면 효과적이다.

---

1) 岩田義弘, 他 : 경증 연하장애 예에 대한 훈련법의 검토. 耳鼻 53(補2) : S128-S135, 2007
2) 杉浦淳子, 他 : 두경부 종양수술 후의 후두거상불량을 동반한 연하장애 예에 대한 도수(徒手)적 경부근력 증강훈련의 효과. 日攝食嚥下재활학회지 12(1):69-74, 2008

Q81

Difficulty Swallowing Q&A

연하를 강화시켜 주는 좋은 방법 2 : 설근 훈련

혀의 근력 트레이닝(설근 훈련)으로 연하를 강화시켜 줄 수 있다는 것을 알고 있다. 우선 그림 1을 보면서, 혀로 구개(입 천장)를 강하게 밀어 누르고, 턱 아래의 근육을 만져 보기 바란다(그림 2). 그림 1에서는 입을 연 채로 그려져 있지만, 입은 다물어도 좋다. 턱 밑의 근육이 수축되는 것을 느끼게 된다. 즉, 혀로 구개를 강하게 밀어 누르는 훈련을 하면 꿀꺽함과 동시에 근육이 움직이게 된다. 두부거상 훈련과 마찬가지 원리로 혀를 위로 들어 올리는 훈련을 하면 연하에 좋은 환경이 된다.

실제로는 그림 3, 4와 같이 숟가락이나 설압자, 면봉 등을 이용하여 혀를 위로 올리도록 해 주기 바란다. 운동 강도나 빈도를 정확하게 규정할 수 없지만, 대략 쉬면서 7초 정도 올리는 것을 10회 반복하고 이것을 한 쿠르(cours : 특정 치료를 계속하는 기간)로 한다. 하루에 2, 3 쿠르 한다면 좋을 것이다.

✚ 그림 1 턱 아래의 근육을 만진다.

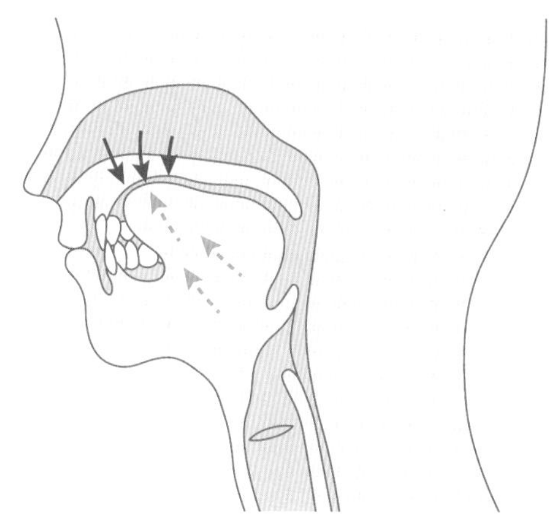

✚ 그림 2 혀로 구개를 밀어 누른다.

✚ 그림 3 숟가락을 이용한다.

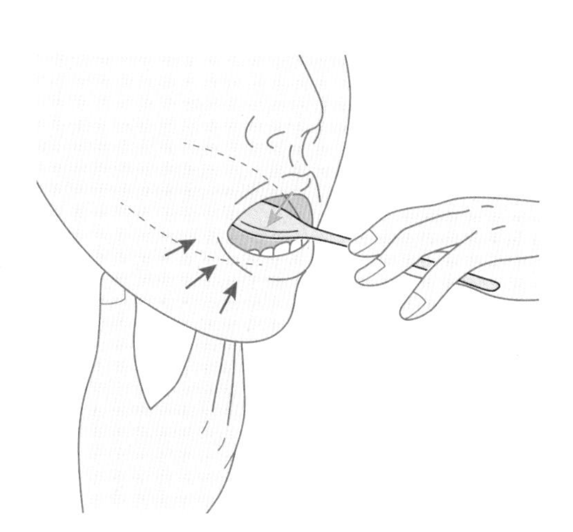

✚ 그림 4 숟가락을 혀로 밀어 올린다

Difficulty Swallowing Q&A

Q82 목에 남은 잔류물을 제거하는 방법을 가르쳐 주세요(공연하[空嚥下]와 교대연하[相互嚥下]).

연하운동이 약하면 식괴를 한 번에 삼킬 수 없고, 구강이나 인두에 남고 만다. 이러한 때에 차례로 음식을 입에 운반하면 점차 잔류량이 증가하여 오연의 위험이 높아지게 된다.

한 입 먹으면, 음식물 없이 꿀꺽하고 연하하게 하는 '공연하(空嚥下)'를 시행하여 식괴를 완전히 제거한 후에, 다음 한 입을 운반하도록 하면 오연의 위험이 감소된다. 공연하는 필요에 따라 2회, 3회, 4회 시행하도록 한다.

공연하가 잘 되지 않을 때는 1~2cc(티스푼 1/3 이하) 정도의 극소량의 냉수를 마시게 하면 좋을 것이다. 이 물은 꿀꺽하게 하기 쉽기 때문에 도움이 된다. 이처럼 음식물과 물을 교대로 연하하게 하는 방법을 '교대연하(相互嚥下)'라고 부르고 있다.

건강한 사람에서도 급히 먹어서 식도에 음식물이 걸릴 때 물을 마시면 음식물이 위쪽으로 들어가는 경험을 한 적이 있다고 생각한다. 이것도 교대연하이다.

목에 남은 것을 삼키는 좋은 방법은 Q83의 '횡향(横向き) 연하'나 '끄덕(うなずき) 연하'도 있으니 참고하기 바란다. 물론 흡인하는 방법도 있지만, 이것은 Q61을 참조하기 바란다.

집게손가락을 옆에 두고 꿀꺽하는 움직임을 확인한다.

공연하

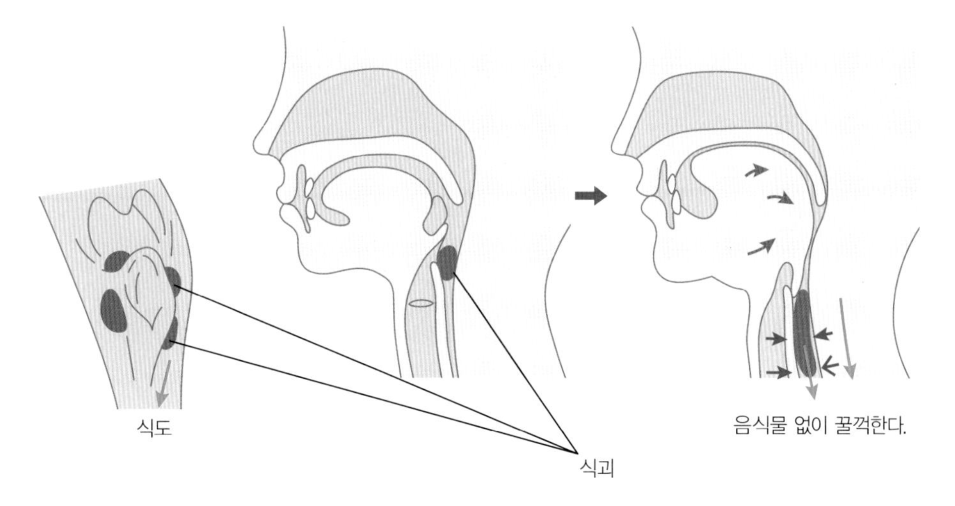

교대연하

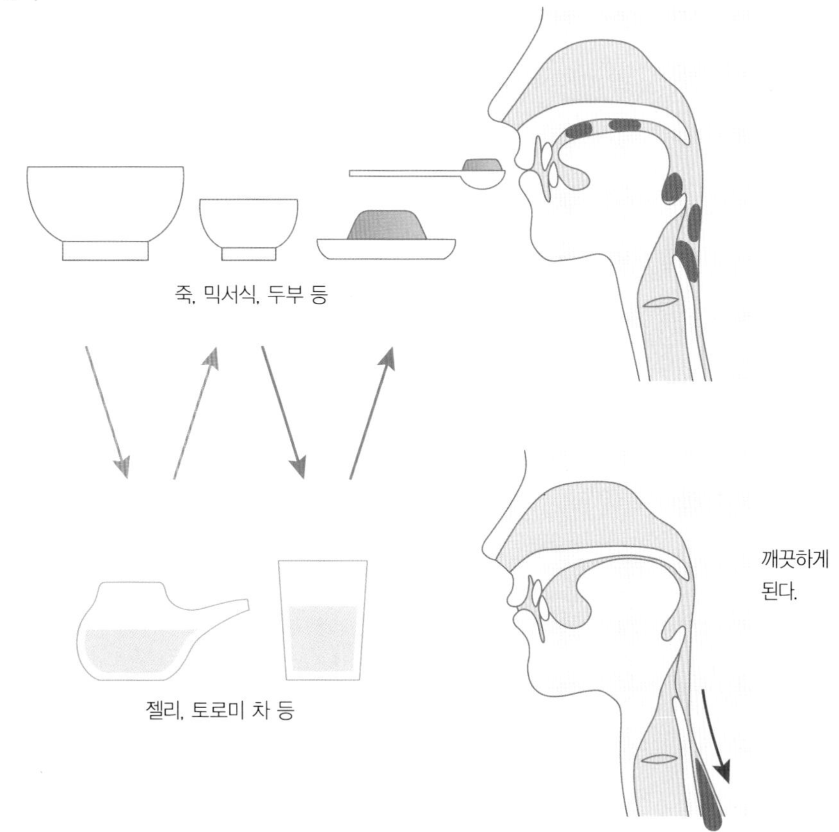

Q83 횡향横向き 연하와 끄덕うなずき 연하에 대해 가르쳐 주세요.

인두에서 식괴가 쉽게 남는 장소는 '이상함요(梨狀陷凹)'[이상와(梨狀窩)라고도 부르고 있다]이다. 머리를 돌린다든지 기울인 채로 꿀꺽(연하)하게 하면 이상함요에 잔류된 식괴가 삼켜져 깨끗하게 된다. 이처럼 오른쪽을 향한 채, 혹은 왼쪽을 향한 채 꿀꺽하게 하는 방법을 '횡향(横向き) 연하'라고 부르고 있다.

오른쪽 아래를 향해서 꿀꺽할 때는 반대측(=좌측=신전된 쪽)의 이상함요에 남은 음식을 제거한다. 왼쪽 아래를 향하고 꿀꺽하면 오른쪽의 잔류물을 제거할 수 있다. 마비측의 이상함요에 남기 쉽다고 생각할 수 있지만 실제로는 양측에 남아있는 경우가 많기 때문에 오른쪽과 왼쪽의 양쪽을 시행하도록 한다.

또한, 인두에 식괴가 남기 쉬운 또 한 곳은 '후두개곡(喉頭蓋谷)' ["후두덮개계곡(vallecula epiglottica)"이라고 읽히기도 한다]이다. 이 경우, 우선 경부를 뒤로 젖히면 후두개곡이 좁아지게 되고, 잔류된 식괴가 밀려 나오게 된다. 다음으로 경부를 앞으로 숙이면 턱을 힘껏 당겨서 흉골에 붙일 정도로 하고, 그 상태로 꿀꺽하게 하면 잔류된 식괴를 제거할 수 있다. 이 방법을 '끄덕(うなずき) 연하'라고 한다. 몸통이 30° 앙와위처럼 기울어져 있으면, 중력이 작용하여 더욱 효과적이다.

또한, 횡향 연하와 끄덕 연하를 식사의 최후에 시행하도록 지도하면 인두의 위생(인두케어)에 효과가 있다.

구마비(球麻痹) 환자는 건강한 쪽을 아래로 하는 완전 측와위를 취하고, 경부를 아픈 쪽으로 약간 돌린 자세로 섭식하면 좋은 경우가 있다. 이것은 완전 측와위를 취하면 중력이 작용하여 인두의 건강한 쪽에만 음식이 모여서 효과적으로 연하할 수 있기 때문이다. 한쪽(一側) 연하라고 부르고 있다[Q30].

CASE | 60세, 남성 : 발렌버그(Wallenberg) 증후군

현기증과 사지 및 몸통의 운동실조, 쉰 목소리 증세가 모두 가볍게 남아있지만, 지팡이 없이 옥외 응용 보행을 자립하고, 일상생활 동작도 자립하였다. 발병 3개월째에 필자가 진찰한 결과 '아무런 문제가 없다'고 말했다. 하지만 여기서 '먹을 때 문제 없습니까?'하고 질문하면 ① 목에 음식이 남아 있는 것처럼 느껴지는 경우가 있다. 남을 때는 다음 식사 때까지 언제나 남아 있는 느낌이 든다. ② 국물로 사레들 때가 있지만, 드문 편이고, 점점 사레들지 않게 되고 있다고 했다.

연하조영을 시행하면 인두잔류가 있고, 교대 연하, 횡향 연하로 깨끗하게 제거할 수 있다. 특히 오른쪽의 이상함요의 잔류에 대해서 오른쪽 아래 횡향 연하가 효과가 있었다. 검사시에는 오연도 사레들림도 완전히 보여지지 않았다.

그래서 목에 음식물이 남은 느낌이 들 때는 횡향 연하와 교대 연하를 지도하고, 또한 연하에 의식을 집중하여 먹는 것, 딱딱한 것은 잘 씹어먹는 것, 떡처럼 달라붙는 것은 소량을 한 입씩 완전히 삼킨 후 먹을 것 등을 지도했다.

횡향 연하는 매우 효과적이었고, 환자는 매우 기뻐하였다. 목에 남는 느낌이 들 때는 바로 시행하여 상쾌한 상태가 되었다.

횡향 연하

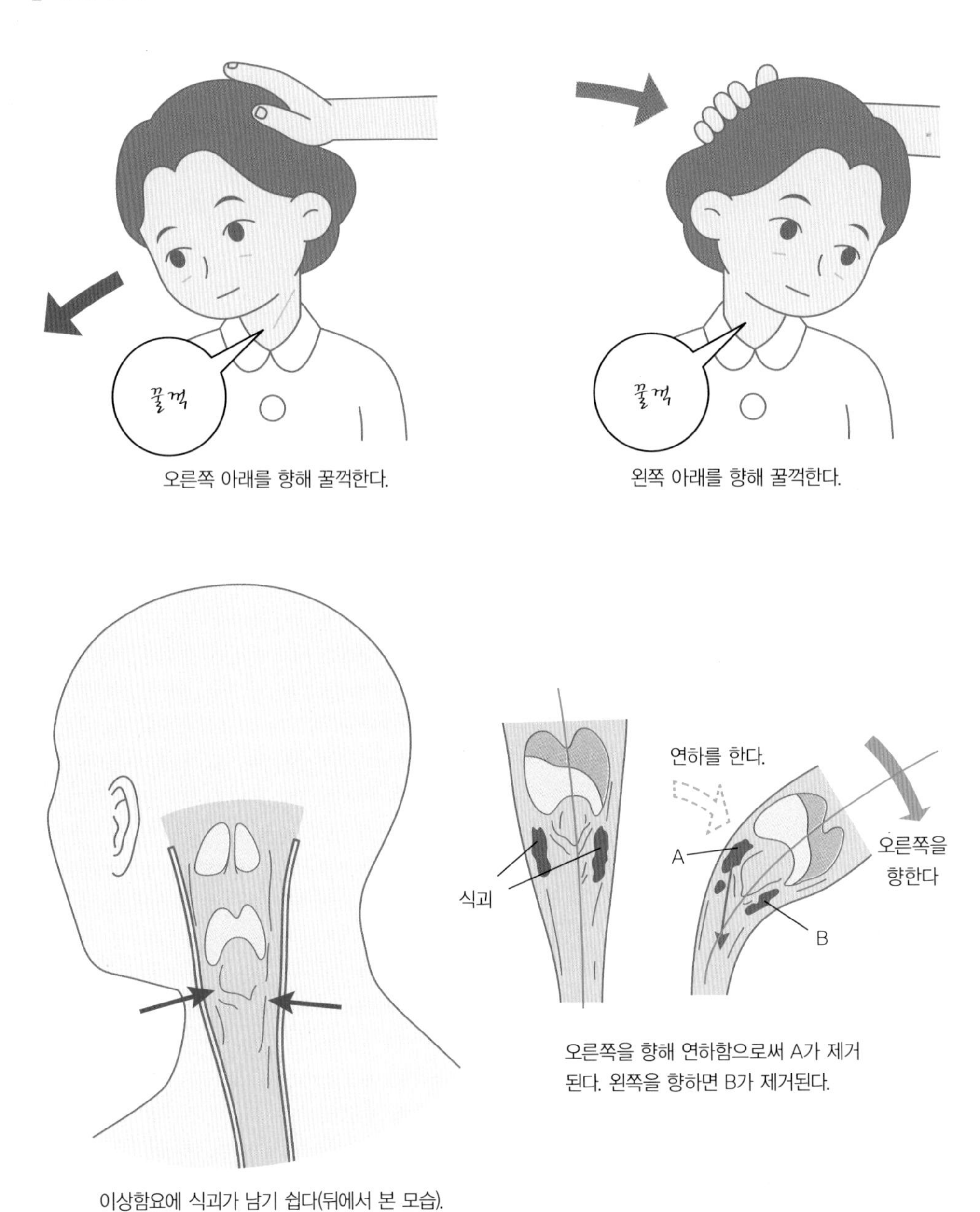

오른쪽 아래를 향해 꿀꺽한다.

왼쪽 아래를 향해 꿀꺽한다.

이상함요에 식괴가 남기 쉽다(뒤에서 본 모습).

오른쪽을 향해 연하함으로써 A가 제거된다. 왼쪽을 향하면 B가 제거된다.

끄덕 연하

경부를 후굴한다.

다음으로 경부를 전굴시켜 공연하를 한다.

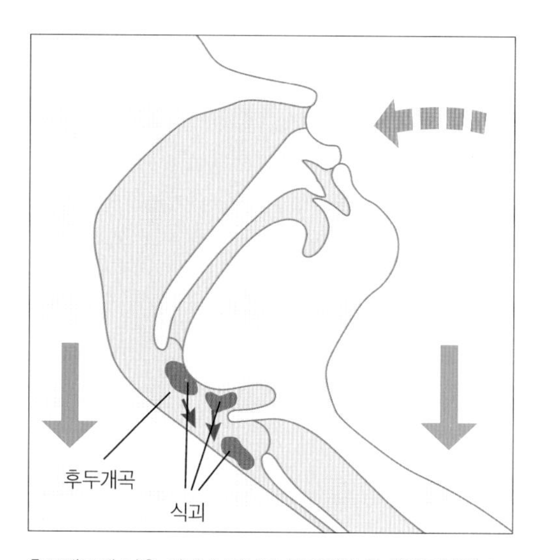

후두개곡에 남은 식괴가 경부를 후굴하면 아래(인두후벽)으로 떨어진다.

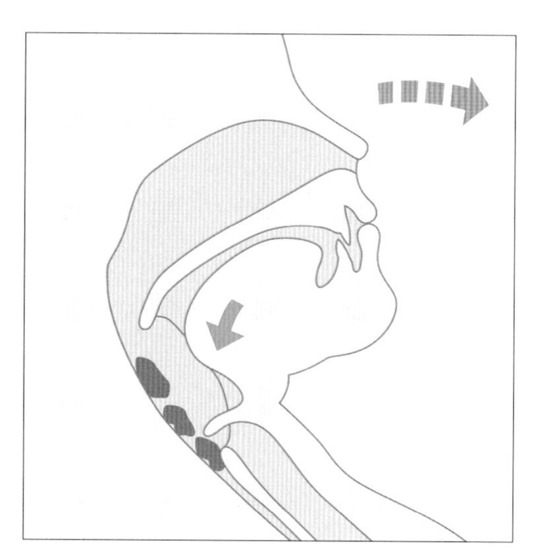
전굴한 상태로 공연하를 한다.

Q84

Difficulty Swallowing Q&A

기침과 호흡 훈련이 효과가 있다고 들었는데
의의意義와 방법에 대해 가르쳐 주세요.

기침과 호흡 훈련에는 기초훈련으로서의 의의와, 오연 대책으로서의 의의가 있다.

1. 기침

콜록(에헴)하고 의식적으로 강한 기침을 하는 연습을 시행하기 바란다. 이것은 성문이나 연구개를 강화시킨다. 가래나 오연물을 힘차게 토해 낼 때도 도움이 된다.

2. 입 오므리기 호흡

먼저, 입 오므리기 호흡은 폐기능 강화에도 도움이 되고, 연하훈련 전체로부터 볼 때 매우 중요한 훈련이다. 20~30cm 앞에서 촛불을 입으로 불어서 끄는 것처럼 복식호흡을 시행하지만, 내쉬는 숨에 의식을 집중하여 2회 들이마시고 3회 내쉬도록(흡기 2 : 호기 3회의 비율) 하면 좋을 것이다. 가래가 많은 환자의 호흡훈련으로서도 추천할 수 있다.

음식물이 코로 역류하는 것은 비인강(鼻咽腔)의 폐쇄기능이 좋지 않기 때문이다. 입을 오므리고 숨을 내쉬는(blowing) 연습[Q90]은 비인강의 폐쇄기능을 강화시킨다. 기초훈련에 포함시키면 좋을 것이다.

3. 오연을 막는 호흡법, 호흡 정지 연하(성문(聲門) 넘어가는 연하)

우리들은 꿀꺽하고 음식물을 삼킬 때는 숨을 참고 있고, 삼킨 후, 호기(내쉬기)로부터 호흡이 개시되고 있다. 이 자연스러운 연하와 호흡의 관계를 강조한 방법이 이 호흡법이다. 숨을 충분히 흡입한 후 숨을 참고, 의식을 연하에 집중하고 꿀꺽하고 삼키고, 그 후에 숨을 힘차게 내쉬도록 한다. 이처럼 하면 오연의 위험이 감소한다. 음식물을 사용하지 않고 충분히 연습한 후, 실제 섭식훈련에서 응용하도록 하면 좋을 것이다.

기관에 모여 있던 가래를 토해내기 위해서는 호흡 이학요법이 효과가 있다. 체위배액(postural drainage), Hoffing(Q61 주, 85), Squeezing(Q61 주) 등이 있다. 상세히 알고 싶은 분은 '연하장애 비디오 시리즈 ⑤ 연하장애에 있어서 폐 이학요법'(醫齒藥出版, 3400円)을 참조하기 바란다.

오연을 막는 호흡법

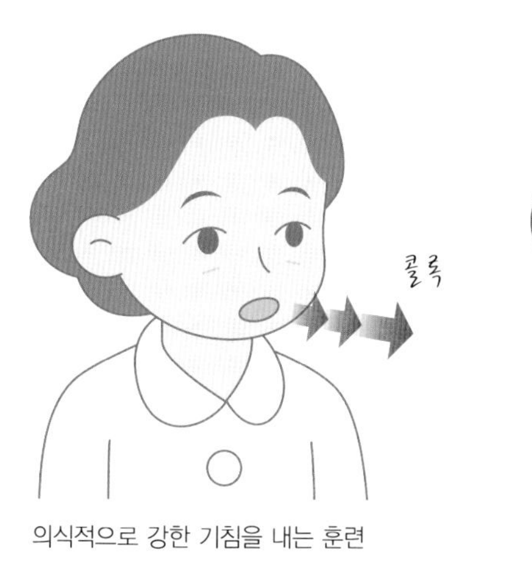

의식적으로 강한 기침을 내는 훈련

입 오므리기 호흡

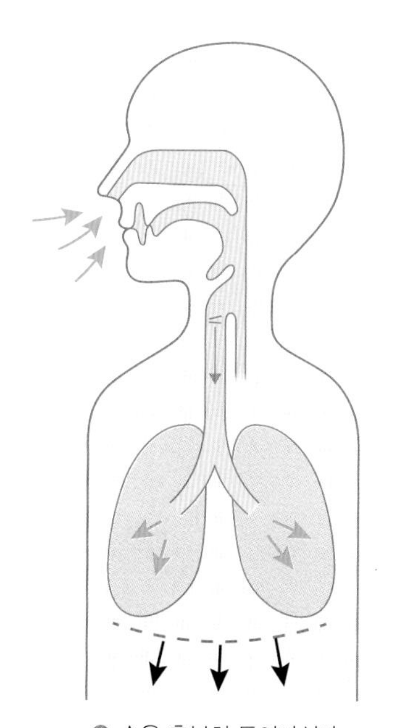

❶ 숨을 충분히 들이마신다.

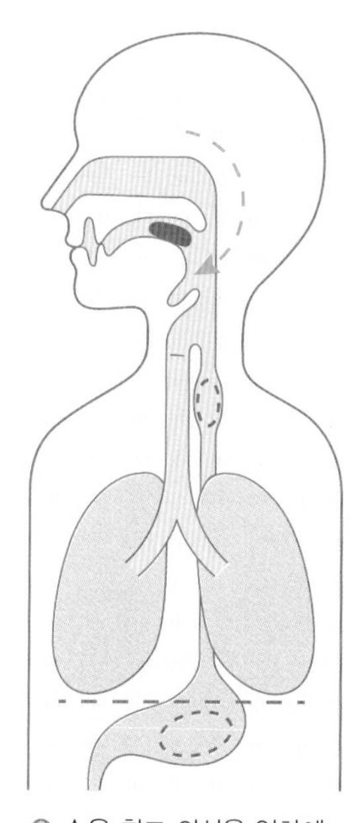

❷ 숨을 참고 의식을 연하에 집중하고 꿀꺽한다

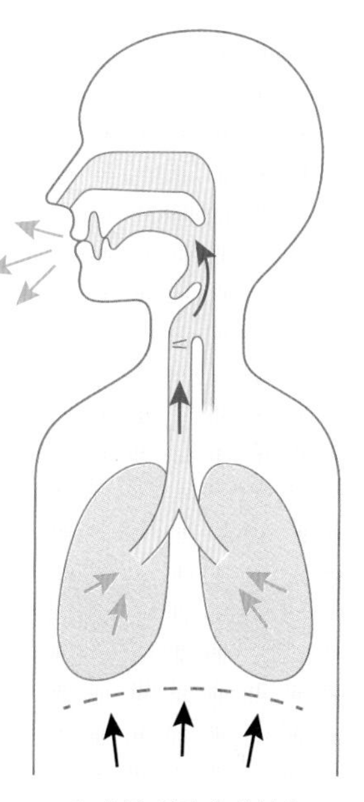

❸ 숨을 힘차게 내쉰다

Difficulty Swallowing Q&A

Q85 언제나 시행하는 기침 훈련에는 어떤 방법이 있습니까?

기침은 폐에 들어간 음식물 등을 배출하는 매우 좋은 방법이다. 연하조영 등으로 오연한 때에는 의식적으로 강한 기침을 하도록 시켜서 오연물을 배출하도록 한다. 기침의 연습은 연하에도 매우 좋은 영향을 주지만, 지나치게 많이 하면 성대를 아프게 할 우려가 있다. 그래서 Hoffing[강제 호출 수기(forced expiratory technique)](그림 1)이라고 하는 방법이 있어서 소개한다. 이것은 하– 하고 숨을 내쉬는 방법이다. 핫핫하– 하고 하를 몇 번이나 계속해도 좋지만 최후까지 숨을 충분히 내쉬는 것이 요령이다.

오연한 때에도, Hoffing은 오연물을 배출하는데 기침과 동등한 효과가 있다. 보조자가 이는 경우는 Squeezing이라고 해서 호기와 함께 흉곽의 움직임을 도와주듯이 압박하면 오연물과 가래가 효율적으로 배출된다.

✚ 그림 1 Hoffing, 강제 호출(呼出)법

기초훈련으로서 시행하는 경우는 active cycle 호흡법(active cycle breathing techniques, ACBT)(그림 2)이라고 하는 방법이 있다. 이것은 그림에서는 간단하게 표시하고 있지만, 이렇게 안정호흡, 심호흡, Hoffing을 순서대로 반복하는 방법이다. 3회 정도 한 다음 휴식을 취하도록 한다. 이것을 3, 4회 시행하면 좋을 것이다.

Active cycle 호흡법은 가래를 배출하는 방법이지만, 이것을 시행하면 인두(목)의 감각이 예민해 지고, 연하에 좋은 영향을 준다.

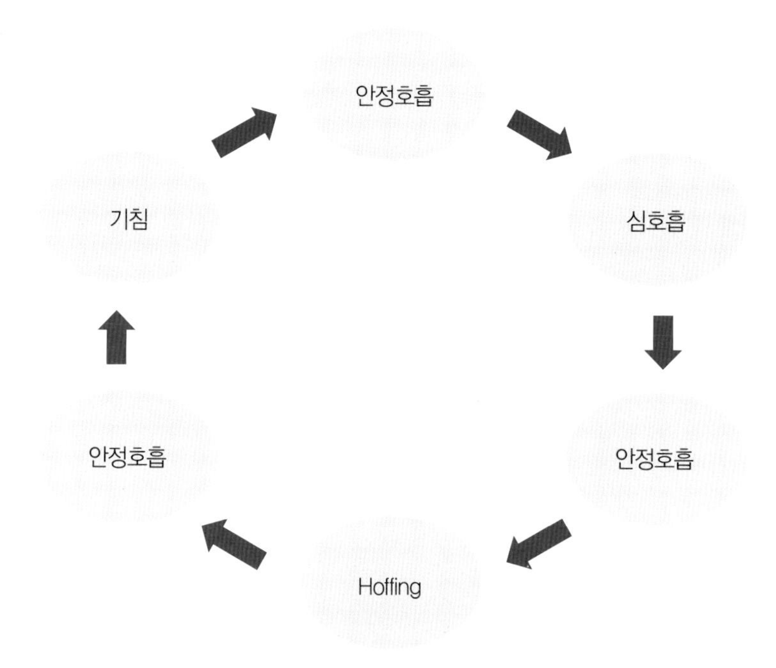

✚ 그림 2 Active cycle 호흡법 : active cycle of breathing techinque

COLUMN

코를 잡고 연하

음식물이 코로 역류하는 경우에 이용할 수 있는 방법이다. 비인강 폐쇄 기능(코로 통하는 창의 폐쇄기능)이 좋지 않은 경우, 코를 잡고 연하하면 좋다고 하지만, 필자의 경험으로는 효과가 있던 환자는 없었다. 시험해 보는 것은 좋다고 생각하지만...

Q86

Difficulty Swallowing Q&A

풍선을 이용하는 훈련법에 대해서 가르쳐 주세요.

식도 입구부의 통과가 좋지 않을 때에 시행하는 방법이다. 종래의 외과나 소화기과에서 식도 협착에 대해서 풍선으로 확장시키는 방법으로 알려져 있던 것이지만, 재활 영역에서 훈련으로 응용되도록 한 것이다. 특히 구마비[Q3] 윤상 인두 연하장애라고 부르는 상태에서 식도입구부의 식괴통과가 좋지 않을 때 시행된다. 적절하게 시행된다면 매우 효과가 있어서 우리 병원에서는 좋은 성적을 내고 있다. 구체적으로는 구상 풍선을

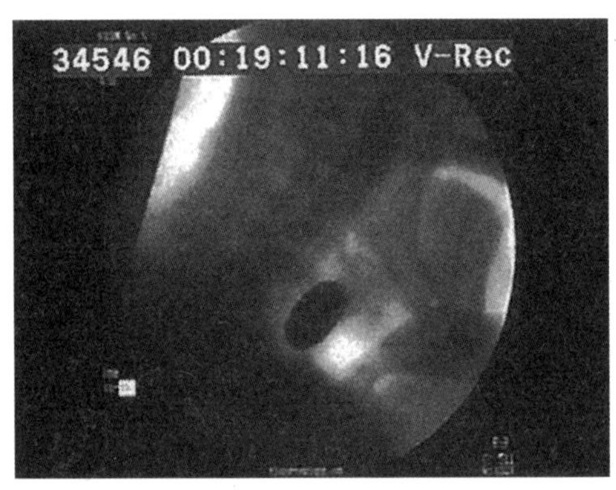

구상(球狀) 풍선에 의한 훈련

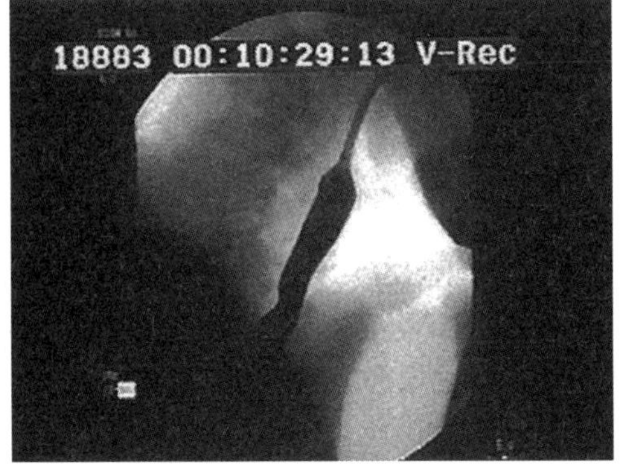

통상(筒狀) 풍선에 의한 훈련

입으로 삼키게 하고, 식도에 들어간 때에 풍선을 조금 팽창시켜서, ① 꿀꺽에 맞추어 뽑아내는 훈련 ② 좁은 부분이나 음식물이 통과하기 어려운 부분에 풍선을 느슨하게 하거나 부풀게 하거나 해서 확장하는 훈련 ③ 팽창된 풍선을 삼키는 훈련 ④ 통모양의 풍선을 이용해 좁은 부분이나 음식물이 통과하기 어려운 부분을 지속적으로 확장시키는 훈련 등이 있다.

이 방법은 매우 전문적이므로 익숙한 의사의 지도하에 시행되지 않으면 안된다. 식도에서 풍선을 팽창시키는 것은 위험을 수반한다. 미주신경 반사가 일어나고, 쇼크 상태가 될 가능성도 있다. 또한 조직을 상처내서 오히려 연하에 불리한 상황을 만들어 버리는 경우도 있다. 환자의 상태에 맞게 적절한 방법을 선택하지 않으면 안되므로, 결코 눈썰미만으로 시행하지 않도록 한다.

상세하게 알고 싶은 분은 아래의 참고문헌을 참고하기 바란다.

- 藤島一郎 監修：嚥下障害ビデオシリーズ③球麻痺患者の嚥下訓練. 医歯薬出版, 1998, 3400円.
- 藤島一郎：脳卒中の摂食·嚥下障害. 第2版. 医歯薬出版, 1998.
- 北條京子, 藤島一郎, 大熊るり, 小島下枝子, 武原格, 柴本勇, 田中里美：輪状咽頭嚥下障害に対するバルーンカ テーテル訓練法 −4種類のバルーン法と臨床成績. 摂食·嚥下リハ学会雑誌. 1:45−46, 1997.

Difficulty Swallowing Q&A

Q87 혀 접촉 보조장치를 이용한 훈련법이라는 것은 무엇인가요?

원래는 설암 환자에게 사용되고 있던 방법이지만, 최근에는 가성 구마비로 혀의 운동이 좋지 않은 환자에게도 사용되고 있는 방법이다. 음식물을 입에서 목으로 보낼 때는 혀가 입의 천장 부분(구개라고 말한다)에 바짝 붙어 있을 필요가 있다. 여러분도 지금 타액을 삼켜보아 그것을 확인해 보기 바란다. 하지만 혀의 움직임이 좋지 않으면 천장에 붙지 않는 사람이 있다. 또한 천장이 원래부터 돔(dome) 모양으로 되어 있고 높은[고구개(高口蓋: high palatal vault)라고 한다]사람에게는 특히 문제가 된다.

이러한 때 혀 접촉 보조장치(PAP : palatal augmentation prosthesis)라고 하는 장치를 치과 선생님에게 만들어 달라고 하면 삼키는 것이 개선되는 경우가 있다. 이것은 그림과 같이 천장부분을 두껍게 하고, 천장을 내리는 셈이 되어 혀가 닿기 쉽게 되어, 삼키는 것이 개선되는 효과가 있다. 연하뿐만 아니라 말[구음(構音)]에도 좋은 영향

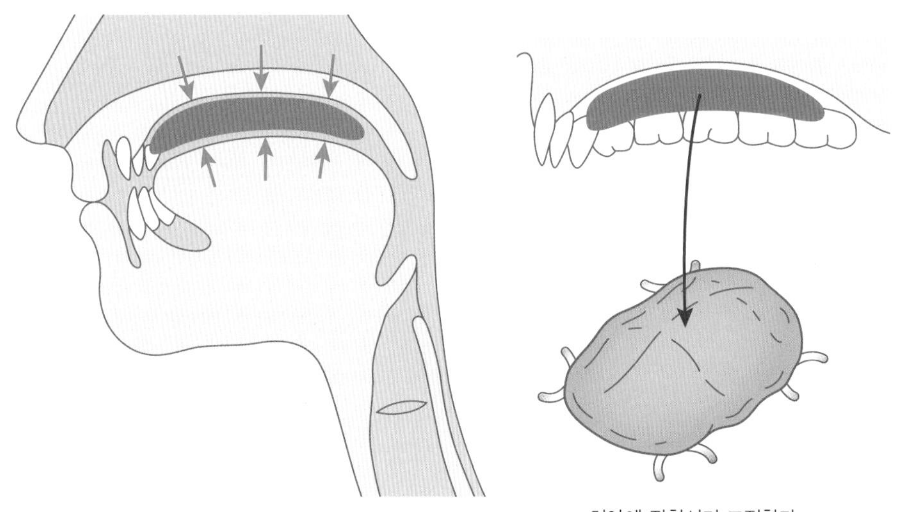
치아에 장착시켜 고정한다.

을 줄 수 있다. 처음에는 위화감이 있어 연하나 언어의 훈련시에 사용하고, 서서히 익숙해지면 장착시간을 길게 한다. 이 장치를 사용하고 훈련하면 혀의 움직임이 개선되어지고, 두께를 줄인다든지 장착하지 않아도 먹을 수 있게 되는 경우가 있다.

치과 선생님과 잘 상담하기 바란다. 만드는 경우는 본원에서 하고 있는 것처럼 언어치료사(ST)와 치과 선생님이 협력하면 연하와 조음 양쪽에 적당한 형태의 PAP를 만들 수 있다.

COLUMN

발성훈련

발성훈련이라고 하면 필자는 우선 성악의 발성훈련을 연상하고 만다. 그것은 노래가 가장 좋기 때문이다. 한 때는 합창에 빠져서, 애창곡은 바하의 B단조 미사곡이나 모차르트의 레퀴엠 등의 대곡까지 폭넓게 좋아하고 있었다. 발성 훈련이라고 들으면 음악을 좋아하는 사람은 저와 같은 이미지를 떠올리는 분도 많지 않을까?

그러나 여기에서는 발성훈련이 연하에 도움이 된다고 하는 이야기이다. 소리를 낼 때 성대가 폐쇄되고, 미세하게 진동한다. 발성은 성문폐쇄의 강화로 이어진다. 그리고 성문폐쇄 강화는 오연 방지로 이어진다. 높은 목소리나 가성(falsetto)을 낼 때 윤상갑상근이 단련되고, 이것을 연하에도 유리하게 작용한다. 최근 파킨슨병 환자에 대해서는 LSVT라고 부르는 발성훈련이 연하에도 좋은 영향을 준다고 하는 연구도 있지만, 발성 훈련이 연하에 좋다고 하는 증거는 거의 없다. 하지만, 필자의 임상경험으로는 크고 확실한 소리를 내도록 하면 연하도 개선된다.

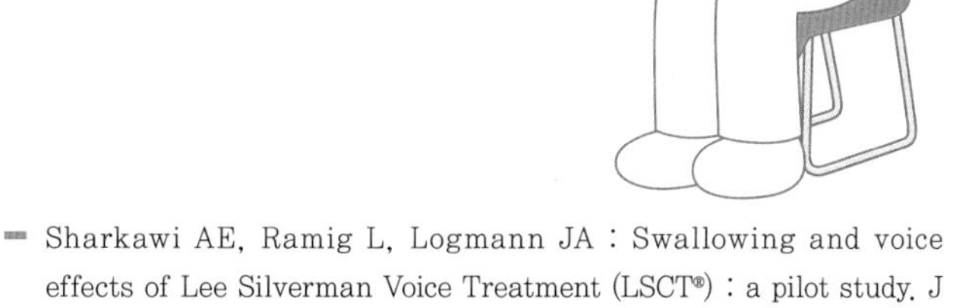

- Sharkawi AE, Ramig L, Logmann JA : Swallowing and voice effects of Lee Silverman Voice Treatment (LSCT®) : a pilot study. J Neurol Neursurg Psychiatry 72:1–36, 2002.

Difficulty Swallowing Q&A

Q88 힘을 실어 강하게 연하하는 방법이 좋다고 들었습니다.

이것은 노력연하라고 불리며 영어로는 effortful swallow나 hard swallow라고도 불리우는 방법이다. 환자 자신이 힘을 실어 입안의 식괴에 힘을 가하도록 하게 한다. 노력연하에 대해서는 ① 힘을 가하기 때문에 식괴의 배송이 개선되고, 잔류량이 감소한다 ② 연하시에 힘을 가하기 때문에 설근부의 운동을 개선시킨다고 추측되고 있다. 또한 힘을 실어 공연하를 반복함으로써 연하의 근력 강화 훈련도 될 수 있다. 건강한 성인이나 연하장애 환자에 있어서 노력연하의 생리적 효과가 보고되고 있다. 노력연하를 하면, 구강내 압력(혀~연구개)이나 지속기간[설골의 전방이동, 후두의 폐쇄, 식도입구부의 개대(開大)]이 증대되고, 반복하면 연하근력이 증대되고 연하나 호흡의 패턴이 함께 온다고 생각할 수 있다.

환자에게 노력연하를 지도할 때에는 일반적으로 '강하게 삼켜 주십시오'라든지 '삼킬 때에 목의 근육에 힘을 실어 주십시오' 등으로 설명하지만, 필자는 이전부터 '기합을 넣어서 – 예, 꿀꺽!' 등 구호를 넣어 지도하고 있다. 노력연하의 결점은 환자가 실제로 힘을 가해 연하시킨 것을 확인하는 것이 곤란하다는 점이다. 연하조영으로 효과를 확인하는 것이 가능하면 이상적이지만, 실제로 수기를 시행했을 때나 시행하지 않았을 때의 환자의 연하 양상이나 구강내의 잔류 등을 비교한다든지, 사레드는 빈도나 정도를 관찰하면, 어느 정도 효과가 있음을 알 수 있다.

2008년 일본 섭식, 연하 재활 학회에서 초빙 강연으로 morning seminar에서 Florida 대학의 Micheal Crary 선생이 보고한 McNeil 연하치료 프로그램(McNeil Dysphagia Therapy Program)이라고 하는 방법이 있다. McNeil은 최초로 실시한 환자의 이름이라고 한다. 이 훈련의 컨셉은 '감각운동학습에 있어서는 목적으로 하는 운동 그 자체를 특이적으로 반복하는 것이 가장 효과가 좋다', 즉 '연하를 개선하기 위해서는 연하를 반복하는 것'이 가장 효과가 있다고 생각하는 것에 기초하고 있다. 특히 노력연하를 반복하여 시행하는 것은 좋은 연하훈련법의 하나이다. 단, 원래부터 경부나 입술, 혀 등의 근긴장도가 강한 경우는 힘을 주는 것이 오히려 연하가 좋지 않게 되는 경우도 있다. 효과를 확인하면서, 연하 전문가와 상담하고 실시하도록 하기 바란다.

COLUMN

누르기(押し) 운동

성문폐쇄기능을 강화하는 훈련법으로 pushing법이라고도 부르고 있다. 방법은 양손을 가슴 앞에서 공손히 모으듯이 합쳐서 '에이!'하고 힘을 실으면서 소리를 내는 수기이다. 힘을 넣으면 성문이 폐쇄되고, 이 훈련으로 폐쇄기능을 강화시킬 수 있다고 생각하고 있다. 그러나 너무 강하게 힘을 넣으면 성대 위의 가성대(假聲帶)라고 하는 부분이 폐쇄되거나 그르렁거리는 좋지 않은 소리가 난다든지 성대를 아프게 하고 마는 경우가 있다. 의사나 숙련된 ST와 상담한 후 시행하도록 하기 바란다.

Q89

Difficulty Swallowing Q&A

Mendelsohn 수기手技라는 것은 어떤 것입니까?

꿀꺽하고 삼킬 때 결후(結喉)(갑상연골)가 위로 올라간다. 이렇게 위로 올라갈 때 식도입구부가 열려 있다. 위로 올라간 상태를 길게 유지함으로써 식도입구부가 쉽게 열리는 훈련법이다. 발렌버그(Wallenberg) 증후군 등의 구마비 환자에게 이용될 수 있는 특수한 방법이다. 상당히 어려운 방법이지만, 처음에는 보조자가 밖에서 결후를 가볍게 잡아 올리도록 보조하면 좋을 것이다. 거울을 보면서 스스로 결후를 만져서 거상시키고 있는지를 확인하면서 훈련하면 잘 되는 사람도 있다.

여담이지만 Mendelsohn 선생은 오스트레일리아의 이비인후과 의사이다. 멘델스존(Mendelssohn)이라고 결혼행진곡으로 유명한 오스트리아의 유명한 작곡가와는 전혀 관계가 없다.

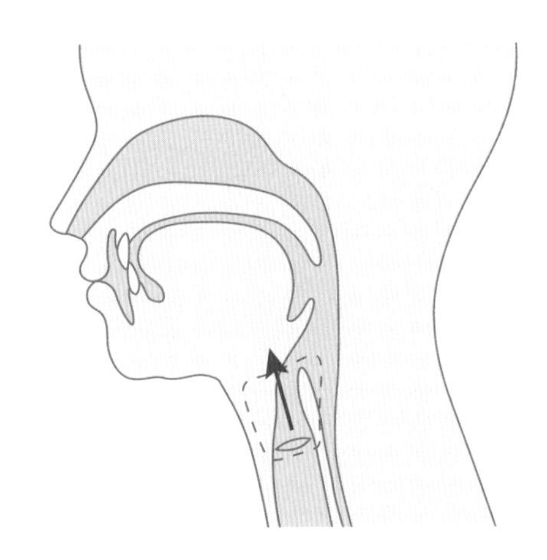

Difficulty Swallowing Q&A

Q90 컵의 물을 빨대로 보글보글 부는 훈련법이 연하에 좋다고 들었는데 정말일까요?

이것은 blowing이라고 하는 방법이다. 음식물이 코에서 역류한다든지, 코에서 숨이 세어나와 선명하지 않은 목소리[개비성(開鼻聲)]가 될 때는, 입이나 코를 막는 창(비인강 폐쇄) 기능이 좋지 않다고 생각되고 이 경우에 잘 시행되는 훈련이다. 또한, 구순폐쇄의 훈련으로서도 이용될 수 있다.

게다가, 이 blowing은 호흡(특히 호기의) 훈련으로서도 알려져 있다. 입 오므리기 호흡도 일종의 blowing이라고 생각할 수 있다. 호기근을 단련한다든지 기관지를 넓히는 효과가 있다.

Blowing 훈련법은 컵의 물을 빨대로 보글보글 거품을 만들어서 부는 방법이 손쉽게 잘 이용되고 있다. 어린이가 노는 것과 마찬가지이다. 또한 party horn이나 풍선을 부풀게 하는 방법이나 관악기를 부는 것도 좋은 훈련이 될 수 있다. 필자는 그림과 같이 페트병을 이용하는 '페트병 blowing'을 자주 지도하여 효과를 높이고 있다.

페트병에 구멍을 내서 빨대를 꽂는다. 이 때 될 수 있는 한 틈이 없이 딱 맞는 구멍으로 공기가 새지 않도록 한다. 물을 70~80%까지 넣고 뚜껑을 닫는다. 빨대에 숨을 불어 넣는다. 뚜껑이 조이는 상태로 호기력의 조정이 가능하다. 꽉 닫히면 상당히 강하게 불지 않으면 보글보글 거품이 나지 않는다. 최근에는 호흡근력 강화훈련으로 연하가 개선된다는 보고가 있어, 이 훈련은 추천할 수 있다. 부디 매일 계속 시행해주기 바란다.

페트병 blowing

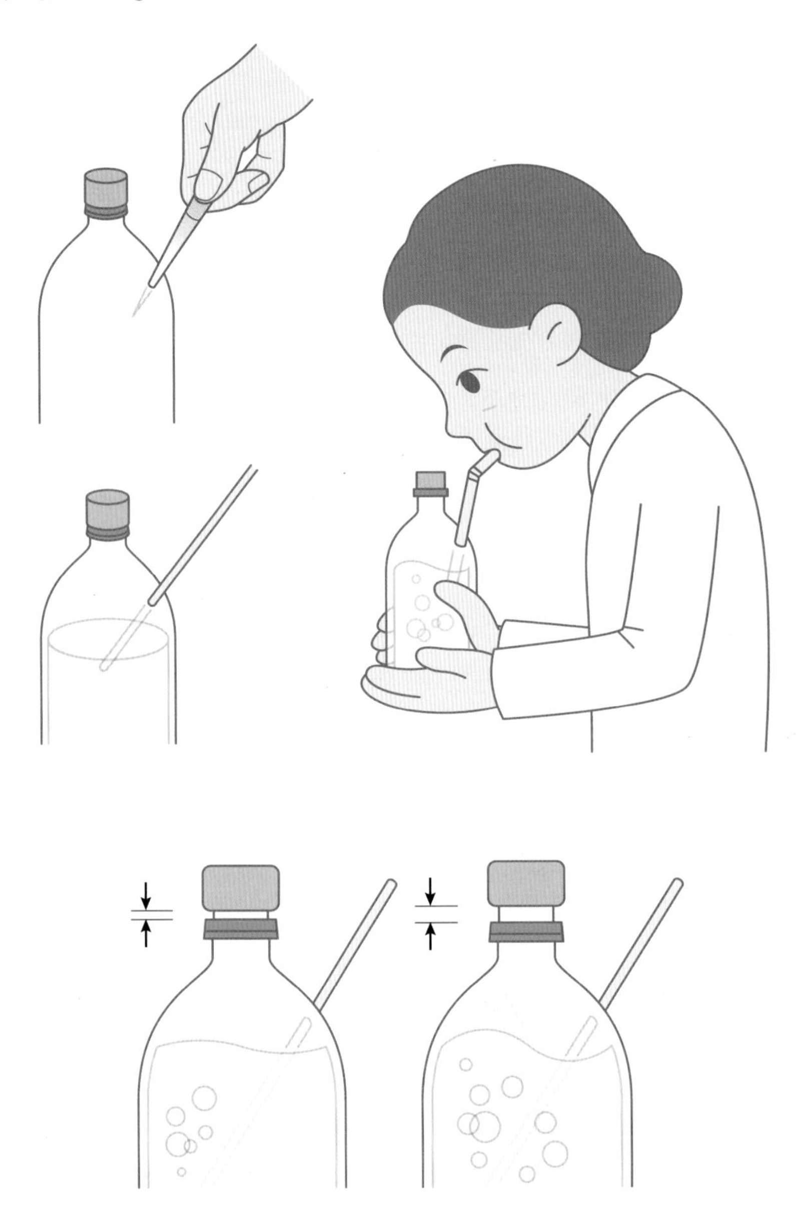

CHAPTER 07

구강관리

구강관리는 아무리 강조해도 지나치지 않을 정도로 중요합니다. 입으로 먹기 위한 첫 걸음은 입안을 깨끗하게 유지하는 것이라고 확신하고 있습니다. 이 책은 구강관리의 책은 아니지만, 포인트가 되는 사항에 대해서만 설명 드리겠습니다. 또한 틀니에 대한 필자의 생각에 대해서도 기술합니다.

Q91

Difficulty Swallowing Q&A

식후에 입안이 더럽습니다.

누구라도 먹고 난 후에는 입안이 더러워지지만, 입술이나 혀의 움직임이 좋지 않다든지 감각의 저하가 있을 때 더러움이 심해진다. 음식물이 남아 있다고 알고 있어도 삼키지 못한다든지, 감각이 마비되어 있어 음식물이 남은 것을 알지 못한다든지 하기 때문이다. 틀니가 있을 때 치아와 치아 사이나 틀니와 치은 사이에 음식물이 쉽게 남을 수 있다.

이러한 상태를 방치한다면 세균이 번식하고, 치아와 잇몸에는 치태가 끼고, 혀에는 설태가 끼며, 점막은 염증이 생기게 된다. 구취가 나고, 음식물의 맛이 좋지 않게 되며 항상 입안이 끈적거려 불쾌한 기분이 들게 된다.

대책은, 식전과 식후에 반드시 구강관리를 시행하도록 해야 한다고 생각한다. 식후에 차나 끓인 물을 먹는 습관은 입안을 깨끗하게 하는 역할을 할 수 있다(동시에 목도 깨끗하게 된다). 그러나 이것만으로는 불충분하며, 칫솔을 이용해서 확실하게 구강관리를 시행하지 않으면 안된다. 치아뿐만 아니라 치은이나 혀 등 구강내 전체도 깨끗하게 한다.

환자 자신이 시행하는 경우는, 거울을 보면서 시행하도록 지도하고, 나중에 확인한다. 식사 도중에 구강내에 음식물 잔사가 많은 경우는, 국물이나 차, 물 등을 교대로 마시면서 구강내 를 깨끗하게 하면서 그 다음 한 입을 먹을 수 있도록 한다.

또한 입 헹구기를 할 수 있는 사람은 '입 헹구기'와 입 안에서 '부글부글'을 충분히 하도록 한다. 그러나 구강내의 식괴 유지가 좋지 않은 사람은 사레들고 말기 때문에 입 헹구기는 위험하다. 입을 아래로 향하여 주사기 등으로 세정하는 방법을 추천한다. 고령자에게 입 헹구기를 훈련시키는 것은 어렵다고 생각한다.

구강내의 관찰

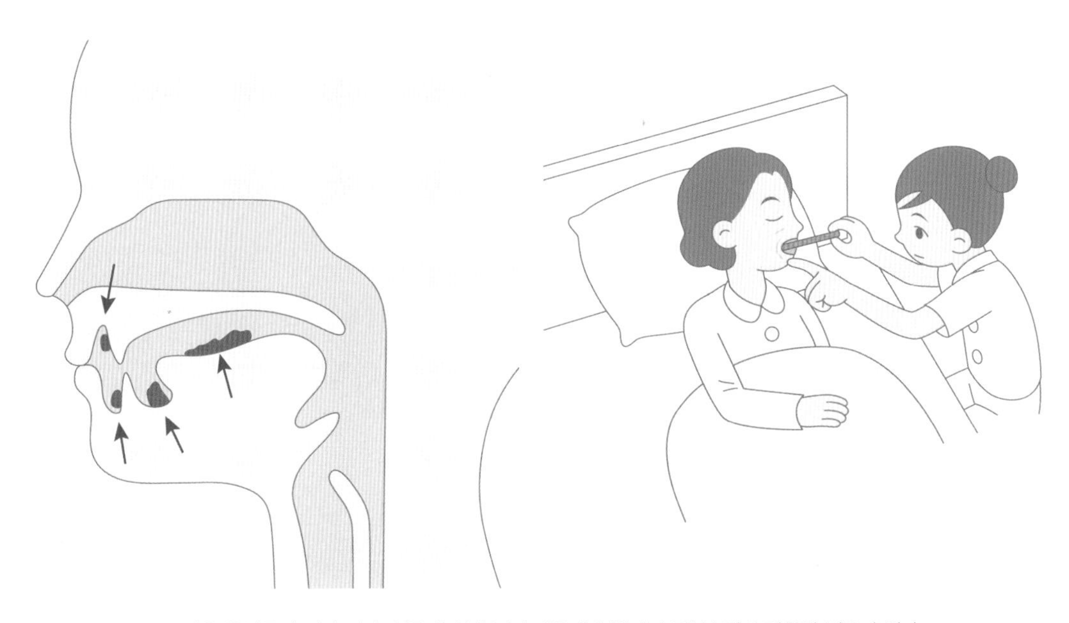

작은 음식물이 혀나 치아, 잇몸에 쉽게 남기 때문에 입안까지 정성스럽게 관찰할 필요가 있다.

칫솔질

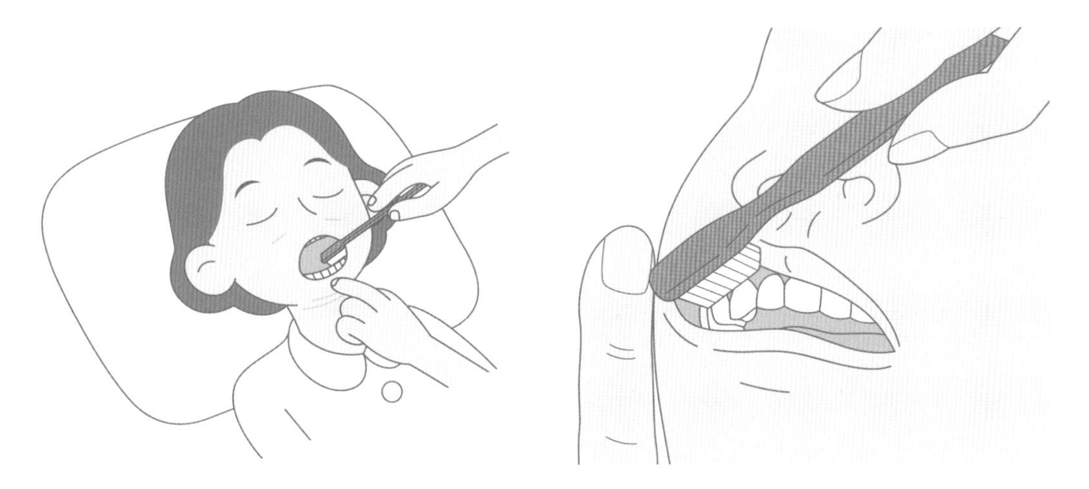

작은 칫솔로 치태가 생기기 쉬운 잇몸이나 치아 및 치근을 닦는다.

Toothette®을 이용한 구강관리의 방법

✚ 준비하는 법

- Toothette®
- 물 200cc 또는 카테킨(catechin) 물(물 200cc에 카테킨 분말 0.25g(귀이개 5술 분))
- 물
- 종이 냅킨 혹은 티슈 페이퍼

❸ 치아의 표면

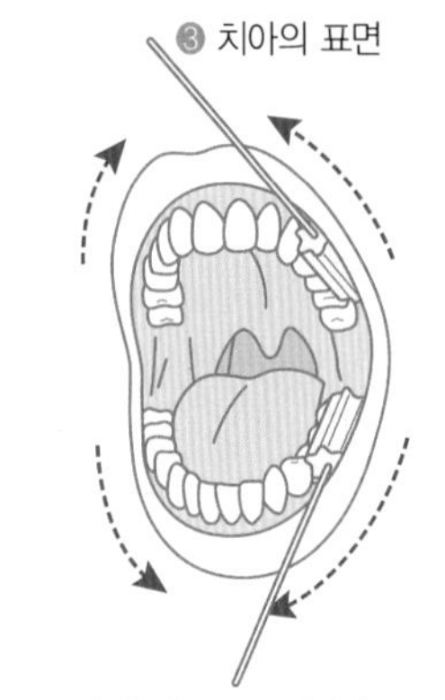

순소대가 있으므로 한가운데에서 중지한다.

❹ 아랫 치아의 안쪽

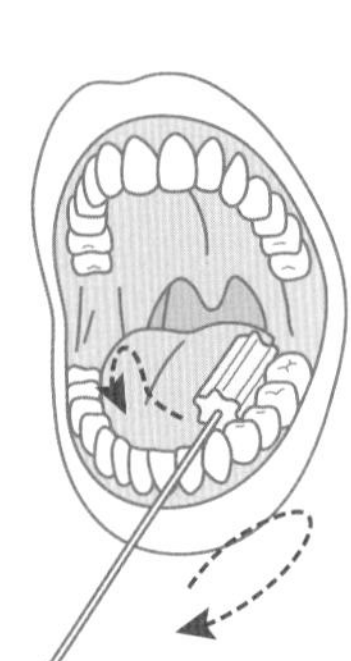

❺ 구개

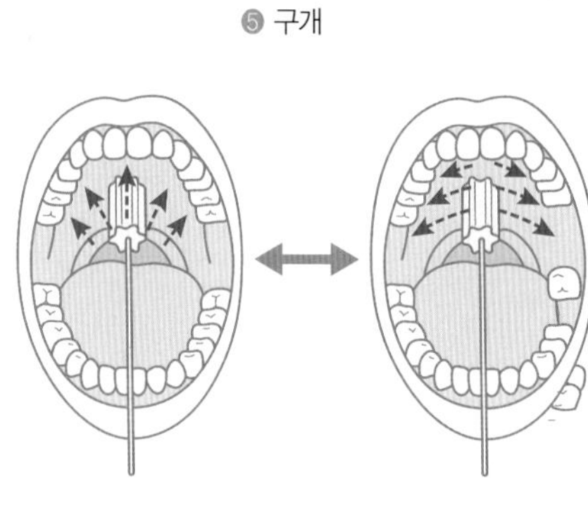

한가운데로부터 좌우로 확실하게 문지른다.

❻ 치은과 협점막 사이

❼ 혀

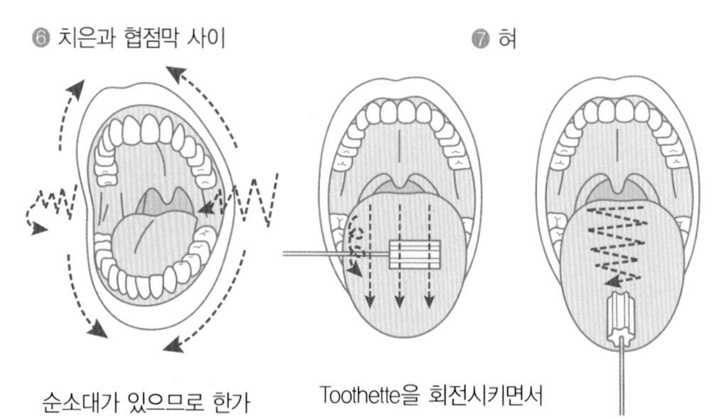

순소대가 있으므로 한가운데에서 중지한다.

Toothette을 회전시키면서

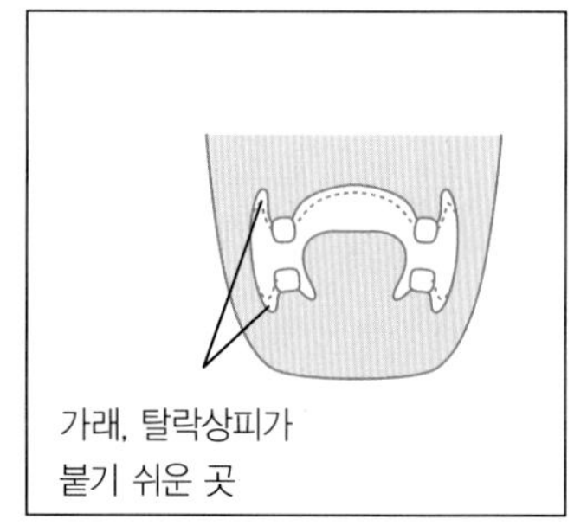

가래, 탈락상피가 붙기 쉬운 곳

Difficulty Swallowing Q&A

Q92 입 안이 더러운 사람은 연하장애와 관련이 있습니까?

입 안이 더러워져 있다고 해서, 연하장애가 있다고 직접적으로는 말할 수 없다. 그러나 연하장애가 있으면 입 안이 쉽게 더러워지는 것은 확실하다. 최근의 필자들의 연구에서는 음식물의 구강내 잔류나 인두 잔류가 높은 상관관계가 있다는 것을 알게 되었다. 연하장애가 있으면 구강이나 인두에 음식물이 삼키기 어려워지고 남게 된다. 이것은 구강을 더럽히는 원인의 하나이다. 또한 연하장애가 있으면 타액이 잘 삼켜지지 않는다든지, 타액의 분비가 저하되어 구강내를 오염하는 원인이 되는 경우도 있다. 더욱이 구강내의 감각이 저하되고 더러워져 있어도 불쾌하게 느끼게 되는 경우도 원인이 된다고 생각한다.

또한, 본원의 조사에서 만성호흡부전의 환자는 구강내가 매우 더러워져 있다는 결과를 알 수 있었다. 전신상태가 좋지 않으면 구강내를 청결하게 유지하는 기능에 문제가 생겨서 구강내도 쉽게 더러워지고 치아의 질환도 쉽게 생기게 된다. 극단적일이지 모르겠지만 입 안이 이상할 정도로 지저분한 환자을 보면 무언가 질환이 있지 않을까 하고 의심하는 편이 좋지 않을까 생각한다.

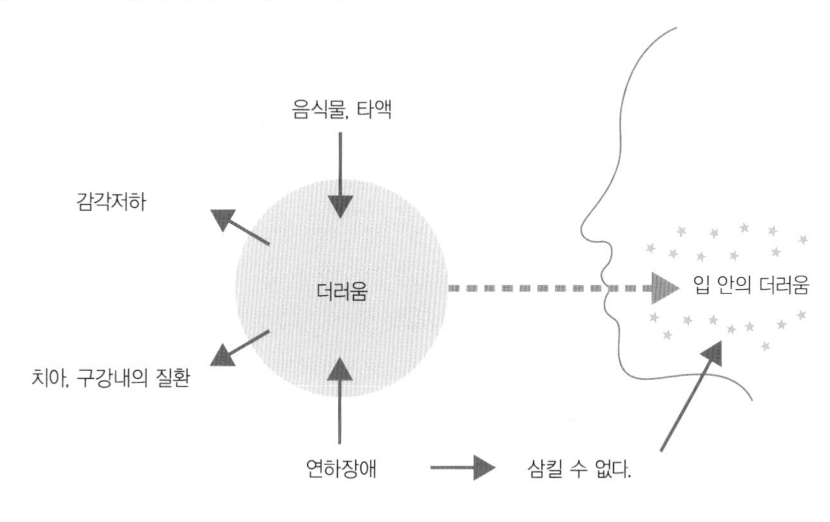

✚ 구강내의 더러움과 연하장애

Q93 Isodine®으로 구강관리하는 것을 싫어하는 환자가 있는데 어떻게 하면 좋을까요?

Isodine®(Meiji Co., povidone iodine 70mg/mL)은 강력한 살균력이 있고, 점막으로의 자극성도 그다지 강하지 않으므로 양치액이나 편도선 약(Lugol)으로서 또한 거즈에 담그어 사용하여 구강내 케어에도 많이 이용되고 있다. MRSA(메티실린 내성 황색포도상구균; methicillin resistant staphylococcus aureus)에 대해서도 가장 살균력이 있다고 여겨지고 있다. 그러나 냄새가 심하기 때문에, isodine을 좋아하지 않는 환자도 있다고 생각한다. 그러한 때는 Oradol(domiphen bromide) 함수액(含漱液)이나 Azunol gargle liquid(수용성 azulene®, azulene gargle 과립®(dimethyl isopropylazulene))를 시험해보기 바란다. 특히 Azunol gargle liquid는 상쾌한 향기로 좋아하는 분이 많은 것 같다. 또한, 레몬수, 소다수, 박하수 등도 이용할 수 있다. 차나 물로도 구강관리는 가능하다. 하지만 살균액을 고르는 것보다도 우선 바르게 시행하는 것이 중요하다. 본원에서는 카테킨 분말녹차®(三井農林) 0.25g을 200mL의 미지근한 물에 녹여서 사용하고 있다. 구강관리의 효과도 우수해 환자의 평판도 꽤 좋은 편이다.

Isodine®을 싫어하는 것은 구강관리의 방식에 문제가 있을 가능성도 부정할 수 없다. 환자의 양해를 구해 상황에 맞추어 말을 걸면서, 아픔을 동반하지 않는 방법으로 시행하고 있는 것일까. '더러우니깐 깨끗이 한다', '바쁘니깐 빨리 한다' 식의 방식으로 하면 Isodine을 싫어하는 것을 조장하고 만다. 실시하는 사람의 손이나 옷차림새도 청결하게 유지하도록 충분히 주의하기 바란다.

치아나 치은에 대해서는 칫솔질이 통상 시행되지만, 그 때 사용하는 치약은 소량을 이용하는 것이 요령이라고 한다. 칫솔질법, 깨끗이 하는 법, 헹구는 법, 세정법 등 구강관리에는 지식이 필요하다. 기술적인 문제에 관한 책이나 매뉴얼도 출판되어 있기 때문에(권말 참조), 환자에게 맞는 방식으로 고려하기 바란다.

중증의 환자부터 건강한 사람에 이르기까지, 구강관리의 필요성은 더욱더 강조되어야 한다고 생각한다.

Q94

구강관리는 연하의 훈련도 될 수 있습니까?

식사 전후뿐만 아니라 일상의 구강관리는 매우 중요하다. 최근에는 구강관리 연구회 등도 생겨서 그 수기도 향상되고 있다. 서적 등도 나오고 있지만, 연하 특히 구강(저작, 식괴형성, 음식물 전달)의 훈련이 된다고 생각한다. 그러나 다음과 같은 것은 분명히 말할 수 있다.

① 연하의 준비 단계인 구강기능의 훈련이 된다.

② 혀의 마사지 효과가 있어 혀에 의한 음식물 전달 기능 개선에도 도움이 된다.

③ 구강내를 청결하게 함으로써 미각을 예민하게 할 수 있다. 음식물의 맛을 확실히 알게 되면 부드럽게 연하로 이어진다.

④ 의식이 멍한 환자에게 각성 효과가 있다.

⑤ 음식물이나 타액을 오연하고 있는 환자에게 폐렴의 예방효과가 기대된다.

구강관리는 섭식, 연하훈련에 필수불가결할 뿐만 아니라, 이상의 내용과 같이 훈련효과가 있다고 생각할 수 있다.

인간에게 있어 입을 청결하게 유지하는 것은 매우 중요하다. 나이를 먹으면 타액의 분비량이 줄고(성상도 변화한다) 치아와 치주조직, 혀, 점막 등의 증령변화, 전신의 저항력이 줄어 드는 등의 원인으로 충치나 치조 농루가 된다든지, 구강내가 불결하게 되기 쉽다. 어린이 시절, 어머니가 손님에게 과자를 권할 때 '변변치 못한 음식입니다만... (역자 주; お口汚しですが...는 이와 같은 관용구적 표현이지만, 단어 그대로로 해석한다면 '입이 지저분해지겠지만...'이란 뜻이 된다)'하고 말하는 것을 신기하다고 생각했었는데, 지금 생각하면 딱 맞는 말이라고 감탄하고 있다.

그런데, 아무것도 먹지 않아도 입 안은 지저분해지고 만다. 의식장애나 연하장애 등으로 먹지 않는 환자도 방치해 두면, 타액이나 가래, 분비물, 먼지에 세균이 붙어 증식하여 놀랄 정도로 입 안이 오염되고 만다. 어떤 상태에 있어도 구강관리를 잊지 않도록 해야 한다. 본인이 할 수 없다면 주위 사람이 세심하게 신경써 주는 것이 필요하다.

CASE | 76세, 여성 : 뇌경색

우편마비, 경도 실어증이 있었지만, 연하장애는 없었다. 약 4개월의 입원 재활로 일상생활 동작을 자립하고 재택 생활로 돌아갔다. 지리적으로 통원이 곤란해서 본원으로의 통원은 하고 있지 않았다.
반년 정도 경과했을 즈음 며느리가 내원하여 ① 최근 식욕이 없어서 먹지 않게 되었다. ② 자고 있는 경우가 많다. ③ 실금(失禁)도 가끔씩 하고 있다고 하였다. 서서히 기운이 없어지고 있지만, 1개월 전에 감기에 걸린 후부터 급격하게 악화되었다고 하는 것이다.
바로 진찰을 하러 오게 하였는데 탈수 증상과 현저한 여윔(45kg → 32kg)과 체력저하가 있었고 우울증상이 있었다. 마비는 악화되지 않았지만 관절구축이 시작되고 있었으며 일상생활동작은 전부 도와주고 있었다. 바로 입원시켜 전신 상태의 관리, 우울 증상에 대한 항우울제의 투여, 재활훈련을 시행하였다.
치료는 주효해서 2주가 안되어 기운을 차리게 되었지만, 식욕이 없었다. 음식물의 맛이 좋지 않아서 먹을 마음이 나지 않게 된 것이다. 이 때 감이 온 것은 재입원시부터 신경 쓰이고 있던 치석과 치태, 구취였다. 상하의 앞니와 어금니에 현저한 치석과 치태가 끼어 있어 악취를 내고 있었던 것이다.
정말로 침대 옆에서의 구강관리만으로 대응할 수 있는 상태는 아니었다. 반년간 놀라울 정도의 변화였다. 원래부터 스스로 치아를 소중하게 여겨 왔던 환자였지만 우편마비가 되어 왼손으로 구강관리가 잘 되지 않게 되었던 것이 큰 원인이었다고 생각한다. 우리의 지도도 불충분했다. 치과의사에게 치료를 의뢰하고 발치, 치석제거, 치주병(치조농루 등)의 치료, 구강관리의 지도(본인과 가족) 등을 시행하였다.
1개월 후 퇴원하고 그 후에도 치과치료를 계속하도록 하였다. 약 3개월 후, 식사시 맛도 좋게 되고 식욕도 돌아오게 되었다.

이 예에서는 구강관리의 중요함을 가르쳐주고 있다. 주로 쓰는 손이 사용할 수 없게 된 환자, 특히 고령자에서는 익숙하지 않은 손(왼손)으로 칫솔질을 잘할 수 있을 때까지 지도하지 않으면 안된다. 할 수 없다면 가족에게 지도하지 않으면 안된다. 구강관리를 소홀히 하면 단기간에 구강내는 급속하게 악화되고 만다. 그것이 식사시 맛을 좋지 않게 하고 식욕의 저하로 이어지게 되는 것이다.

손가락이나 얼린 면봉으로 혀의 윗면, 아랫면을 마사지 한다.

COLUMN

처음으로 구강관리를 시행할 때

'연하장애가 있는 것을 모르고 입안의 지저분한 것을 깨끗하게 하고 있을 때, 사레들고 마는 경우가 있습니다. 어떻게 하면 좋을까요?'라고 하는 질문을 받는 경우가 있다. 연하장애는 우선 의심하는 것부터 시작한다. 구강이 더러워져 있고 더러운 타액 등이 폐로 흘러들어간다면, 아뿔싸! 그렇기 때문에 구강관리가 필요한 것이다.
그러나 처음으로 구강관리를 시행하는 경우는 얼굴을 아래로 향해서(자고 있을 때는 측와위로 하여 얼굴을 아래로 향해서) 구강관리 때의 액체가 목으로 흘러들어가지 않도록 배려하도록 한다. 그 후에도 항상 연하장애를 의식하고, 케어 중에 사레들지 않도록 시행하는 것이 중요하다.

COLUMN

Toothette®, 혀 brush 등

구강관리는 케어용으로 편리한 기구가 개발되어 있다. 그 중에서 toothette®은 스폰지로 구강을 적시면서 음식물 잔사나 가래로 오염된 구강내를 깨끗하게 할 때 매우 도움이 되는 제품이다. 또한 혀 brush, 치간 brush 등은 설태나 치태제거에 필수불가결한 제품이다. 권말에 소개한 구강관리 서적에 그 밖에 편리한 제품과 그 사용법이 나와 있으므로 꼭 활용하기 바란다.

Q95

Difficulty Swallowing Q&A

틀니를 하고 있는 분에게는 어떤 주의를 하면 좋을 지 가르쳐 주세요.

뇌졸중 등으로 입원하면 틀니를 뺀 채로 지내고 마는 경우가 있다. ① 끼우는 것을 잊고 있다 ② 의식장애가 있어서 의도적으로 빼고 있는 사이에 끼우는 것을 잊고 만다 ③ 모르고 집에 두고 와버렸다 ④ 먹을 수 없어서 끼울 필요를 느끼지 못하기 때문에 ⑤ 원래부터 끼우는 것이 싫었다 등 여러 가지가 있다. 발병시의 정신없음을 틈타 분실하고 말았다고 하는 케이스도 있다.

틀니는 끼우지 않으면 치은(의치상)이 퇴축되어 맞지 않게 된다. 맞지 않게 되면 빼놓는다든지, 끼우면 아프기 때문에 점점 끼울 수 없게 된다. 새롭게 다시 만들어도 치은이 틀니를 받아들이지 않게 된다. 악순환의 시작이다. 총의치를 빼 놓아 두면 혀가 비대해 지고, 다시 만드는 것조차 곤란하게 된다.

어쨌든 틀니는 끼워두는 것이므로 맞지 않는다면 바로 고쳐야 한다. 야간에는 빼 놓는 것이 원칙이라고 말하고 있다. 틀니 아래의 점막은 압박받고 있기 때문에 혈행부전에 쉽게 빠져서 야간에는 압박을 해제시켜 쉬게 할 필요가 있기 때문이다. 하지만, 익숙해지고 친숙해진 틀니는 반드시 그렇지만은 않다. 하루에 몇 번은 빼서 청소하고 야간에도 장착하면 문제가 없다고 하는 사람도 있다.

또한, 의식장애가 있을 때, 벗겨져서 기도를 막는 위험이 있다고 판단될 때는, 빼 놓는 쪽이 안전하다. 그러나 장기간 빼놓아 두면 틀니가 맞지 않게 되는 것을 잊지 말기 바란다. 또한 빼놓은 틀니는 반드시 잘 씻고, 깨끗한 물 속에 넣어 청결하게 보존하도록 하기 바란다.

치아는 섭식에 필수불가결한 요소이다. 필자가 서술할 필요도 없이 ① 틀니가 되기 전에 치아를 잘 관리하고 ② 치아가 좋지 않게 되면 바로 치과의사에게 상담받고 치료하고 ③ 필요시 틀니를 만들고 ④ 틀니를 만든다면 매일 적절하게 관리하며 ⑤ 매식사 후 틀니를 빼어서 외면, 내면 모두 잘 청소할 필요가 있다. '건강한 생활은 치아로부터'라고 해도 과언이 아니다.

치아가 좋지 않게 되면 여러 가지 악영향이 출현한다. 예를 들면, 양측 상하의 어금니가 없다면 갈아서 으깨는 저작을 할 수 없어서, 단단한 것을 먹을 수 없게 된다. 또한, 연하시에 하악을 꽉 무는 것을 할 수 없게 된다. 상악골과 하악골의 거리가 짧게 되고, 꽉 깨물 때의 근력이 충분히 발휘되지 못하게 된다. 설골근이나 설골상근군도 균형이 붕괴되고 식괴를 인두로 보내는 것이나 인두 통과에도 악영향이 미치게 된다고 생각할 수 있다. 교합력이 저하되면 전신에도 힘이 들어가기 힘들게 된다. 그리고 무엇보다도 치아가 없으면 정신적으로도 약해지게 된다. 총의치를 장착하면 10세 이상 젊어진 얼굴이 된다. 거울에 비친 자신의 얼굴을 보면 기운이 나고, 하얀 치아로 만드는 미소는 무엇보다도 아름답다고 생각한다.

빨판(吸盤) 브러시를 이용

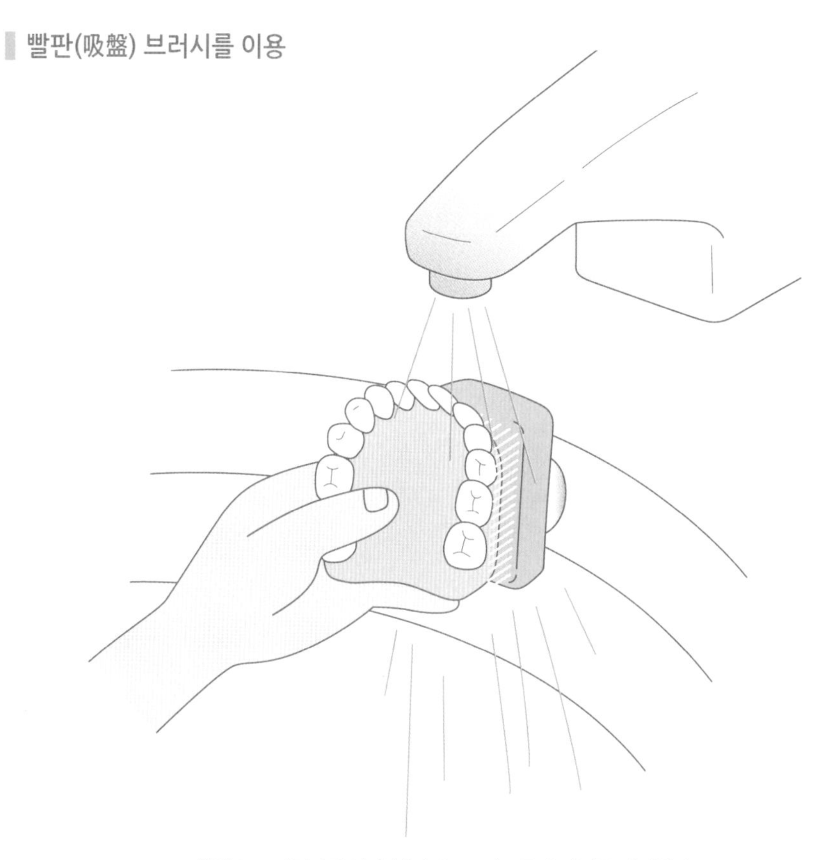

빨판으로 세면기의 면에 붙여서, 흐르는 물에 의치를 세정한다.

Difficulty Swallowing Q&A

Q96 입을 벌려주지 않는 환자는 어떻게 하면 좋을까요?

먼저 악관절 등의 이상에 의한 개구장애가 없는 지를 확인하지 않으면 안된다. 꽤 어려운 문제이지만, 하품할 때의 모습을 관찰하면 짐작할 수 있다. 오래 접하고 있으면, 대부분의 환자에게서 하품하는 장면을 목격하는 경우가 생긴다. ① 하품할 때는 개구하지만 그 이외의 경우는 입을 벌려주지 않는 것인지 ② 하품할 때도 입을 벌리지 않는 것인지, 잘 관찰하기 바란다 ②라면 개구장애가 있고 악관절이나 근육 등에 문제가 있을 가능성이 있기 때문에, 구강악안면외과나 구강내과, 신경내과 등의 전문의에게 진찰을 부탁하고, 대응법을 고려하지 않으면 안된다.

개구반사를 일으키는 K-포인트

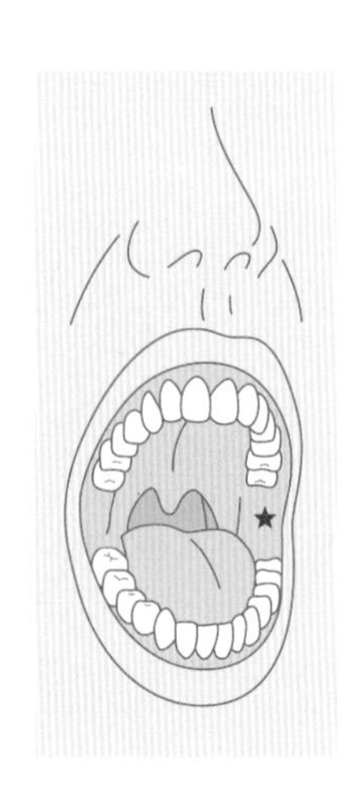

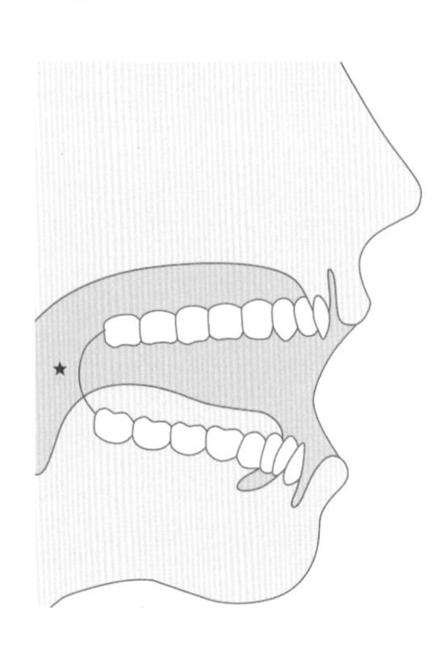

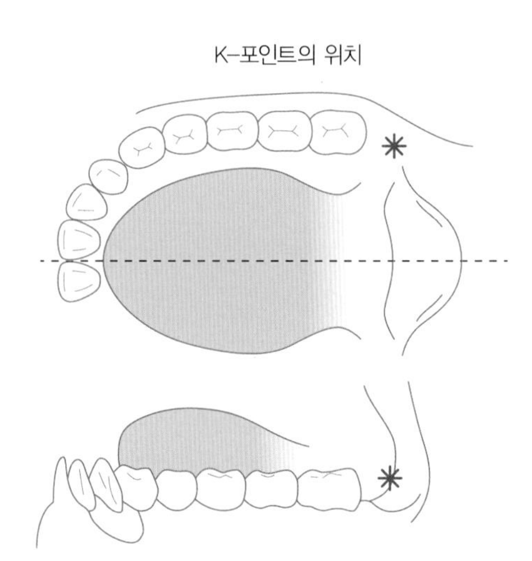

K-포인트 자극법(좌우차가 있다)

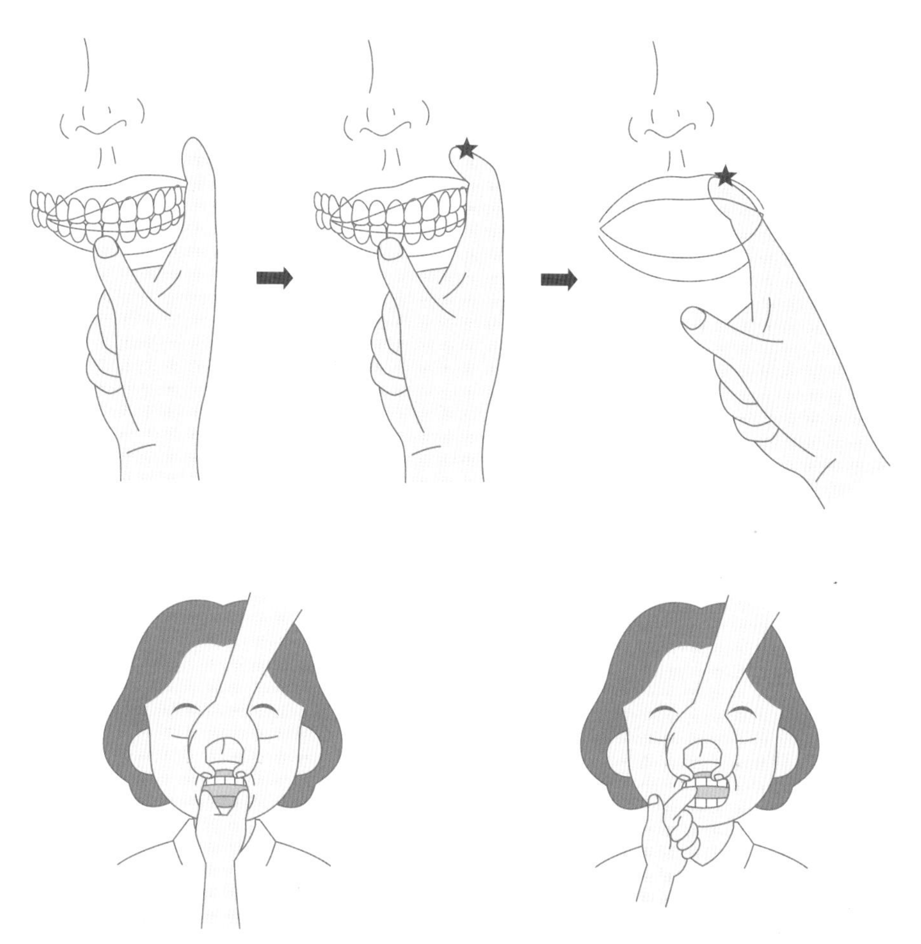

하악 눌러 내리기 법(개구불가의 경우에 시행한다)

K-포인트 자극시(개구가능의 경우에 시행한다)

K-포인트 자극시(개구불가의 경우에 시행한다)

K-포인트 자극시(개구가능의 경우에 시행한다)

만일 ① 하품할 때는 충분히 개구하지만 그 밖의 경우에는 개구하지 않는다고 한다면, 설압자를 좌우 어느 쪽이든 어금니 사이로 미끄러뜨려 넣어서, 어금니 후방 삼각 최후부 내측의 점(그림의 *)의 언저리를 가볍게 자극하면 개구반사가 유발되고 입이 벌어진다. 언어치료사인 코지마 치에코(小島千枝子) 선생이 발견하여, 본원에서는 K-포인트라고 부르고 있다. 지금까지 입을 벌려주지 않았기 때문에 구강관리도 할 수 없고 고생하고 있던 환자를 차례로 이 방법으로 개구시키는 것에 성공하고 있다. 구강관리도 편해지고, 섭식훈련도 가능하게 되었다. 재미있는 점은 K-포인트를 자극한 후에는 개구하는 것 뿐 아니라, 우물우물 꿀꺽하는 구강기로부터 인두기의 연하까지 쭉 계속 이어져 일어나게 된다는 것이다[Q57]. 어떤 메카니즘으로 그렇게 되는 것인지 현재 검토하고 있는 중이다. 어쨌든 개구 장애가 없는데도 입을 벌려주지 않는 환자에게는 효과적인 방법이기 때문에 시도해보기 바란다.

그 밖의 방법으로서 하악 눌러 내리기 법과 bite block의 사용(그림)이 있다.

하악 눌러 내리기 법

bite block

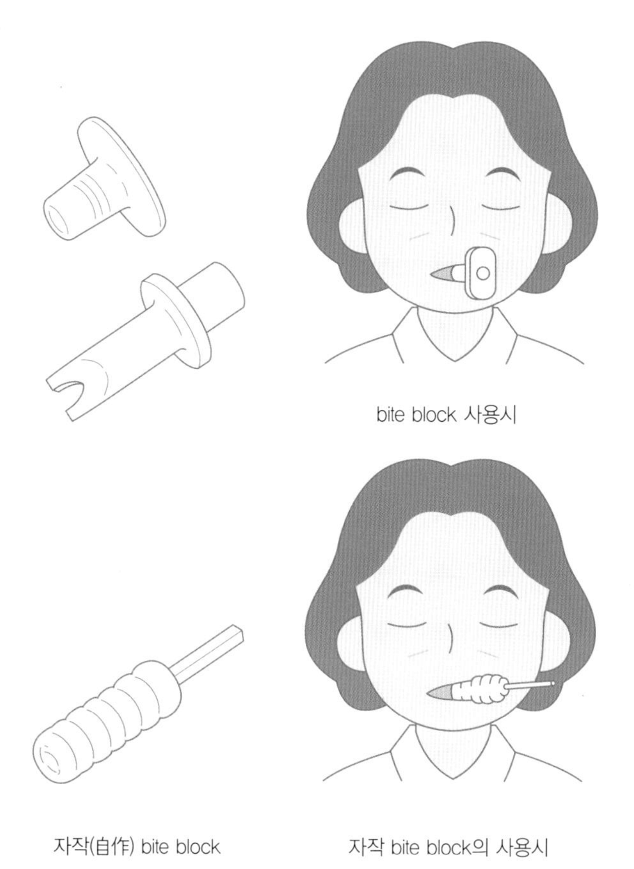

bite block 사용시

자작(自作) bite block

자작 bite block의 사용시

COLUMN

구강 건조에 대하여

고령자는 상당한 빈도로 구강건조가 보인다. 실제로 안정시 타액의 분비는 감소하고 있다는 데이터가 있고, 연하장애가 있는 고령자는 탈수가 되기 쉽고, 탈수가 되면 구강건조는 더욱 진행된다. 구강건조가 있으면 연하도 좋지 않게 된다. 구강이 건조해 있는 경우는 반드시 얼음 마사지의 면봉 등으로 구강을 습윤시킨 후 섭식하지 않으면 안된다. 본인의 호소가 아니더라도 입을 보면 건조해 있지 않나 하고 바로 알 수 있기 때문에 충분히 주의하도록 한다. 또한 약제의 부작용으로서 구강건조가 보여지는 경우가 있다.

구강 건조가 심한 경우는 의사에게 상담하고, 구강 건조를 조장하지 않은 약제로 변경해 달라고 하든지, 가능하다면 부작용이 강한 약제는 중지시켜 달라고 하면 좋을 것이다.

CHAPTER 08

경관 영양하는 환자에 대해서

코로 관을 넣고 있는 사람을 앞에 두고, 인정 많은 보조자라면 반드시 한번은, '어떻게든 관을 뽑고 먹게 하고 싶다'고 생각한 적은 없을까요? 이 장에서는 관을 빼기 위한 구체적인 수순에 대해 서술해 보기로 하겠습니다. 또한, 최근 주목받고 있는 간헐적인 경관영양(OE법)에 대해서도 설명하였습니다.

Difficulty Swallowing Q&A

Q97 코를 통해 관으로 영양을 섭취하고 있는 환자 중 먹을 수 있게 되는 사람은 없습니까?

노인 병원이나 특별 양호 노인 home(심신장애가 있는 고령자를 위한 양호시설) 등에서는, 많은 환자가 코를 통해 관으로 영양공급을 받고 계시다고 생각한다. 의식이 없는 분 뿐만 아니라, 그 중에는 말할 수 있고 먹고 싶어 하는 분, 말할 수 없지만 의욕을 보이시는 분 등도 있다. 병이 생겨 현재에 이르는 어느 단계에서 의사가 '경구 섭취는 무리', '폐렴의 위험성이 높다'고 판단했던 적이 있다고 생각한다.

그러나 그런 분들 모두에게 대해서, 정말로 진지하게 섭식, 연하에 임한 후의 판단은 아닐 것이라고 생각한다. 급성기로부터 아급성기의 단계에서, 호흡상태가 좋지 않기 때문에 경관 영양 쪽이 안전할 것이라고 판단된다든지, 한번 먹여봤지만 사레들림이 심해서 폐렴이 되어 버리는 경우가 많기 때문이 아닐까 생각한다.

통계적인 데이터는 없지만, 그 가운데에는 관을 빼고 먹을 수 있게 되는 환자가 꽤 있는 것도 사실이다. 아래와 같은 분은 먹게 될 가능성을 추구해 볼 필요가 있다.

① 의식이 청명하고, 하루 동안 눈을 뜨고 주위 사람을 배려할 수 있다.
② 먹을 의욕이 있다.
③ 타액을 먹고 있다.
④ 1년 이상 폐렴을 일으키고 있지 않다.
⑤ 기침, 가래가 없든지, 매우 적다.
⑥ 구강내, 특히 혀가 지저분하지 않다.

그러나 경관 영양하는 분이 훈련을 하면 모든 분이 먹게 될 수 있게 되지는 않은 것도 사실이다. 무작정 관을 빼고 먹게 한다면 폐렴이 되어 괴롭다든지 생명의 위험에 노출되는 사태가 되는 경우도 있다. 너무 겁을 낼 필요는 없지만, 처음부터 무리하면 실패의 원인이 된다. 신중하게 순서를 밟고 접근하기 바란다. 또한 세 끼 전부 먹지 않는다면 의미가 없다고 생각하지 말고, 한 끼만이라도, 또한 간식만으로도 입으로 먹는 것은, 환자의 QOL의 향상에 도움이 된다.

입으로 먹을 수 있는 조건

의식
청명

구강내가 청결

먹을 의욕이
있다.

기침, 가래가 적다.

타액을 먹고 있다.
(꿀꺽)

폐렴을 일으키지
않는다.

Difficulty Swallowing Q&A

Q98 코를 통해 관으로 영양을 섭취하고 있는 환자에게 먹게 하는 순서를 가르쳐 주세요.

병세가 어떤지, 어느 정도의 기간 동안 경관 영양이 시행되어져 왔는지, 환자의 전신 상태는 어떤지 등에 의해 대응이 달라지게 된다.

여기서는 ① 뇌졸중 후 ② 2~3개월 이상 경관 영양이 시행되고 있고 ③ 현재는 의식이 좋고 ④ 전신상태도 좋다고 하는 경우를 가정하여 설명하도록 한다.

1. 기초훈련

이하의 것을 1일 3회, 1회 10~20분 수 일간 시행한다.

① 구강관리 : 1일 3회 이상 정성들여 시행해 주기 바란다. 청결하게 유지함과 동시에, 구강내를 언제나 촉촉하게 하는 것이 중요하다.

② 뺨, 입술, 혀의 마사지 : 손이나 한랭자극기를 이용하여 바깥쪽을, 또 얼음마사지봉을 이용하여 안쪽도 시행한다.

③ 목의 얼음마사지 : 마사지 후 꿀꺽하도록 한다.

④ 경부의 긴장을 제거한다 : 용수적(用手的) 마사지. 자동 혹은 타동으로 전후, 좌우, 선회 운동 등을 시행한다.

⑤ 호흡법 : 입 오므리기 호흡, 숨 참기 등

2. 단계적 섭식훈련

섭식훈련 개시 전에 연하조영을 시행하고 싶겠지만, 여기에서는 굳이 연하조영을 시행하지 않을 때를 가정하여 이야기를 진행해 가겠다.

얼음마사지 후 꿀꺽을 확실하게 시행할 수 있게 되었다면 이하의 것을 개시한다. 체위는 30° 앙와위, 경부전굴로 한다.

① 소량의 물 마시는 훈련과 얼음 핥기
② 젤라틴 젤리나 푸딩의 섭식

이 단계를 수 일간 시행하고, 환자의 상태를 잘 관찰하여 기록에 남긴다. 발열은 없는지, 호흡상태의 악화는 없는지, 가래나 기침의 양과 성상에 변화는 없는지, 염증반응(CRP, 백혈구 수 등)은 없는지, 청진소견에 변화는 없는지, 흉부 X-선 검사에서 이상은 없는지 등을 주의 깊게 관찰한다. 확실히 삼키고, 환자의 반응이 좋게 되면 바로 합격이다. 사레든 경우는 휴식하고, 호흡 상태를 관찰하기 바란다. 가볍게 사레들어도, 쉬면 호흡 상태가 안정된다고 하면 섭식을 계속해도 좋다고 생각한다.

이상을 시행하고 최저 3일간 환자의 상태를 관찰하고, 이상이 없다면 식사단계를 높인다. 조금이라도 문제가 있다면 중지하여 기초훈련만 하는 것으로 되돌리기 바란다. 며칠 시행하여 환자의 상태가 안정되면 다시 단계적 섭식훈련을 처음부터 시작한다.

또한 섭식훈련 시에는 매회 반드시 5분 정도 기초훈련을 시행하고, 계속해서 섭식훈련을 시행하도록 하기 바란다. 문제가 있는 케이스에서는, 연하조영이나 내시경 검사를 시행하는 대책을 세우도록 한다.

3. 훈련중 영양확보

이제 섭식, 연하훈련 중 영양확보는 어떻게 하면 좋을지가 문제가 된다. 여러 가지 경우를 가정하여 장점과 단점을 생각해보도록 하자.

a. 코를 통한 경관 영양을 계속한 채 훈련을 시행한다.

훈련하는 측에게는 가장 편한 방법이다. 그러나 관의 위화감, 특히 꿀꺽하고 삼킬 때의 위화감이 환자에게 있어서는 큰 불쾌감이 된다. 또한, 관 주위가 불결하다, 보기에 좋지 않다 등의 문제점도 있다. Q100을 참조하기 바란다.

b. 훈련할 때만 코에서 관을 뺀다.

종종 행해지고 있는 방법이라고 생각한다. 환자가 코로부터의 관을 싫어하여 자주 뽑아버리기 때문에, 빼고 있는 동안 기초훈련을 한다든지, 섭식훈련을 하는 수동적인 방식을 하고 있는 경우도 있다. 적극적으로 이 방법을 할 때 고려할 수 있는 예로서 필자가 이용하는 방법을 기술한다.

① 아침에 주입이 끝난 후 관을 뺀다.

뺨, 입술, 혀의 마사지

② 낮에는 관 없이 지내고 그동안에 기초훈련과 섭식훈련을 시행한다.

③ 주간 근무 시간대의 마지막에(오후 4시 지나서 정도) 일손이 많을 때 코를 통해 관을 넣어서 두 번째 주입을 시도한다. 관을 그대로 유치하고, 야간은 빼지 않도록 한다.

④ 야간에 준하는 시기에(오후 10시 정도) 한번 더 주입한다.

이처럼 하면, 영양 확보나 주간 근무 시간대의 충분한 훈련시간을 확보할 수 있다. 단점으로는 관을 다시 넣을 때 환자가 느끼는 고통이나 보조자 측의 수고가 많다는 것을 들 수 있다. 또한 일상적인 식사시간의 리듬이나 주입 시간이 어긋나는 점도 문제이다. 그러나, 훈련시에 공복감이 있다는 장점도 있다.

c. OE법 또는 OG법의 이용

간헐적으로 입으로 관을 넣거나 빼거나 하여 영양을 확보하는 방법이다. 환자의 협력을 얻을 수 있는 경우에는 매우 좋은 방법이다[Q102]. 그러나 보조자가 방법에 익숙해 있지 않으면, 약간 맞추기 힘들다고 생각할 수 있다.

d. 정맥 주사로 보충

중심정맥 영양 등을 실시할 수 있으면 가장 좋겠지만, 의료진의 뒷받침이 없이는 불가능하다. 감염을 일으킨다든지, 정맥 루트를 확보할 때 기흉의 위험이 있는 것 등이 문제이다. 말초혈관으로의 투여로는 칼로리 섭취가 충분하지는 않다.

지금까지 섭식, 연하훈련시의 영양의 확보에 대해 서술하였다. 장기간 경관 영양을 시행해 온 섭식, 연하장애 환자가 갑자기 관을 빼고 그 날부터 전부 먹을 수 있게 되는 일은 없다. '훈련기간 중 관이나 영양의 확보를 어떻게 할지'가 성공의 열쇠를 쥐고 있다.

관으로 영양을 섭취하고 있는 환자의 훈련 프로그램

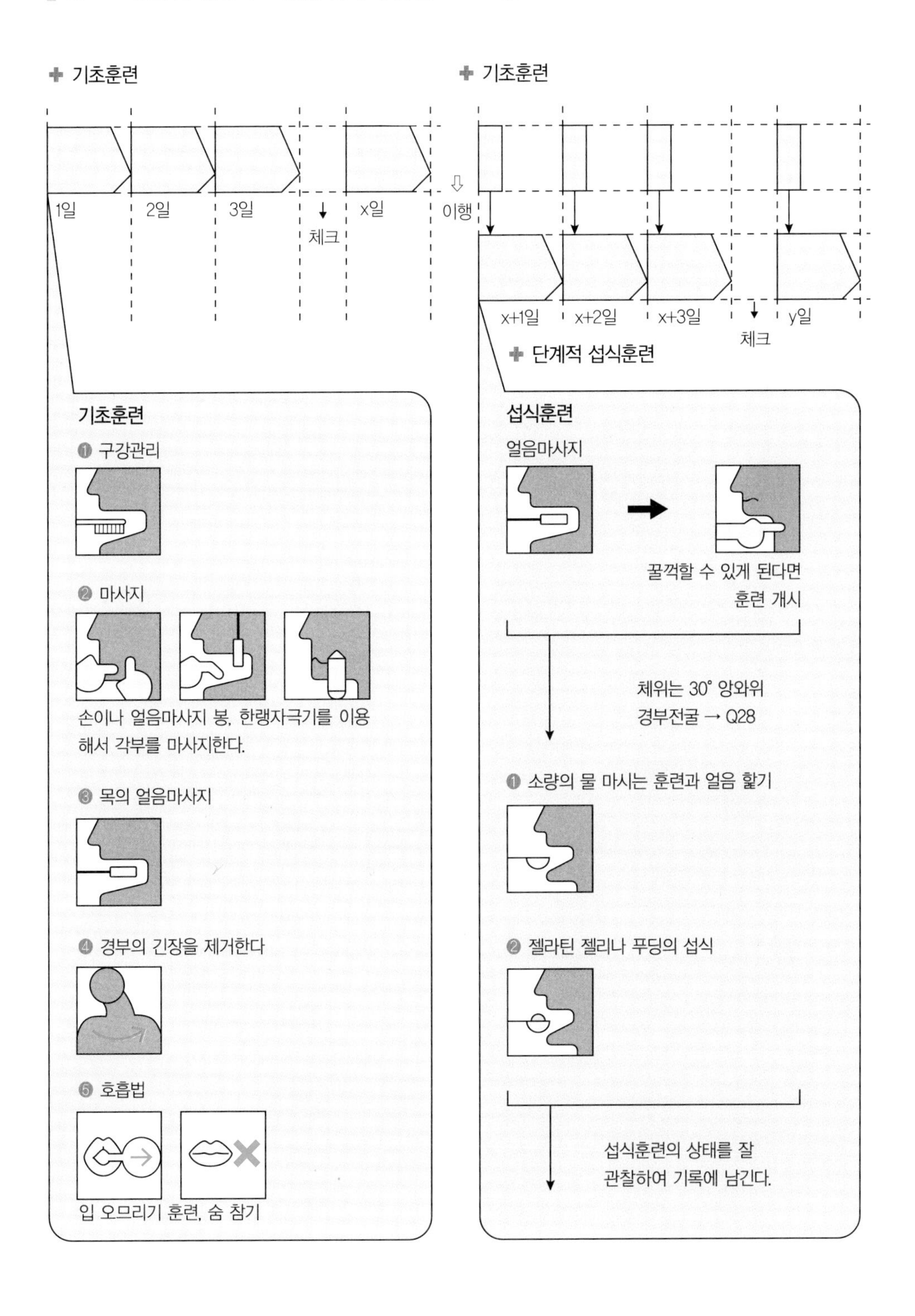

관을 뺀 그 날부터 전부 먹을 수 있게 되는 경우도 있을 것이라고 생각하지만, 그것은 섭식, 연하장애가 없는 환자에게 경관 영양을 시행했던 경우일 것이다(이것도 큰 문제이지만...). 그러나 관을 빼고 몇 번 식사를 잘하게 되어도, 점점 먹을 수 없게 된다든지, 폐렴을 일으킨다든지, 혹은 경관 영양으로 다시 돌아오게 되는 예가 다수 있다. 주의하지 않으면 안된다.

COLUMN

약으로 튜브가 막혀서 곤란할 경우의 해결법

약만 OE법을 이용해 튜브로 넣는다고 하는 경우도 생긴다. 일반적으로 튜브로 약제를 투여하는 경우에 곤란한 경우 중 하나로 튜브가 막혀 버리고 마는 문제가 있다. 최근 이 문제에 대해서 약제를 분쇄하지 않고 그대로 탕에 녹여서 투여한다고 하는 획기적인 방법이 제안되고 있었다. 이 방법은 ① 튜브가 폐쇄되지 않고 ② 분쇄시나 캡슐을 벗길 때 의료인, 가족 등이 흡인한다든지 손에 묻는 등 약제에 노출될 위험이 없고 ③ 분쇄, 캡슐 벗길 때나 물에 녹일 때 양이 주는 경우가 없고 ④ 수고스럽지 않다 등의 장점이 있다. 분쇄하는 방법 보다도 투여할 수 있는 약제의 수가 많다는 것도 놀랍다.

■ 藤島一郎 監修, 倉田なおみ 執筆 : 내복약 경관투여 핸드북 – 투여가능 약품 일람표, 제2판, じほう, 2006.

Difficulty Swallowing Q&A

Q99 관을 스스로 뽑아버리는 환자는 입으로 먹을 수 있다는 이야기를 들었는데 정말인가요?

코를 통해 관을 넣어 영양을 섭취하지 않으면 안되는 상태에는 여러 가지 원인이 있다. 그 중에 연하장애가 원인인 경우도 있다고 생각하지만, 연하장애가 아니고 급성기에 전신상태나 의식수준이 좋지 않아서 먹을 수 없고 관을 통해 영양을 섭취하고 있다고 하는 환자도 많이 있다. 급성기에 병원에는 오래 입원할 수 없기 때문에, 어느 정도 상태가 안정된 후에 시설 등으로 이동하는 경우가 많지만, 그러한 환자 중에는 관으로 영양을 섭취하는 동안 전신 상태가 개선되고 입으로 먹을 수 있는 능력을 회복하는 환자도 있다고 생각한다.

그러나 인지증이나 섬망 등의 기억장애 때문에 관을 자기가 빼 버리는 환자가 반드시 안전하게 먹을 수 있을 리는 없다. 연하장애 환자는 오연해도 사레들지 않는 경우가 있다. 그러한 사람은 관을 뽑은 그 날은 먹을 수 있어도 며칠 지나면 폐렴이나 탈수증상을 일으키는 위험이 있다. 때문에, 함부로 관을 빼고 갑자기 입으로 먹게 하는 것은 매우 위험하다.

만성기가 되어도 관을 넣어서 영양을 섭취하고 있는 환자가 있다면, 관을 넣고 있는 이유로 다음 중 어떤 것에 해당하는 가를 생각해 보기 바란다.

① 정말로 먹을 수 없다(먹으면 오연하고, 목을 통과하지 않는다 등)
② 적절하게 재활훈련을 하면 먹을 수 있다.
③ 급성기에 먹을 수 없었지만, 전신상태가 좋은 지금은 먹을 수 있는 가능성이 있다.
④ 먹을 수 있지만 먹는 것을 거부하고 있다.

그리고 그 환자 자신이,

① 정말로 먹고 싶어 하는가
② 지금은 먹고 싶다고 생각하지 않아도, 혹시 먹을 수 있는 가능성이 있다면 먹는 것을 희망하고 있는가

③ 환자 자신의 의지가 확실히 없는 경우는, 가족이 먹게 하고 싶어하는가에 대해서 생각해 보는 것이 중요하다. 그리고 먹게 하는 의미를 발견하게 되면, 먹게 할 수 있는 가능성을 신중하게 추구한다면 좋을 것이라고 필자는 생각하고 있다.

스스로 관을 뽑는다고 해서 손발을 억제(속박)하고 있는 환자가 있다면, 이 환자는 참기 어려운 고통으로 괴로워하고 있을 것이다. 이것은 어떻게든 하지 않으면 안된다. 잘 되고 있는 것만은 아니지만, ① 신중하게 입으로 먹는 것을 도전한다 ② OE법 등 간헐적인 tube feeding을 시행한다 ③ 위루(胃瘻)를 한다 등을 생각할 수 있다. Q97, 98을 참조하기 바란다.

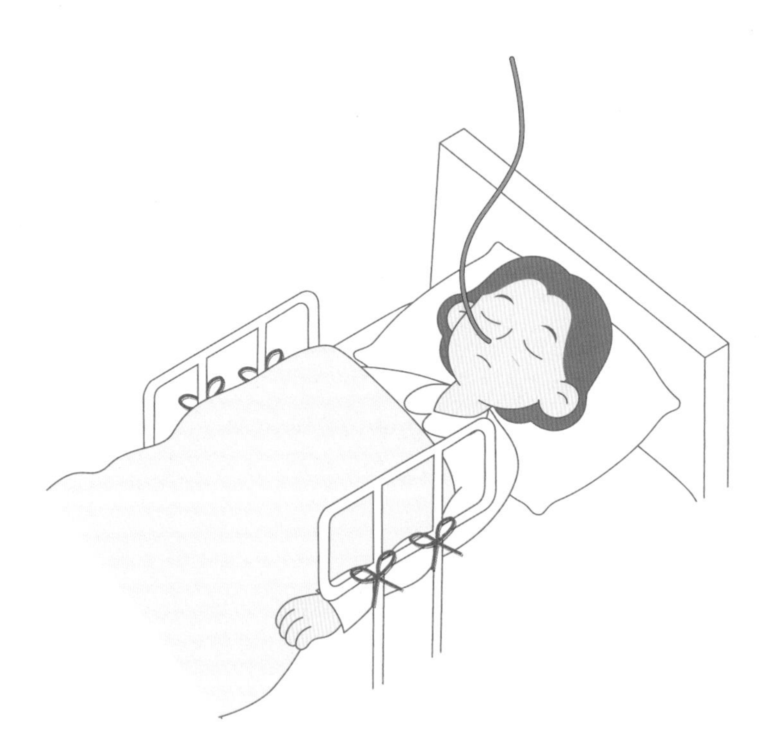

✚ 손을 억제하고 코를 통해 관이 들어가 있는 환자

Difficulty Swallowing Q&A

Q100 코에 넣는 튜브는 연하에 좋지 않은 영향을 미치나요?

매우 좋지 않은 영향을 미친다고 생각한다. 이전에 필자는 튜브가 후두개를 사진A와 같이 압박하고 있는 경우가 있는 것을 발견하였다. 이 사진은 내시경으로 보고 있는 것인데, 왼쪽 코로부터 들어온 튜브가 인두를 경사지게 주행하여 오른쪽의 식도 입구부에 들어가 있는 것을 볼 수 있다. 이것은 튜브가 방해하여 잘 연하할 수 없다. 튜브가 들어가 있는 것만으로 위화감이 느껴지는데, 후두개의 움직임을 제한하는 것과 같은 주행방향을 하고 있으면 연하는 매우 곤란해지게 된다.

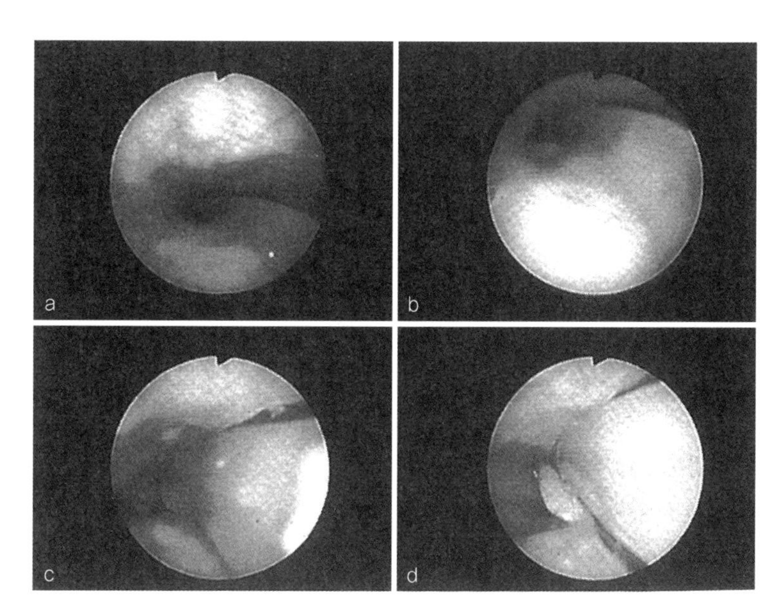

✚ 사진 A

a, b : 후비공으로부터 나와서 인두개로 향하는 튜브
c, d : 인두개를 압박하고 있다. 이래서는 연하할 수 없다.

그 후, 연구를 계속하여, 사진B와 같이, 가는 튜브가 후두개를 압박하지 않도록 들어간다면, 연하에 미치는 영향은 대부분 경감되는 것을 발견하였다. 만일, 튜브를 넣은 채 섭식하게 하는 경우에는 이러한 배려가 필요하다.

그렇다면 어떻게 하면, 인두를 경사지게 주행하지 않도록 튜브를 넣을 수 있는 것일까? 매우 간단하므로 방법을 설명하겠다.

① 체위는 semi-reclining 자세(位)로 베개를 높게 대고 지지해, 편안하게 자게 한다.

② 들어가는 코와 반대쪽으로 머리를 돌리게 한다. 다음 항목의 그림에서는 왼쪽 코로 들어가기 위해, 오른쪽으로 머리를 돌리게 한다. 이렇게 하면 왼쪽 인두가 넓어져 튜브는 왼쪽으로 가기 쉽게 된다. 필자는 원칙적으로 좌마비 때는 왼쪽 코로, 우마비 때는 오른쪽 코로 들어가도록 하고 있다. 마비측은 지각도 저하되고 있기 때문에 튜브의 위화감이 적기 때문이다.

③ 12~15cm 들어간 곳에서 꿀꺽하게 한다. 머리를 돌리고 있으면 인두구개에 튜브의 끝이 걸리지 않고, 꿀꺽하지 않아도 그대로 저항없이 식도 입구부를 통과할 수 있는 경우도 있다.
또한, '이-' 혹은 '에-'하고 발성하면서 튜브를 전진시키면 기도로 들어가기 어렵게 된다(Q100 칼럼 참조).

④ 입안을 들여다보면서 튜브의 주행 방향을 확인한다.
이러한 평범한 배려로 환자의 고통은 경감될 수 있다.

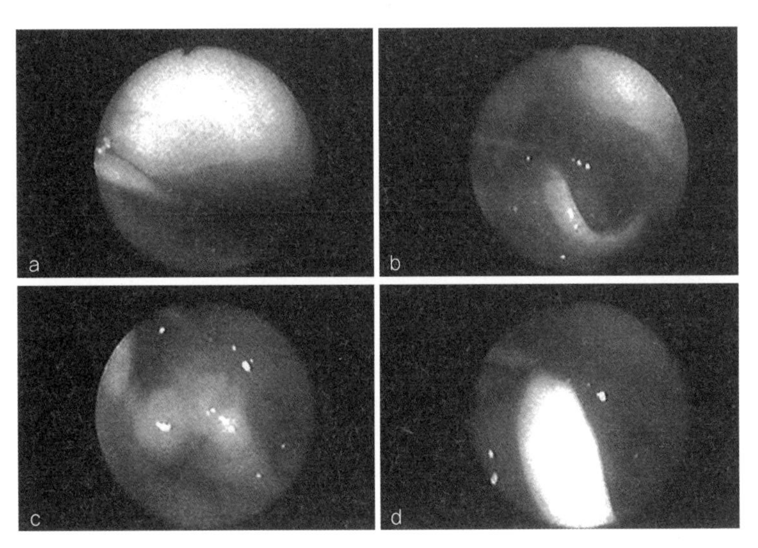

✚ 사진 B
가는 튜브가 오른쪽 코로부터 오른쪽 식도로 들어가 있다. 연하에 미치는 영향은 적다.

코를 통해 튜브를 넣는 방법

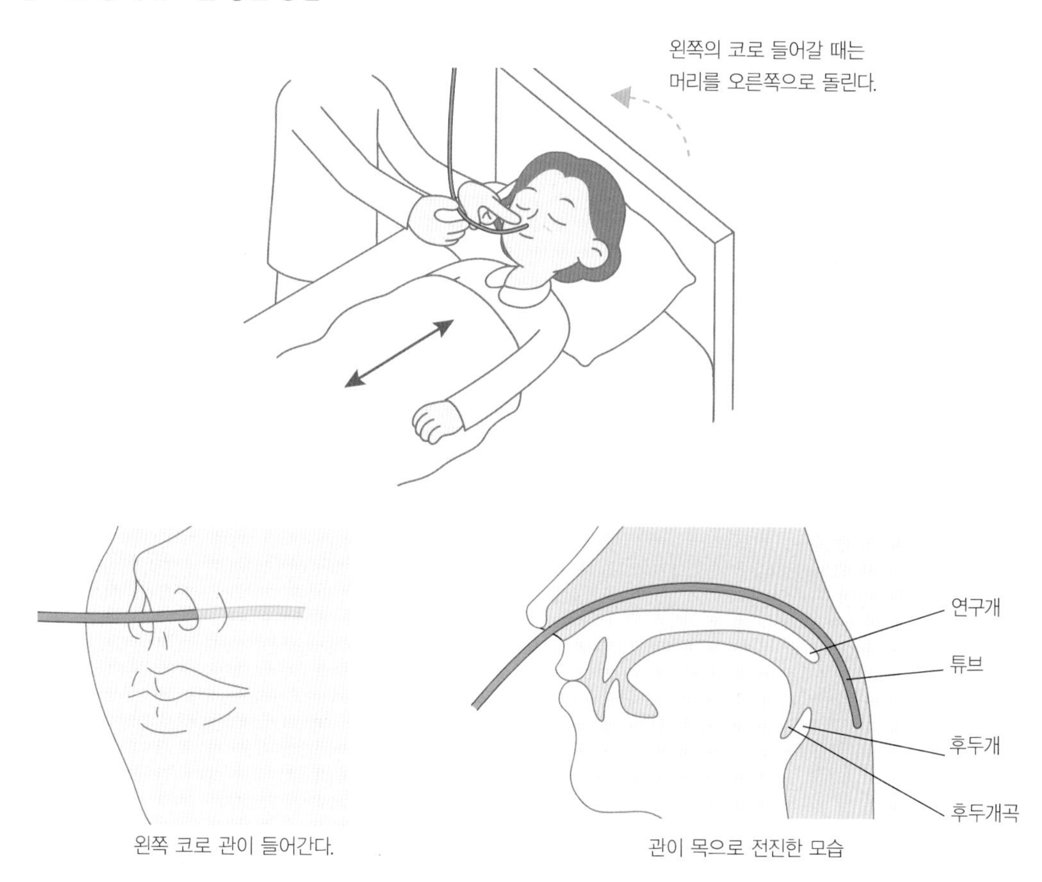

왼쪽 코로 관이 들어간다.

관이 목으로 전진한 모습

왼쪽 코로 들어간 튜브가 왼쪽 식도
입구부에 들어간 곳(뒤에서 본 그림)

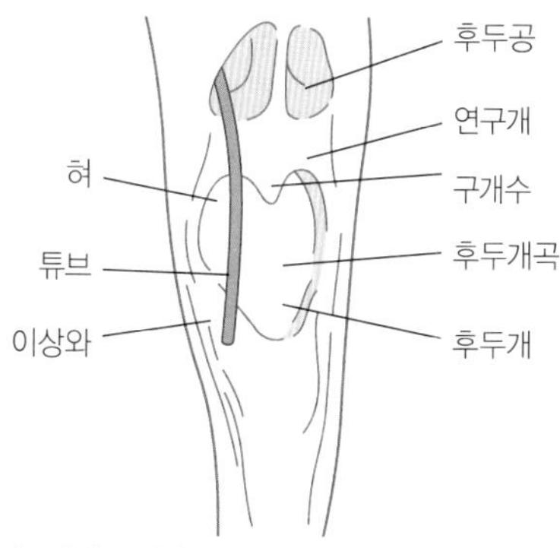

(꿀꺽하고 있기 때문에 후두개가 쓰러져 있다)

튜브는 후두개를 피하고 있어 연하에
미치는 영향은 적다(뒤에서 본 그림)

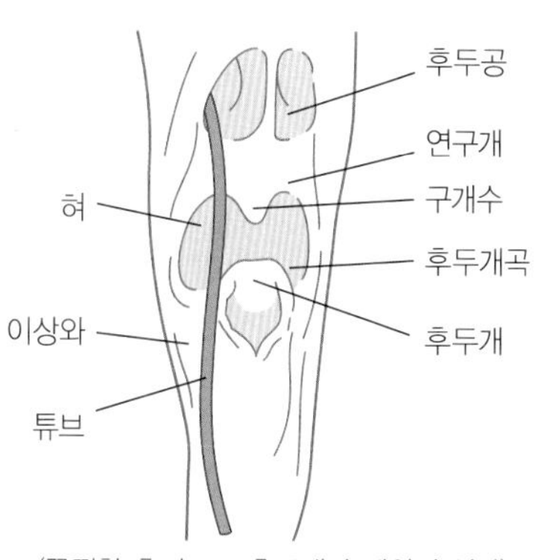

(꿀꺽한 후이므로 후두개가 세워져 있다)

CASE | 74세, 여성 : 급성 심부전

환자는 X년 12월 11일, 도쿄에서 하마나(浜名) 호수로 관광하러 왔었고, 호흡 곤란, 흉부 불쾌가 되어 본원에 구급차로 이송되었다. 급성심부전의 진단으로 집중관리실에서 치료를 받고, 1주일 후에 전신상태가 개선되었기 때문에, 경구섭취를 개시하려고 했지만, '목에 들어가도 삼킬 수 없다'고 환자가 호소해서 본과로 소개되었다.
의식수준은 좋고, 뇌신경의 마비 없었다. 발성은 가능하지만, 연하는 불가능했다. 또한 사지마비도 지각이상도 없었다. 환자는 18 French Gauge(F) Magen Sonde(경구용 투여기; 胃管)가 코를 통해 유지 장착되어 있었고, 내시경(fiber scope)으로 확인한 후, 오른 쪽의 코로 투입된 튜브는 인두에 경사져서 가로질러, 오른쪽의 식도입구부에 들어가서 후두개를 막아서 움직임을 제한하고 있었다(사진A).
Magen Sonde를 빼고, 후두개를 억제하지 않도록 8 French Gauge(F)의 가는 튜브를 오른쪽 코를 통해 왼쪽 식도 입구부에 바꾸어 넣었는데(사진 B), 그 직후부터 환자는 연하 가능하게 되고, 단계적 섭식훈련을 거쳐 3일만에 경구 섭취가 가능하게 되었다.
튜브가 연하에 악영향을 미치고 있던 대표적인 증례이다. 경비관 영양식 튜브를 유지하는 방법에 대해서는 주의하지 않으면 안된다.

COLUMN

'이-' 혹은 '에-' 라고 목소리를 내면서 튜브를 넣는 방법

소리를 나면 성대가 닫히고, 식도 입구부가 열리게 된다. 이것을 알고 있으면 코를 통해(OE법의 경우도 마찬가지) 튜브를 넣을 때 소리를 내면서 전진하면 기관이나 폐의 방향으로 튜브가 들어가기 어렵고 식도 쪽으로 들어가기 쉽다는 것을 알게 된다. 특히 '아-'나 '오-'가 아니고, '이-'나 '에-'의 발성시에는 인두가 넓혀지기 때문에 유리하다.

Difficulty Swallowing Q&A

Q101 연하훈련 중 영양 확보에는 어떠한 방법이 있는지 상세하게 가르쳐 주세요.

전 페이지에서 기술했다시피, 연하훈련 중 입으로 충분한 칼로리를 섭취할 수 없는 때에는 보조적으로 영양을 확보하지 않으면 안된다. 연하훈련을 성공으로 이끌기 위해서는 능숙한 보조 영양의 확보가 핵심이 된다. 여기에서는 다른 각도에서 다양한 보조 영양법을 정리해 보았다.

1. 중심 정맥 영양(IVH : intra-venous hyperalimentation)

연하훈련을 시행하는 입장으로서는 경관 영양보다 혈관 주사로 관리하는 편이 훈련하기 쉬워진다. 말초에서의 혈관 주사는 안전 면, 간편함 등의 장점이 있지만, 건강한 쪽의 상지에 관이 붙어있으면 부자유스러운 점, 새어 버리는 점, 고 칼로리가 들어갈 수 없다는 점 등의 단점이 있다. 이것에 대해서 중심 정맥 영양은 넣었을 때의 번잡함이나 기흉 등의 위험을 제외한다면, 청결 관리로 장기간 영양 관리를 할 수 있어 매우 유용하다. IVH를 시행하면서 물리치료나 작업치료, 언어치료도 할 수 있고 외박까지도 가능하게 된다.

2. 경관 영양

a. 경비적 경관 영양(NG법 : naso-gastric tube feeding)

일반적으로 시행되고 있는 방법으로 간편하기 때문에 널리 사용되고 있지만, 연하장애인은 구강이나 인두의 분비물이 증가되고, 분비물의 오연이 증가한다는 단점이 있다. 또한, 연하훈련을 하는 경우에는 비인두강의 이물감으로 매우 불쾌하고 연하운동에 방해도 되어 바람직하지 않다. 설사가 심할 때는 관의 끝을 식도까지 빼내어 주입하는 경우가 있다(NE법 : naso-esophageal tube feeding).

b. 간헐적 구강식도 경관 영양(OE법 : intermittent oro-esophageal tube feeding)

다음 페이지 참조.

c. 위루(胃瘻)

위에 구멍을 내어 직접 주입하는 방법이다. 최근은 내시경 수술로 간편하게 위루를 만들 수 있게 되었다. 간편하다는 점, 코나 입에 위화감이 없는 점 등으로 즐겨 이용하는 시설도 있는 것 같다. 그러나 설사나 마비성 장폐색이 발생하기 쉽다는 것, 위에 구멍을 낸다는 것의 심리적 저항감 등 논쟁의 여지가 있다. 필자는 무슨 사정이 있는 경우 이외에는 적극적으로는 시행하지 않고 있다. 그러나 장기간 경관 영양이라는 측면에서는 관리가 편하고 최적이라고 생각할 수 있다.

위루 튜브에도 그림과 같이 긴 풍선형의 것과, 단추형의 것 등 다양한 형태가 있다. 단추형의 것은 그대로 목욕할 수 있고, 돌출부가 적기 때문에 방해가 되지 않는다. 의사와 상담하고 ADL(Activities of Daily Living; 일상생활 수행능력)의 장애가 되지 않는 것을 선택하도록 하는 것이 좋을 것이다.

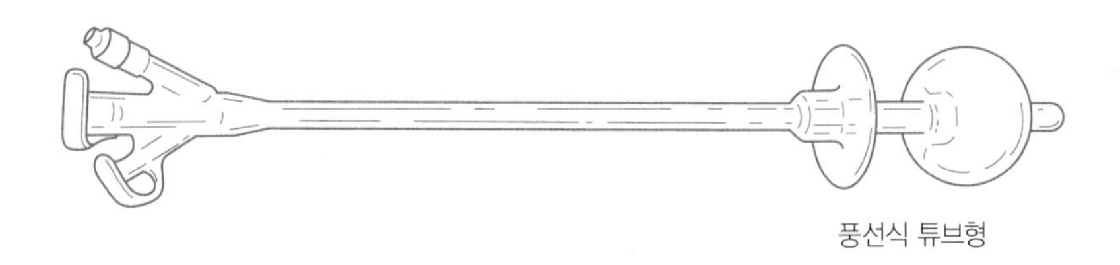

풍선식 튜브형

범퍼식 단추형

Difficulty Swallowing Q&A

Q102 입을 통해 관을 넣어서 영양을 공급하는 방법을 가르쳐 주세요.

입을 통해 18 French Gauge(F)의 관(경비 영양에 이용하는 것)을 1회 마다 넣고 주입하는 방법이다. 1일 3회, 식사 시간에 맞추어 스스로 시행하는 것도 가능하다. 튜브의 끝의 위치는 식도에 두어도 좋고 위에 두는 것도 가능하다.

관의 표면을 적시고 구강, 인두 점막도 충분히 촉촉해지는 것을 확인하면서, 마취 젤리(xylocaine 젤리)를 묻혀서 집어넣는다. 입을 가볍게 벌리게 해서, 입가(구각)에서 시작하여 반대쪽의 목을 노리고 미끄러지듯 집어넣으면 후두개에 걸리지 않고, 인두측벽을 따라 부드럽게 식도로 들어간다. 어금니가 빠져서 창문처럼 열려 있는 환자는 치아의 틈으로 집어넣으면 좋을 것이다. 집어넣는 쪽의 구각에 머리를 돌리게 해서 턱을 당기도록 하면, 통과하는 인두가 넓어져서 더욱 쉽게 들어가게 된다. 예를 들어, 오른쪽 구각으로 집어넣는 경우는 오른쪽 하방을 향하도록 하고 왼쪽 목을 노린다. 너무 지나치게 반대쪽을 노리게 되면 입안에서 너무 장시간 진을 치게 되므로 조절하기 바란다. 또한, '이-'나 '에-'라고 발성하면서 튜브를 전진시키면 기도로 들어가기 어렵고 식도로 들어가기 쉽게 된다(Q102 칼럼 참조). 인두 반사(관을 넣으면 꽥 하는 반사로 gag reflex라고도 한다)가 강한 사람에게는 적합하지 않다. 또한 극히 드물게 관이 부드럽게 들어가지 않는 사람이 있어, 이 방법이 사용할 수 없는 경우도 있다.

식도로 주입하는 방법은 간헐적 구강식도 경관 영양, OE법(intermittent oro-esophageal tube feeding)이라고 불리우고 있는 방법으로, 식도로 주입하는 경우에 보다 생리적인 식괴의 흐름에 근접하게 된다.

식도로 주입된 영양액이 식도의 연동운동을 일으키고, 연동에 의해 음식물이 위로 운반된다. 이것에 의해 소화관의 움직임이 생리적으로 활성되어 설사의 감소, 위식도 역류의 감소를 기대할 수 있다. 주입 속도도 높일 수 있어서 필자는 1분간 약 50mL, 500cc에 대해 10~15분의 주입시간을 선택하고 있다. 이 방법을 사용할 수 있으면 환자에게 부담을 줄여줄 수 있어 만족하고 있다.

입을 통해 튜브 넣는 방법

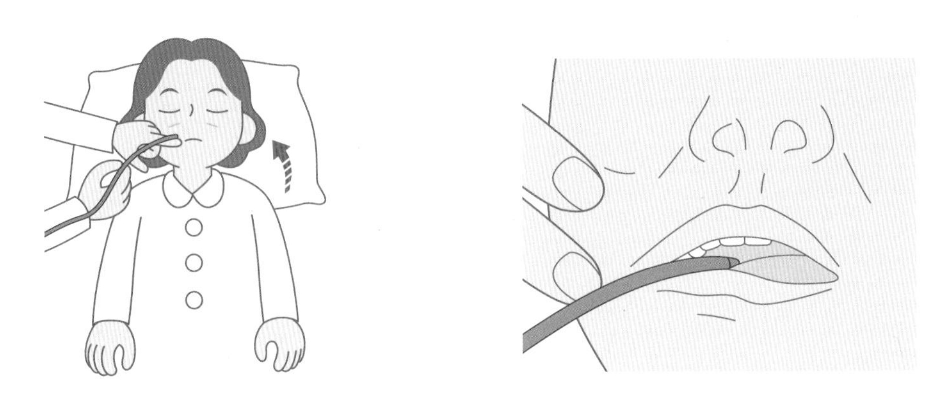

오른쪽 구각에서 들어가는 경우. 오른쪽 아래를 향하게 해서 왼쪽의 목을 노린다.

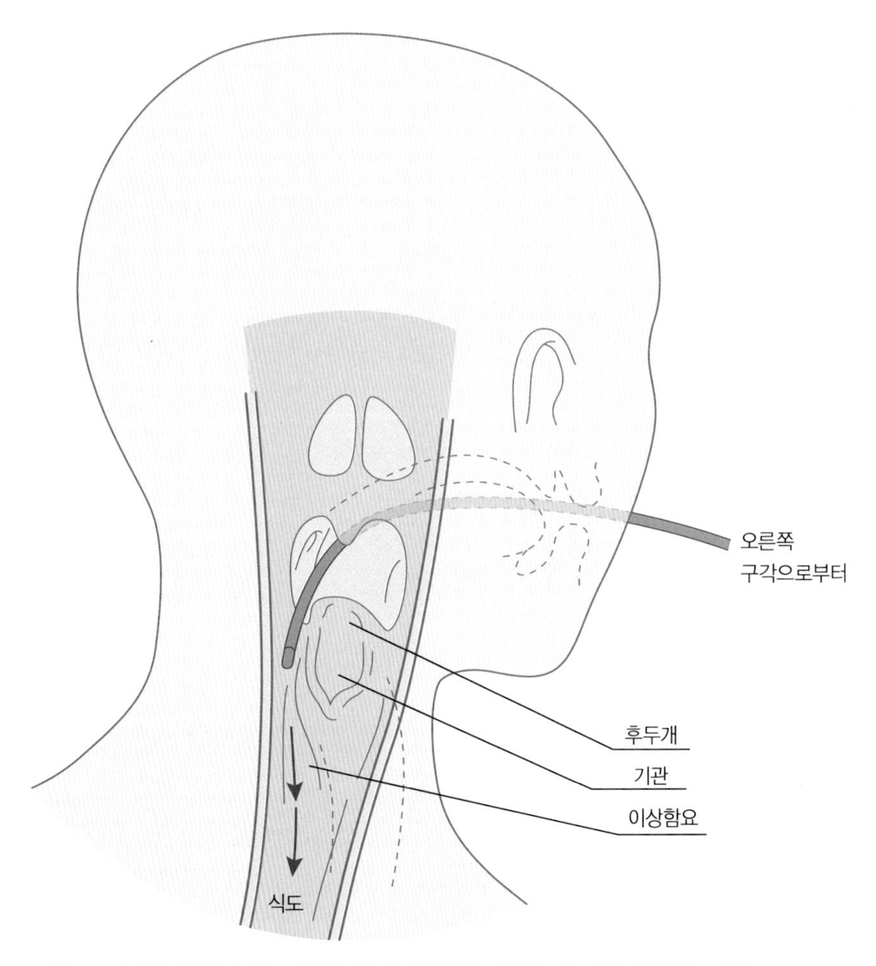

오른쪽 구각에서 시작하여 왼쪽 이상함요를 통과한다(관, 점막면 모두 촉촉해져 있는 경우).

OE법은 재택이나 시설에서 하루에 3번씩 실시하고 장기적으로 사용하는 것도 가능하지만, 연하훈련 중이나 경구섭취가 불량한 경우의 보조영양으로서 단기간 사용하면, 큰 장점이 있다.

식도까지는 입에서부터 30~35cm, 처음에는 식도의 관의 위치나 식도의 연동, 식괴의 흐름을 X-선 투시로 확인한다. 위까지 삽입하여 청진기로 공기가 들어가는 소리를 확인한 후, 식도의 위치까지 끌어당기면 좋을 것이다.

식도에 주입하는 경우는 반드시 의사와 상담한 후 시행하기 바란다. 식도에 병이 있는 사람이나, 기침을 자주 하는 사람, 딸꾹질을 하는 사람에게는 적절하지 않다. 구강 운동장애로 언제나 입을 움직이고 있는 환자는 관이 빠져 나올 우려가 있다.

관 끝을 위에 두는 경우는 경비적 경관 영양와 완전히 똑같다. 그러나 주입시간이 길어지게 되기 때문에 중도에 관이 빠지지 않도록 배려하지 않으면 안된다.

유사한 방법으로, 소아영역에서 '구강 Nelaton 법'이 있다. 관의 끝의 위치를 위에 두도록 하는 것이지만 확실하게 기술되고 있지 않다(덧붙여, Nelaton tube의 'Nelaton'이라고 하는 말은, 외과의사인 Nelaton 선생에 의해 도뇨용(導尿用) 관이 개발되었기 때문에 붙은 것 같다).

COLUMN

칼럼 OE법은 '오-' '이-' 법으로

입을 통해 목으로 튜브를 보낼 때 '오-'라고 발성하게 한다. 그러면 '오-' 형은 입술 끝이 뾰족해지고 구강이 통모양이 되고, 목을 향하여 부드럽게 튜브가 전진한다. 7~10cm 정도 들어갔을 즈음에 '이-' 혹은 '에-'하고 말하게 한다. '이-'나 '에-'는 목(인두)가 전후로 넓어지는 동시에 성대가 닫히고 식도 입구부가 열리게 된다(앞 칼럼 참조). 15~17cm의 위치에서 튜브가 식도입구부에 도달하기 때문에 이 때 '꿀꺽'하고 삼키게 하면 좋을 것이다. OE와 '오-' '이-'는 또 한편으로는 '오 좋은(일본어로 이이) 방법이다'의 언어 유희법이다.

Difficulty Swallowing Q&A

Q103 기관 cannula가 들어가 있어도 먹을 수 있습니까?

먹을 수 있다. 들어가 있는 cannula에 따라 먹기 쉬운 정도가 다르기 때문에 우선 간단하게 cannula의 종류를 설명한다. Cannula의 종류도 많지만, 크게 나누면 ① cuff가 있는 cannula ② cuff 없는 speech cannula ③ retainer cannula로 나눌 수 있다.

1. Cuff 있는 cannula

Cannula에 풍선(cuff)가 붙어 있고, cuff를 팽창시키면 오연을 방지하는 메카니즘이 된다. 그러나 오연이 cuff의 위에 쌓여 오면 조금씩 새어 기관으로 들어가게 되기 때문에, 완전히 오연을 예방할 수는 없다. Cuff의 위에 쌓인 분비물 등을 제거하기 위해 흡인관이 달려 있는 제품(Portex 회사 제품 Vocalaid®, 주식회사 高研 제품 Koken Speech Cannula® 등) 이 판매되고 있어, 오연이 많은 환자에게 적당하다.

2. Cuff 없는 cannula, Speech cannula

Cuff가 없고 공기가 인두나 목에서 빠질 수 있기 때문에 발성이 가능하다. 내통(內筒)과 외통(外筒)이 있고 흡인하기 쉬운 type과 일방향(一方向) 밸브가 붙어 있어 speech에 유리한 type 등이 있다. Cuff가 없기 때문에 오연된 것은 그대로 기관 쪽으로 흘러들어가지만, cuff에 의한 저항이 없기 때문에 연하운동에는 유리하다[Q104].

3. Retainer cannula

Speech cannula의 외통이 기관벽을 자극하는 단점을 가지고 있는 것에 대해,

retainer cannula는 기관공을 버튼으로 폐쇄하는 것과 같은 구조로 되어 있어서 자극이 적고 우수하다. 이비인후과에서 체격이나 기관공의 크기로 사이즈를 맞추어 삽입하게 한다.

일반적으로는 ① → ② → ③의 순으로 기관벽으로의 자극이 적고, 연하에는 유리하다. 특히 ②, ③에서 기관공에 뚜껑을 덮어 주면 연하시의 성문 하압(下壓)이 쉽게 유지되고 연하의 메카니즘이 자연에 가까운 상태가 된다.

자, 어떤 이유로 기관 cannula가 들어가 있을 수 있는지를 먼저 생각해 보도록 하자. 만성 호흡기 질환 때문인지, 뇌신경외과 등에서 급성기 구명 목적인지, 오연이 많기 때문인지.

다음으로 호흡 상태, 가래 상태, 오연량 등을 보기 바란다. Cannula가 자극이 되어, 격렬하게 기침하는 것 치고는 가래가 적은 경우가 있다. 의사에게 상담하여 적절한 cannula를 선택한다면 연하도 보다 부드럽게 될 것이다.

Cannula를 넣고 있을 때는, 연하의 순간에 cannula의 공기 구멍을 막으면 오연을 적게 할 수 있다. 가볍게 눌러서 후두의 거상에 맞추어 도와주면 좋을 것이다.

Cuff가 있는 경우는 의사와 상담하고, 가능하면 cuff를 빼는 쪽이 자극은 적게 되고, 연하에 유리하다. 그러나 오연이 많은 경우는 반대로 확실히 부풀게 하지 않으면 안된다. 귓불의 딱딱한 정도로 기준을 삼기 바란다.

또한, 'cuff가 팽창하여 식도를 압박하지는 않은지'라고 질문 받는 경우가 있지만, cuff의 위치는 식도와 벗어나 있고 압박 받는 위치 관계는 아니다. 연하조영으로 보아도 cuff에 의한 식도 통과장애가 보이는 경우는 없다.

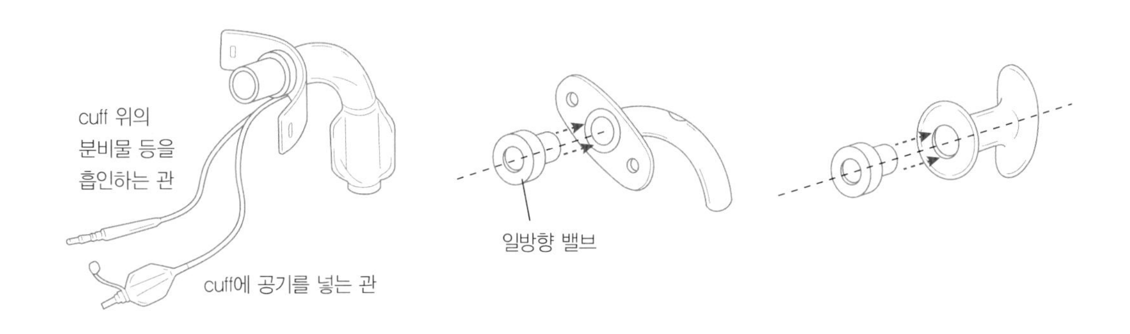

✚ cuff 부착 cannula　✚ 일방향 밸브 부착 speech cannula　✚ retainer cannula

Difficulty Swallowing Q&A

Q104 기관절개 cannula로 오연을 예방할 수 있습니까?

기관절개 cannula로 완전히 오연을 예방할 수 없다. Cuff 부착 cannula라고 해도, cuff를 빠져나가 타액 등의 체액은 기관으로 들어가 버리고 만다. 연하장애가 있는 사람에게, methylene blue(blue eye) 등의 색소를 입안에 넣으면, cuff를 부풀게 하고 있어도 기관절개공으로부터 청색의 색소가 나오는 것을 통해서, cannula로는 오연을 방지할 수 없다는 것을 알 수 있다.

자, 그림을 보고 공기의 흐름을 생각해 보기 바란다. ① cuff 부착 cannula에서 cuff가 팽창해 있으면 연하운동도 제한되고 ② 인두로부터 후두로 들어가다 걸린 음식물 등은 그대로 중력에 이끌려 기관 쪽으로 떨어지게 된다. ①, ② 의 이유로 cuff 부착 cannula를 사용하고 있는 경우는 연하에 무척 불리하다는 것을 알 수 있다(그림 1, 2). 한편, cuff 없는 cannula는 연하운동은 쉽게 할 수 있지만, 기관에 들어가 걸린 오연

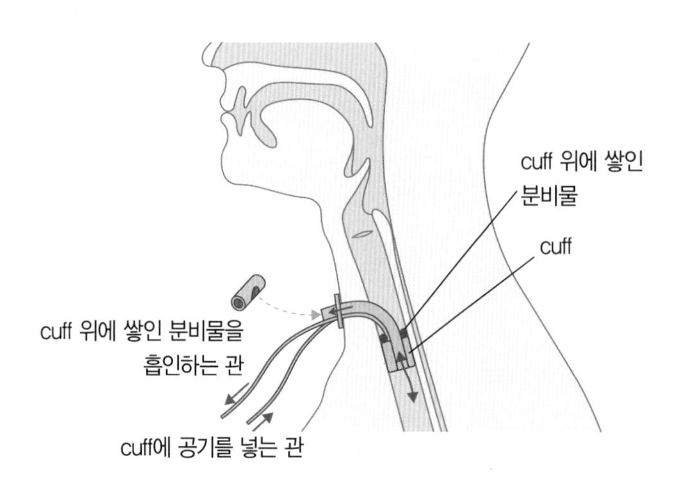

✚ 그림 1 cuff 부착 cannula를 넣은 모습

✚ 그림 2 cuff 부착 cannula

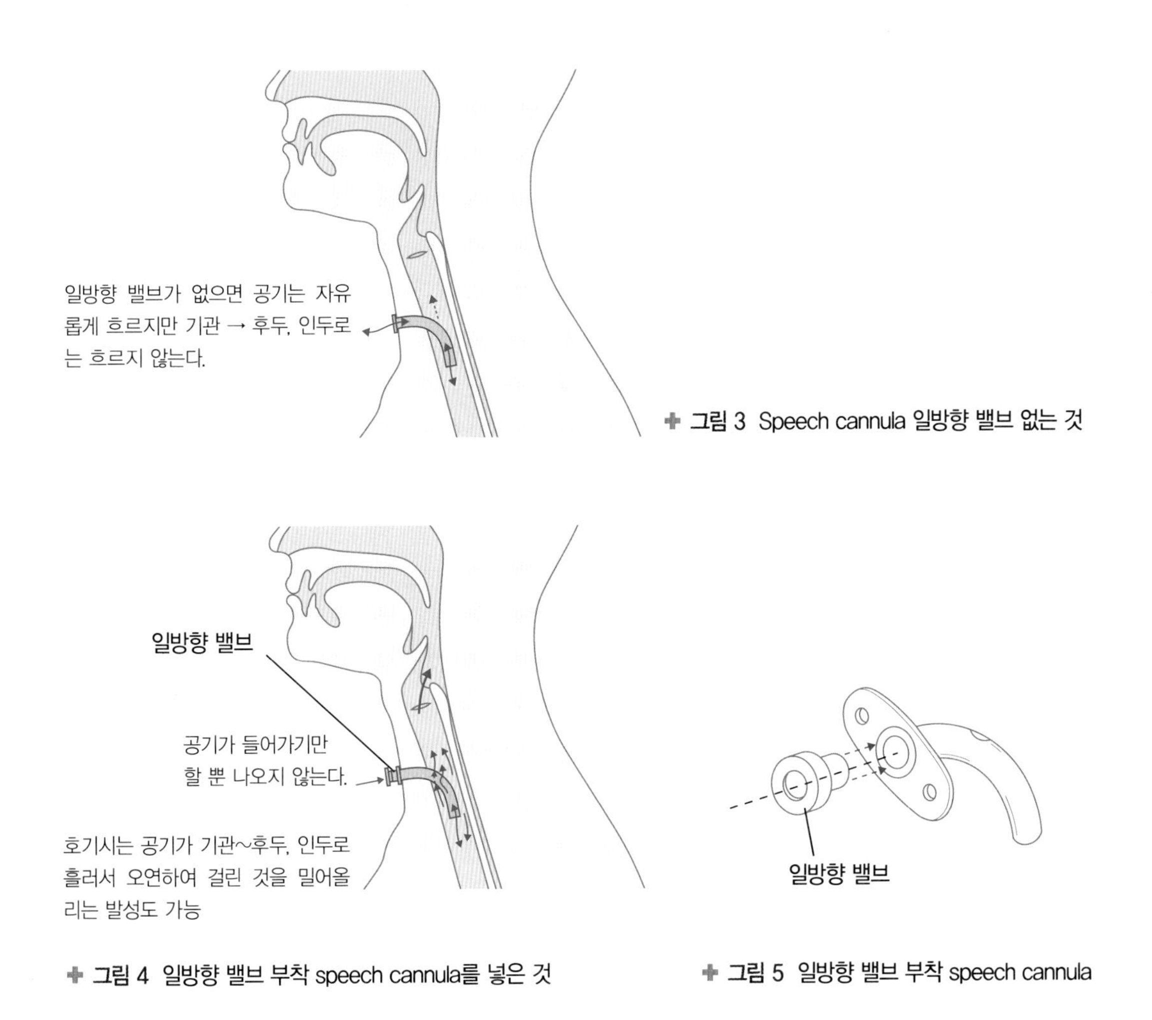

✚ 그림 3 Speech cannula 일방향 밸브 없는 것

✚ 그림 4 일방향 밸브 부착 speech cannula를 넣은 것

✚ 그림 5 일방향 밸브 부착 speech cannula

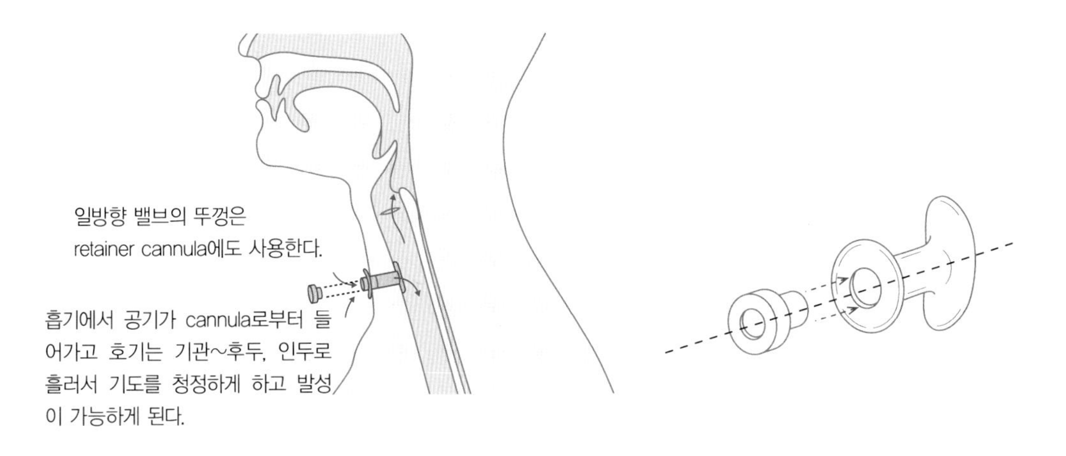

✚ 그림 6 일방향 밸브 부착 retainer cannula

✚ 그림 7 retainer cannula

물은 그대로 오연되고 만다(그림 3). 이에 대해 일방향(一方向) 밸브 부착 speech cannula나 retainer cannula는 흡기가 기관절개공으로 들어가기 때문에 인두잔류물을 흡인하지 않고 호기에서는 공기의 흐름이 오연하여 걸린 음식물을 인두로 밀어 되돌리도록 움직인다(그림 4, 5, 6, 7). 연하장애의 중증도에 따라 다르지만, 연하훈련에 대해서는 일방향 밸브 부착의 speech cannula를 사용하는 정도의 수준에서 섭식훈련에 들어갔으면 한다.

COLUMN

OE법용(用) 구강내 장치

72세 남성의 증례이다. 좌후두엽 피질하 뇌출혈의 후유증에 의한 연하장애 및 고차 뇌기능 장애가 있었다. 섭식상황의 수준은 Lv6이지만, 수분량을 충분히 확보할 수 없어서 OE법으로 수분을 보조하고 있다. 그러나 고차 뇌기능 장애 때문에 튜브를 씹고 마는 등의 문제 행동이 있었다. 그래서, 세레미카타하라(聖隷三方原) 병원의 치과의사인 오노 토모히사(大野友久) 선생님께 OE법의 안전한 실시를 할 수 있는 구강 내 장치를 의뢰해 제작하도록 부탁하였다(그림). 완성된 것은 상악에 장착하는 장치로, 구치부의 교합을 거상시켜 튜브가 씹히지 않도록 하고 있는 점과 튜브를 통하는 터널 형태의 구멍이 상악 좌측 구치부 구개측면에 만들어져 있다는 두 가지 점이 특징이다. 터널은 다소 경사져 만들어져 있어 튜브를 우측 구각부 부근으로부터 터널을 통해 구강내를 통과하고, 좌인두 측벽으로부터 좌식도 입구부로 확실하게 유도할 수 있도록 배려하고 있다.

이 장치에 의해 튜브 투입이 확실하게 됨과 동시에 씹어 버리는 일도 없게 되었다.

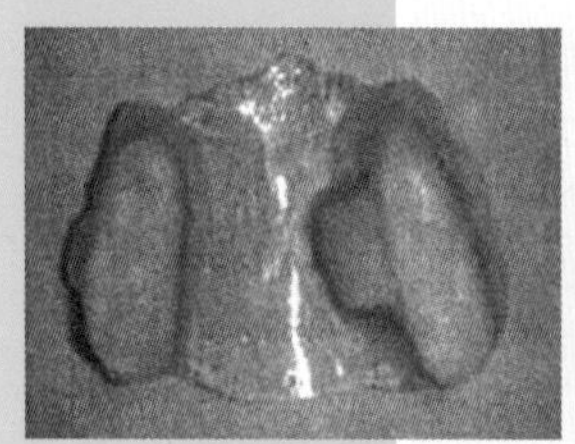
장치의 사진

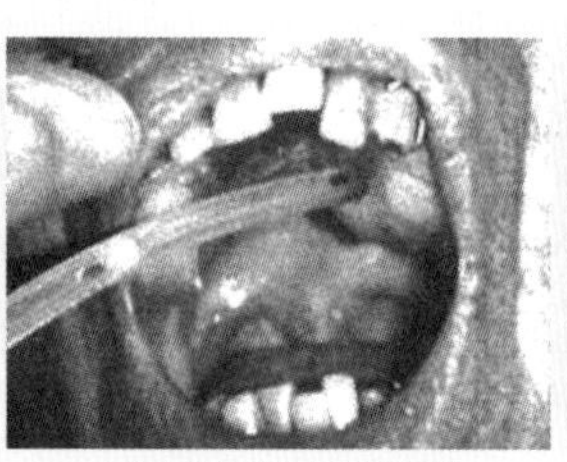
터널에 튜브를 넣은 것

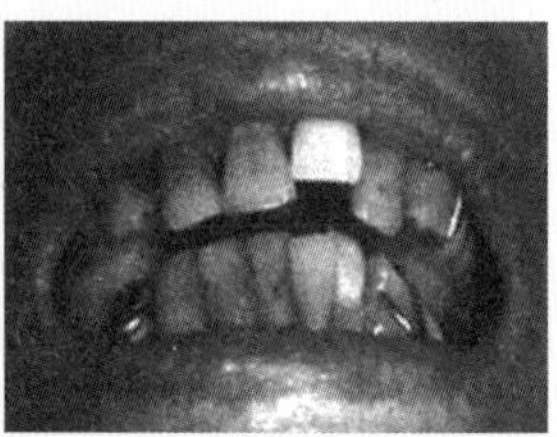
튜브는 깨물 수 없게 되어 있다.

✚ OE법용 구강내 장치

– 大野友久, 藤島一郎, 西村立, 藤本江実, 藤島百合子 : 간헐적 구강식도 경관영양법 (OE법) 용 구강내 장치의 고안. 日攝食嚥下재활학회지 13(1):1343-8441, 2009.

Difficulty Swallowing Q&A

Q105 위식도 역류 방지에 효과적인 방법을 가르쳐 주세요.

오연성 폐렴을 일으키기 어려운 방법으로 최근 주목받고 있는 영양제 겔화(반고형화) 주입법이 있다. 이것은 지금까지 시행되어 온 액체 영양제 대신에 (반)고형화시킨 영양제를 사용하면 위식도 역류(GER)이 감소하고, 오연성 폐렴의 예방효과가 있는 것을 알게 되었기 때문에 시행할 수 있게 되어 최근 급속히 확대되고 있는 방법이다. 주입하는 액체 영양제를 한천이나 증점제(점도 증가제)로 겔상으로 만든다든지 원래부터 겔상의 영양제(terumeal soft®) 등을 주입한다든지 하여, 액상의 영양제를 주입할 때 생기는 여러 문제점을 해결할 수 있는 우수한 방법이다.

장점으로서
① 주입시간의 단축
② 설사, 구토, 역류 방지
③ 포만감을 얻을 수 있다
등이 있다.

단 이 방법은 경비 경관 영양 등으로 가는 튜브를 사용하고 있을 때는 점도가 높아서 주입할 수 없다. 그 경우, pectin gel을 먼저 주입한다든지 해서 위 내에 영양제와 반응시켜 겔화시키는 방법(Kewpie 사 : REF-P1과 Janef)도 있다. 또한 통상의 토로미제(증점제)는 경관 영양제에 비해서 걸쭉함을 띄기 어렵고 걸쭉하게 될 때까지의 시간도 걸리지만, 이 시간차를 이용하여 토로미제를 넣어서 걸쭉하게 되기 전에 바로 주입시켜서, 위 안에서 겔화가 되는 개선법이 제안되고 있다.

산키(三鬼) 등에 의하면 영양제는 Isocal® RTU 400mL와 Neo-hightoromeal® Ⅲ를 1.1%(1포는 2.5g이기 때문에 반량의 225mL에 대해서 1포) 첨가, 30회 휘저어 섞은 후에 8 French Gauge(F)의 NG 튜브를 통해 50mL catheter tip으로 주입, 인공위액은 주입 후 10분 후 20,000mPa·s 이상의 점도를 얻을 수 있고 위내시경으로 보면 반고형화 형성은 충분하다고 생각된다.

또한 위식도 역류증은 경관 영양 중인 환자에게서 오연성 폐렴의 중대한 원인이라고 생각되고 있지만, 폐렴은 타액 오연, 구강내 오염물 오연, 객담 배출력 저하, 체력 저하 등도 관계하고 있기 때문에, 주입법의 고려만으로는 예방할 수 없는 것임을 이해하기 바란다.

1. 체위에 대하여

주입 중일 때도 주입 후일 때도 체위는 복부를 압박하지 않도록 하면서 될 수 있는 한 상체를 세운 체위로 접근한다. 가능하면 침대보다도 체위가 흐트러지지 않는 휠체어에 탄 채로 주입하는 것이 좋다고 생각한다. 영양제 주입에 의한 식후 저혈압을 쉽게 일으키는 사람은 reclining 휠체어를 사용하고, 하지를 거상시키는 등의 고려가 필요하다.

2. 유동식 + 물의 주입시간

일반적으로는 물(맹탕으로 끓인 물)의 투여는 경관 영양제에 섞어 넣거나 경관 영양제 주입 후에 시행되고 있다고 생각한다. 그러나 백탕(白湯: 끓인 물)을 100~200mL 먼저 넣고(5~10분 정도의 급속주입으로 문제 없음), 그 후에 영양제(200mL)를 1시간 주입하는 방법이다. 번저 백탕을 넣으면 위가 자극되고 위로부터의 배설이 빠르게 되어 역류가 감소된다고 생각된다. 물론 최후에 튜브에 힘주어 주입해 흘러나오게 한다든지(flush) 약제 투여를 위해 백탕을 적당량 사용하는 것은 문제 없다. 또한 가능하다면 백탕을 넣은 후, 이미 겔화된 영양제를 15분 정도 주입하면 역류도 적고 주입시간이 단축되어 그 밖의 케어에 할애할 수 있는 시간이 늘어난다. 확실히 일석이조의 방법이지만 모두가 사용할 수 있는 방법은 아니기 때문에 의사와 상담하면서 이러한 방법도 검토해보면 좋을 것 같다.

- 合田文則 : 위루부터의 반고형 단기간 섭취법 가이드북 - 위루 환자의 QOL 향상을 목표로. 醫歯薬出版, 2006.
- 藤島一郎, 藤森まり子 : 섭식, 연하장애 호나자분의 경관영양제. 難病と在宅 16(1):27-30, 2010.
- 三鬼 達人, 馬場 尊 : 가는 튜브로도 검토할 수 있는 반고형화 영양법. Expert nurse 25(9):32-37, 2009.

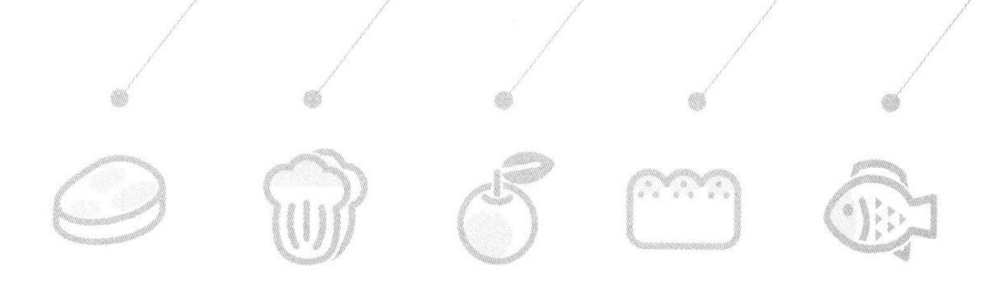

CHAPTER 09
증례

각각의 Q&A 내용 중에 구체적인 증례를 많이 기술했지만 여기에서는 조금 상세하게 소개합니다.

증례 1 : 외래에서 복지시설 입소자에 대하여 지도하면서 훈련했던 예

증례 2 : 종합병원에서 일단 '먹을 수 없다' 고 판단되었고 병원에 들어간 후에 가족의 강한 희망으로 필자의 병원으로 옮겨와 입원하여 훈련했던 예

증례 3 : 복지시설 입소자로 다량의 항경련제를 복용하고 있었기 때문에 섭식이 장애받고 있던 예

증례 4 : 진료소에서 재택 환자를 지도했던 예

CASE	K.I.(56세, 남성)
병명	다발성 뇌혈관 장애(뇌출혈 : X년 6월 17일 좌측두엽, 두정엽, 11월 6일 우피각)
장애	양쪽 편마비(우편마비 +좌편마비), 실어증
경과	ADL(Activities of Daily Living; 일상생활 수행능력)은 전개조(全介助: 전부 시중듦)로, 병원을 경유해서 개호(介護)시설에 입소해 있었다. X + 6년 6월경부터 삼키는 것이 어렵게 되어 코를 통한 경관 영양을 하게 되었다. 7월에 들어와 이비인후과의사로부터 연하할 수 있는 것은 아닐까 하는 조언이 있어 경구섭취가 개시되었다. 그러나 사레드는 것이 강하고, 사레듦과 기침 때문에 먹은 것을 구토하고 토사물을 오연하고 말았다. 연하성 폐렴이라는 진단으로 다시 경구섭취 중지하게 되었다. 폐렴이 가라앉은 7월 19일, 연하훈련 목적으로 본과를 소개받았다. 외래입실 시는 reclining 휠체어 45°로 앉아 있었지만, 머리를 긴장시켜서 목을 일으키고 있었다. 시설에서도 이 자세를 유지하는 경우가 많다고 하였다. 식사는 코를 통한 경관영양을 하고 있었다.

7월 19일

✚ 그 자리에서의 대응

① 우선, 코에서 관을 뺐다.

② Reclining 휠체어로 30° 앙와위로 하고, 경부에 베개를 대어, 앞으로 구부리는 것을 도와주었다. 이것만으로 경부의 긴장은 감소하고, 다시 가볍게 마사지를 시행하는 것만으로 근긴장은 거의 정상 수준으로 저하되었다.

③ 입술 안면의 용수적(用手的) 마사지(2~3분간).

④ 구강내는 비교적 깨끗이 했지만, 구취가 있었다. 치아는 상하 모두 반 가까이 뽑혀져 있고 남은 치아도 충치와 치태가 현저하였다. 얼음마사지 면봉으로 혀, 입술의 내측의 마사지 등을 시행하였다(2~3분간).

⑤ 구순폐쇄는 불량, 혀의 움직임도 불량하였다.

⑥ 목의 얼음마사지로 꿀꺽(연하반사)을 일으키는 것은 용이하였다.

⑦ 이 사이, 충분히 환자와의 신뢰관계를 유지하면서 접근하면서 간단한 구두지시에도 따라 주는 것으로 판명되었다. 그러나 주의력은 산만하여 감정실금(emotional incontinence, 感情失禁)이 현저하였다.

⑧ 물마시기, 젤리의 시음을 시행했는데, 음식물을 입술로 가져감의 불량, 저작, 식괴 형성 불능, 목으로의 전달이 불량했다. 그러나 음식물을 혀 안쪽에 넣고 시중들어 입을 다물게 하면 인두 통과(꿀꺽하고 삼키는 것)는 문제 없고 전후에서의 청진소견에 변화는 보이지 않았다.

✚ 진단

가성 구마비에 의한 섭식, 연하장애이다. 경부와 안면 구순의 근긴장에 현저한 항진이 있고, 특히 입술과 혀의 움직임이 불량한 type이라고 생각하였다. 폐렴의 기왕력은 이번 구토 후 오연성 폐렴만이 확실하고 그 이전에 오연에 의한 문제를 강하게 시사하는 정보는 없었다.

✚ 치료계획(1)

① 경부의 긴장을 제거하는 마사지(용수적)와 체위의 고려(베개를 댄다).
② 안면, 구순의 마사지(용수적)
③ 구강관리
④ 구강내, 혀와 입술, 뺨의 내측의 얼음마사지
⑤ 목의 얼음마사지
⑥ 물의 시음, 젤리의 섭식훈련
⑦ 섭식 후의 횡향(横向き) 연하

이상을 시설의 보조 직원이 하루에 1회부터 3회, 2주간 시행하고, 코를 통한 경관 영양을 계속하였다. 임상적으로 오연이 없다고 판단되어서 경과를 지켜본 후 연하조영을 실시할 지를 생각하기로 하였다.

8월 2일, 재진시

위의 프로그램은 대체로 양호하게 시행되어 기침, 가래 등의 호흡기 증상은 없고, 발열도 보이지 않았다. 젤리, 소량의 물마시기는 문제 없다고 판단되었다.

✚ 치료계획(2)

치료계획(1)의 ①~⑤, ⑦까지를 계속. ⑥ 젤리식을 1일 2~3회로 한다. 본인의 의욕, 상황에 따라 믹서식을 시음한다. 국물은 걸쭉함을 가하도록 하고 소량씩 물마시는 것은 가능하다. ⑧외래 간호사에게 OE법을 지도하고 경관영양을 OE법으로 변경.

8월 23일, 세 번째 진료

전신상태 양호, OE법은 순조로움. 젤리는 좋지만 믹서식은 안되고 있었다. 잘 들으면 '사레들지 않지만, 입안에 모아두고 삼키지 않는다'는 것 같다.

문제점으로서, 식전의 준비로 ①~⑤가 불충분, 섭식 보조법으로서 입술로 집어넣도록 도와주고 있지 않고, 연하하도록 입을 다물게 하지 않으며 숟가락이 커서 한입량이 너무 많은 것 등이 고려될 수 있다. 외래에서 본원의 연하식을 이용하여 섭식지도를 시행하고 다음의 계획을 세웠다.

✚ 치료계획(3)

치료계획(2) ①~⑤에 추가해서 ⑥ 섭식 보조법의 통일(집어넣을 때 윗입술에 음식물이 닿을 수 있도록 하고, 되도록 혀의 중앙으로부터 혀 안쪽에 음식이 떨어지도록 하는 것, 연하시 보조하여 입을 확실히 다물게 하는 것) ⑦ 젤리의 섭식에 추가해 믹서식을 계속하도록 시도한다 ⑧ 섭식 후의 구강관리와 횡향 연하의 철저 ⑨ 근이완제의 투여.

9월 6일, 네 번째 진료

전신 상태 양호, OE법 순조로움. 근이완제의 투여는 약간 효과가 있어 의식이 뚜렷한 시간이 길어지게 되고 근 긴장도 저하되어 있는 것 같았다.

젤리는 거의 먹을 수 없지만, 믹서식은 날에 따라서 혹은 시간에 따라서 좋을 때와 좋지 않을 때가 있다고 했다. 식전의 준비, 체위, 보조자, 환경, 맛, 본인의 컨디션 등의 여러 조건 중 '어떠한 때 좋고, 어떠한 때 좋지 않은가'를 상세하게 분석하는 것이 필요하다고 생각할 수 있지만, 당일 곁에서 시중 든 간호사로부터의 정보로는 불충분했다.

그러나 환자는 4인실에 있고, 식사 중에 이웃 입주자가 시끄럽고, TV는 켜 놓은채 두고 있으며, 식사보조자가 도중에 자리를 뜨는 경우가 있는 등 환경에 큰 문제가 있는 것을 생각할 수 있다.

✚ 치료계획(4)

치료계획(3)의 ①~⑨에 추가해, ⑩ 어떠한 때에 좋고, 어떠한 때에 좋지 않은 가를 상세하게 분석하고, 좋을 때의 방법을 철저히 한다. ⑪ 좋은 조건으로 믹서식을 먹을 수 있게 된다면 섭식량에 따라 OE법에 의한 칼로리 공급을 줄이도록 하였다.

10월 4일, 다섯 번 째 진료

전번의 계획 중에 식사환경의 영향이 매우 커서, 커튼으로 환자를 격리하고, 한 명의 보조자가 식사에 관여하도록 하여 경구 섭취가 가능하게 되었다. 한 번의 식사시간은 20~30분으로 전량 섭취가 되고, OE법은 거의 이용할 필요가 없게 되었다.

✚ 치료계획(5)

지금의 방법을 계속하고, 체중을 시간의 흐름에 따라 측정하고, 전신상태를 촉탁의사에게 체크하게 하였다. 문제가 있으면 바로 진료한다. 3개월 후 재진료한다.

이상은 가성 구마비에 의한 시설 입소 중의 섭식, 연하장애 환자를 외래에서 지도한 증례이다. 이 환자는 임상적으로 오연의 가능성이 적고, 사레들어도 배출은 양호하고 인두 잔류도 적다고 생각되었기 때문에 연하조영은 시행하지 않고 지도하여 섭식이 가능하게 되었다. 입술, 혀의 움직임은 개선이 적었지만, 체위, 음식물 형태, 보조법 등의 고려를 통해,

[코를 통한 경관 영양] → [보조하여 연하식을 세 번 식사의 경구섭취 가능, 보조 영양 없음]까지 개선할 수 있었다.

이 증례는 입원하여 훈련하면 2~3주 동안에 섭식 가능하게 된다고 생각할 수 있지만 침대의 상태나 본인, 시설 측의 희망 등도 있어 외래치료를 시행하였다. 외래 치료의 문제점은, ① 단계적 섭식훈련이, 확실하게 단계적으로 시행할 수 없는 점(식사를 만드는 측의 문제) ② 섭식시 문제가 생길 때 그 장소에 의사(필자)가 있지 않는 점(보조 측의 문제) ③ 잘 되지 않을 때 원인을 이야기로만 듣고 찾아 해결하는 것이 곤란한 점 등이 있다.

한편, 시설(또는 재택)에서의 훈련을 외래 지도로 시행하는 장점은,
① 환자가 익숙하고 친숙한 환경에서 훈련할 수 있다.
② 보조자가 주체적으로 관계하도록 한다.
③ 입원 → 시설(재택) 로의 인계가 불필요
등이 있다.

이 환자에게 남은 문제는, ① 치아의 치료 ② 보조량의 경감 ③ 준비기인 포식(捕食), 저작, 식괴 형성이 어디까지 개선될 것인가 등이 있다. 향후, 몸통의 각도를 일으켜서 가능한 앉아있는 자세에 가까운 형태로 식사를 할 수 있게 할 가능성은 있지만, 원래 양측에 마비가 있어 보조하여 섭식하고 있던 환자이기 때문에, 보조하여 식사하는 상태에서 자립에는 이르지 못할 것이라고 생각하고 있다.

CASE 2 | J.T.(75세, 남성)	
병명	다발성 뇌경색, 심방세동, 완전 AV block으로 인공 페이스메이커, 심부전
병력	X년 9월 24일, 좌중대뇌동맥 영액의 큰 뇌경색으로, 모 종합병원 뇌신경외과에 입원. 의식장애(III-100~00), 우완전 편마비, 좌부전 편마비(진구성: 陳旧性)의 상태였다. 보존적으로 치료하고 있지만 의식은 II 수준보다 회복되지 않고, 실어증(중증), 마비의 개선도 전혀 없었다. 12월 7일, 노인병원으로 전원되었다. 요양형 병상군으로 전원 후, 하루 중 깨어있는 시간이 있고, 부인이 얼음을 핥게 하면 삼킬 수 있는 것을 발견하였다. 부인의 강한 희망으로 X +1년 8월 16일, 본원 재활의학과에 섭식, 연하훈련 목적으로 입원하게 되었다.

✚ 전원시 평가

오른쪽으로 강한 양측 편마비, 상피굴곡 구축, 하지 신전 구축으로 ADL(Activities of Daily Living; 일상생활 수행능력)은 전개조(全介助: 전부 시중듦). 의식은 청명하지만, 전실어(全失語)로 구두 지시에 따를 수 없다. 인지증도 있다고 생각되었다. 경부, 입술은 딱딱하게 긴장되어 있지만, 마사지로 경련성을 떨어뜨릴 수 있다. 또한 흡철반사(sucking reflex, 吸啜反射)를 보이고, 구강내를 설압자로 진찰하려고 하면 구강 운동이상증(저작하는 것 같은 운동의 반복)이 출현하였다. 구강내는 지저분하고, 오른쪽 제2, 제3대구치가 없다. 그 이외의 치아는 있지만 치태가 현저하고 치은염도 있었다.

식사는 코를 통한 경관 영양. 폐잡음은 양측 후하 폐야에 습성 라 음을 경미하게 청취하였다. 체위배액을 시행하고 기침과 함께 가래가 배출되어 목에 얽히지만 배출되지 않고 삼키고 말았다.

당일 흉부 X-선 사진에 우폐야에 음영이 있었다. 그러나 발열은 없고 염증소견은 경도였다(CRP1.1). 심에코를 시행하고, 경도의 울혈성 심부전에 의한 음영으로 전신상태를 관리하면서 연하훈련도 가능하다고 판단하였다.

✚ 연하훈련 계획(1)

① 구강관리 : 특히 치태를 제거하고, 치은염을 낫게 하도록 칫솔질한다.
② 경부, 입술의 마사지(용수적)
③ 목의 얼음마사지

④ 얼음 핥기
⑤ 되도록 낮에 reclining 휠체어에 태워서 휠체어 산책을 시행하고 각성을 촉진한다.
⑥ PT : 호흡 이학요법, 경부 몸통의 긴장 풀기, 가동영역의 확대 훈련, 앉은 자세 훈련
⑦ ST : 구강기능개선으로의 접근
⑧ 부인에게의 정신적 지원
⑨ 2일 후에 연하조영을 시행한다.

8월 18일, 재진시

✚ 연하조영 소견

음식물 인식은 반사적으로 가능하고, 숟가락을 접근하면 개구한다. 입술에서의 음식을 거두어들이기, 식괴 유지 불량으로 흘러나오는 경우가 많이 보이고, 저작, 식괴 형성은 불량. 구강 전정, 혀 아래에의 잔류는 다량. 인두로의 배송은 불량하지만 연하반사는 2~3초 이내에 확실히 유발된다. 후두개곡, 이상함요로의 잔류는 많지만, 소량의 물에 의한 교대연하, 횡향 연하(좌우), 끄덕 연하를 각 1회 시행하면 제거할 수 있고, 오연은 없다. 체위는 20° 앙와위가 베스트. 상하의 식도 괄약근의 기능 장애는 없다. 식도의 연동운동도 양호하다. OE법은 오른쪽으로 빠진 구치부를 이용하면 용이하게 관을 삽입할 수 있지만 구강 운동이상증이 생기면 관이 이동되고, 씹힌다든지, 빠질 위험이 있다고 생각된다.

연하조영의 결과, 구강으로의 접근이 효과가 있고, 또한 인두통과가 양호하기 때문에 인두잔류 제거법을 확실하게 시행하면 단계적 섭식훈련은 가능하다고 판단된다.

✚ 연하훈련계획(2)

① 연하훈련계획(1)의 ①~⑧을 계속
⑩ 경관 영양을 OE법으로 전환한다.
⑪ 젤리 1개부터 시작 : 전후의 구강관리, 목의 얼음마사지 철저, 한 입마다 교대 연하, 횡향 연하(좌우), 끄덕 연하를 시행한다.
⑫ 배출된 가래의 양, 발열, 염증 소견의 시간경과적 체크

이상을 계획하고 실시하였다. 그러나 더운 여름에 전원(轉院)하고, 새로운 것을 시작한다는 스트레스도 더해졌기 때문이었을까, 저나트륨 혈증, 심부전증상의 악화, 그리고 방광염이 발병해 버렸다. 이를 위한 치료에 시간을 빼앗겨서 식사 up은 순조롭게 되지 않고, 젤리식만 1개월 계속되었다. 그 후 경과는 아래와 같다.

9/17	점심 1식만	연하식 Ⅰ	OE법 3회	1,400kcal/2,000mL(섭취 칼로리/수분량)
9/21	아침, 점심	연하식 Ⅰ	OE법 3회	1,400kcal/2,000mL
9/30	3식	연하식 Ⅰ	OE법 2회	1,400kcal/2,000mL
10/3	3식	연하식 Ⅱ	OE법 1회	1,400~1,600kcal/2,000mL
10/26	3식	연하식 Ⅲ	OE법 완료	1,400~1,600kcal/2,000mL

이 사이, 구강기능의 개선이 현저해서 연하시의 입술 폐쇄, 하악의 고정이 자발적으로 가능하게 되고, 저작운동도 효율적으로 나타났다. 연하반사도 매우 견고해져 횡향연하, 끄덕 연하는 식사의 최후와 사레듦이 보일 때만으로 좋아지게 되었다. 침대 높이는 각도는 30~45°까지 가능하게 되었다. 때로는 웃는 모습도 보이게 되었지만 대화를 나누는 것은 전혀 없고 식사이외의 ADL은 전개조에 머물러 있었다.

문제점으로는 의식이 명료하지 않은 때에 식사시간이 겹치면 섭식불량이 되는 점, 보조에 지식을 가진 사람의 인력이 필요하다는 점이었다. 특별 양호 노인 홈으로 입소가 결정되었기 때문에 시설 직원에게 섭식 보조 지도를 시행하고 11월 5일 퇴원하게 되었다. 그 후 비교적 순조롭게 경과하였지만, 영양 섭취는 부족한 기미가 있어 때때로(1주일에서 2주일에 한번) 혈관주사로 부족분을 보충할 필요가 있었다. X + 2년 2월 24일, 뇌경색의 재발로 타계하였다.

1년 이상 경구 섭취가 이루어지지 못했던 증례이다. 아마도 발병 1~2개월의 시점에서 적절한 접근이 행해졌다면 좀 더 일찍 경구 섭취가 가능하게 되었을 지도 모르겠다. 시설 등에서 경관 영양을 받고 있는 환자 중에는 이러한 훈련을 하면 먹을 가능성이 있는 사람도 있다고 생각한다. 그러나 가장 큰 문제는 일손이 부족하다는 점(인력 부족)이라고 생각한다.

CASE 3 | M.M.(50세, 남성)

병명	두부 외상 후유증(24세 때 외상당함), 증후성 간질
장애	양측 편마비, 고차 뇌기능 장애(기명력(記銘力 : 새롭게 지각하고 체험한 것을 기억의 흔적으로서 받아들이고 남겨 두는 능력), 주의력 등 전반적으로 저하)
경과	요양시설에 장기간 입소하여 휠체어 수준에서 일상생활 보조의 생활을 보내고 있었다. 큰 경련 발작은 지난 몇 년간 나타나지 않았지만 현재에도 한 달에 한 번 정도의 비율로 갑자기 2~3분 의식이 없게 되고, 침을 흘리는 것 같은 발작이 보인다고 하였다. X 년 8월 하순부터 갑자기 먹을 수 없게 되고 더위도 더해져서 탈수 증상으로, 혈관 주사를 시행하면서 경과를 보고 있었지만 개선되지 않았기 때문에, 9월 27일 본원의 요양 외래로 연하장애 치료 목적으로 소개받고 오게 되었다. 같이 온 간호사에게 증상을 자세히 들으니 다음과 같았다. ① 입안에 음식물이 들어있는 채 삼켜주지 않는다. ② 먹은 후에도 입안에 음식물이 많이 남아 있다. ③ 입을 연 채로 있는 경우가 많다. ④ 혈관 주사를 하면 조금 먹게 되지만, 먹을 때와 먹지 않을 때가 있다. ⑤ 먹지 않을 때는 멍하니 있다. ⑥ 가끔 사레들 때가 있지만, 기침이나 가래는 없고 최근 폐렴의 기왕력은 없다. 진찰시 환자는 의식이 청명하고, 일상생활 수준의 간단한 대화는 가능, 간단한 지시에도 따를 수 있었다. 입술, 혀의 움직임은 다소 불량, 구강내는 다소 건조 기미, 구강관리는 불충분하고 구취가 있었다. 구강관리, 입술, 혀의 마사지, 목의 얼음마사지 후에 물 마시기 테스트를 시행하였다. 시설에서는 빨아 마시지만 빨대를 이용할 때의 경우로 컵으로 물을 마실 수 없어서 빨대로 마시는 것으로 물 마시기 테스트를 시행했는데 전혀 문제가 없었다. 연하반사는 양호하고 사레듦도 없었다.

이 환자에게 가장 신경 쓰이는 점은 '먹을 때와 먹지 않을 때가 있다'고 하는 것이었다. 그래서 섭식 상황 표를 보여주게 했는데 전량 섭취하고 있는 때와 전혀 먹을 수 없다고 하는 때가 교대로 나타나고 있음을 알게 되었다. 이러한 때는 섭식시의 의식 수준이 변동하고 있는 것은 아닐까 생각할 수 있다. '먹지 않는 때는 자고 있는 것이 아닐까'하고 의심하였다. 같이 온 간호사분에게도 그 생각에 확신은 없는 듯하지만 동의해 주었다. 원인으로서 항경련제를 우선 의심하였다. 그 때 먹고 있던 약은 다음과 같았다.

Minoale	(1g)	1정	1일 1회	저녁
Cercine	(5mg)	2정	1일 1회	저녁
Phenobal	(30mg)		1일 1회	저녁
Primidone	(600mg)	1정	1일 1회	저녁
Tegretol	(200mg)	3정	1일 3회	아침, 점심, 저녁
Aleviatin	(100mg)	2정	1일 2회	아침, 저녁

✚ 치료계획

① 섭식시 환자의 상태를 자세히 관찰하여 표에 표시하도록 한다.
② 의식이 좋지 않을 때는 시간을 늦추고 완전히 깨어 있을 때 먹게 한다.
③ 항경련제의 혈중 농도를 측정하고, 적정한 양으로 조정한다.
④ 구강관리를 포함해, 섭식, 연하의 여러 주의사항을 지킨다.
⑤ 전신 상태를 양호하게 유지한다. 특히 탈수에 주의한다.

이상의 지도를 시행하고 10월 25일에 재진받도록 하였다. 섭식불량은 역시 의식장애가 주원인이었던 것같아서 상기의 치료가 주효하였고, 식사는 매회 전량 섭식가능하게 되었다. 약에 대해서는 촉탁의사의 판단으로 Cercine이 원인이 아닐까 하여 9월 28일부터 Cercine이 1정으로 하기로 하고 또한 10월 5일부터 중지하게 되었다. Cercine의 감량과 함께 낮시간의 각성이 확실하게 되어, 대화량도 늘었다고 하였다. 또한 구강관리도 철저하게 하여 구취도 없고 침 흐름도 감소되었다고 하였다.

CASE 4 | K.S.(75세, 남성)

필자의 아내가 운영하고 있는 클리닉에서의 증례이다.
X년 1월에 심근경색이 있어 병원에 입원하였다. 상세 불명이지만, 경관영양으로 관리되고 있었다. 퇴원하기 전에 연하조영을 시행했더니 오연이 있고 입으로는 먹을 수 없다는 의사로부터 설명이 있었다고 하였다. 방광 풍선도 들어가 있었다.
방광 풍선은 퇴원 후 바로 빼고 기저귀와 시간 배뇨로 문제 없이 지낼 수 있게 되었다. 재택에서 진찰하고 있던 개업의 선생님으로부터 '본인은 먹고 싶은 의지가 있으니깐 어떻게든 되지 않을까'하고 상담되었다.
클리닉에서 진찰한 결과, 구강내는 매우 지저분한 상태였다. 꿀꺽은 확실히 하고 있고 소량의 물은 사레들지 않고 마실 수 있었다. 그러나 입에 물을 머금고 있는 시간이 매우 길고, 경부를 신전시켜 목으로 보내려는 듯한 표정을 하고 있었다. 하세가와(長谷川)식 인지증 평가 스케일 5점으로 인지증 환자지만 간단한 지시에는 따를 수 있었다. 구강관리를 시행하면 자동적인 저작 운동이 시작되고 꽉 물고 늘어지고 말았다. 보행은 보조를 통해 할 수 있는 수준이었다. 병원에 데려오는 것이 곤란한 분이었기 때문에, 진료소에서의 외래 지도만으로 섭식, 연하훈련을 개시하게 되었다.

필자 자신은 일체 관여하지 않은 채, 저녁 컨퍼런스에서 '이러한 환자분이 있는데 어떻게 할까?' '자, 이렇게 해보면'하고 단계별로 차근차근 훈련을 진행하였다. 시간이 지나면서 가족중심으로 섭식, 연하훈련을 시행하였다.

갑자기 다량으로 먹는다면 오연이 있다고 생각하여, 우선 다음과 같은 계획을 세웠다.

✚ 제1주

① 구강관리 : 큰 면봉과 거즈, 칫솔로 확실히 시행한다. 아래를 향하여 우글우글하게 한다.
② 구강의 얼음마사지
③ 목의 얼음마사지
④ 연하체조와 안면 및 목의 마사지

를 시행하고 다음으로 아래의 것을 시행한다.

⑤ 보조 티스푼으로 소량의 냉수를 마시는 훈련(전량 30mL)
⑥ 한 입마다 횡향 연하를 좌우 2회 시행한다.
⑦ 1회의 훈련은 15분으로 하고, 하루 2회 시행한다.

⑧ 체위는 30° 앙와위, 경부 전굴위를 확실하게 지킬 수 있도록 특히 상세하게 설명했다.
⑨ 체온 검사를 아침 저녁 2회
⑩ 심하게 사레들거나 목이 윙윙 거린다든지, 열이 나는 경우는 물 마시는 훈련을 중지하고, ①~④까지를 시행한다.

이것을 매뉴얼(280페이지)로 가족들에게 전달하고 '비디오 이렇게 하면 먹을 수 있다'도 대출해 주어 공부하게 하였다. 상태가 좋을 때는 물 마시는 훈련과 함께 녹으면 티스푼 한 스푼이 될 정도의 작은 얼음 핥기도 병용하면 좋다고 하였다. 방문 간호로 실제의 장면을 간호사가 확인하여 시행하도록 하고, 구강관리가 가장 어려운데 며느리는 몇 번이고 손을 물려가면서도 노력했다고 한다. 동시에 기거(起居: 일상생활), 보행 훈련도 시행하도록 했다.

✚ 제2주

입안이 현저히 깨끗하게 되고, 경부의 근육이 부드럽게 되었다. 연하반사는 견고하고 음식을 입안에 담는 것부터 연하반사까지의 시간이 짧고, 부드럽게 삼킬 수 있게 되었다. 외래에서 푸딩을 시식하게 했더니 문제가 없기 때문에, 집에서도 푸딩의 섭식을 하루 3회 시행하도록 하였다. 제1주의 ①~⑩은 계속. 경관영양도 그대로 계속.

보행은 경개조(軽介助: 가볍게 시중 듦)부터 감시(모니터링) 수준에 있었다.

✚ 제3주

주로 도와주는 사람인 며느리의 상태가 좋지 않아, 제2주의 훈련은 단속적으로 계속. 단, 구강관리만은 제대로 시행하였다. 하지만, 알지 못하는 사이에 테이블 위에 올려놓았던 부드러운 키위를 환자가 먹어 버렸다고 전화 연락이 왔다. 호흡기 증상과 발열이 없었기 때문에 다음날 진찰받도록 하였다.

경부의 움직임이 매우 부드럽게 되어 구강관리시의 자동적인 저작운동(꽉 물고 늘어지기) 도 적어지게 되었다. 둘째 주부터 연하는 더욱 부드럽게 되고, 표정이 좋고, 먹으려는 의욕이 강하다고 하여 코를 통한 관을 뺐다. 외래에서, 시중들어 죽 믹서, 된장국물의 맑은 윗물에 토로메린(음식을 걸쭉하게 만들기 위해 일본에서 시판 중인 보조제)을 소량 첨가한 것(포타주(potage) 상 : 걸쭉한 수프 상), Isocal® Pudding을 먹게 했는데 사레들지 않고 부드럽게 먹을 수 있었다. 소량씩 횡향 연하를 이용하면서, 체위는 45° 앙와위로 시행하였다. 청진 시 경부 음, 폐야의 음도 이상이 없었다. 3개월 만에 죽과 된장국을 먹게 되었다고 기뻐하였다.

✚ 제4주

지금까지의 훈련에서 물 마시는 훈련을 제외한 것을 계속하면서 섭식을 개시하였다.

한 끼 메뉴

- 죽 믹서, 토로메린 들어간 국물 그릇 1/2 양
- Isocal® Pudding 200kcal
- 토로메린차 50mL

하루 3번 및 식사 사이에 푸딩, 젤리, 토로메린차 등을 적절히 주기로 하였다. 위의 메뉴를 3일간 시행하고 문제가 없기 때문에 한 끼를 죽 믹서, 토로메린 들어간 국물 한 그릇으로 증량하고 방문간호로 섭식 장면을 확인하였다.

가끔 37℃대의 미열이 있었기 때문에 5일 후 채혈을 시행하여, CRP, 백혈구 증가 없고, 탈수가 없는 것을 확인하였다.

다음 날부터 반찬은 절구나 믹서로 부순 퓨레(purée) (호박, 두부 등을 페이스트 상으로 한 것으로 '이유식과 비슷하게 한 것이다'라고 설명)를 허락하였다. 보조영양은 Isocal® Pudding으로 계속 시행하였다.

✚ 제5주

문제 없이 배송이 좋아지게 되었기 때문에 체위를 자유롭게 하였다. 식사시간이 40분을 넘게 되면 사레들게 된다고 하였다. 으깬 음식부터 잘게 썬 연한 야채 음식을 허용하였지만, 잘게 썬 것을 토로메린 등으로 걸쭉하게 하여 먹을 수 있도록 하였다.

✚ 제6주

감시하에 숟가락으로 스스로 먹는 연습을 시작하였다. 차도 숟가락으로 마시도록 하였다.

✚ 제7주

감시하에서는 스스로 먹을 수 있게 되었지만, 감시를 벗어나면 페이스가 빠르게 되어 사레들게 되었다.

주 1회 특별 양호 노인 홈의 day service의 이용을 시작하고, 점심은 믹서식으로 하도록 하였다.

그 후 문제 없이 체중도 증가하여 현재에 이르고 있다. 작은 잔 한 잔의 술(토로메린 없이)이 기다려지는 하루하루가 되었다. 차는 토로메린 없이도 마시는 연습을 하고 있지만, 때로는 기침이나 가래가 보이고 있어, 지도와 전신관리를 계속하게 한다.

● K.S. 씨의 경과

	1W	2W	3W	4W	5W	6W	7W
구강내 오염	+++	−	−	−	−	−	−
근긴장	++	+	±	±	±	±	±
섭식	물 마시기	푸딩 젤라틴	푸딩 젤라틴	믹서식	연한 야채 잘게 썬 것 토로메린	→	→
보조 영양				Isocal Pudding	→	→	→
섭식 보조	+	+	+	+	+	+	감시
경관 영양	+	+	+	−	−	−	−
칼로리(kcal)	1200	1200	1200	1200	1200 이상	→	→
체위	30°	30°	45°	45°	60°~	→	→
보행	도움	가벼운 도움	감시	→	→	→	→
발열, 기침	−	−	−	+	−	−	−

이 환자가 인지증이 있지만 먹을 수 있게 된 것은, 열성적인 며느리의 세심한 관찰과 적절한 보조, 노력의 덕택이다.

연하훈련의 방법

가족분에게 　　　　　　　　　　　　　　　　　　　　　1일 3회 시행해 주십시오.

① 입 안을 깨끗하게 합니다(구강관리).
- 경관영양의 주입직후에 입안을 거즈나, 면봉(나무젓가락에 말아 만든 것)을 냉수에 적셔서 단단히 쥐어 짠 것으로, 깨끗하게 청소합니다.
- 상악 부분, 치아 사이에도 주의합니다.
- 칫솔을 사용해서 치아, 혀를 깨끗이 합니다(치약 가루는 불필요).
- 입 헹구기를 할 수 있게 되면 하게 합니다.

② 경부, 안면의 근육(뺨, 입의 주위)을 마사지합니다.
연하의 준비 체조를 할 수 있는 범위에서 시행합니다.

③ 얼려 둔 면봉으로 입 안, 횡선 부분을 마사지합니다.
목의 얼음마사지 후 '꿀꺽'을 하게 합니다.

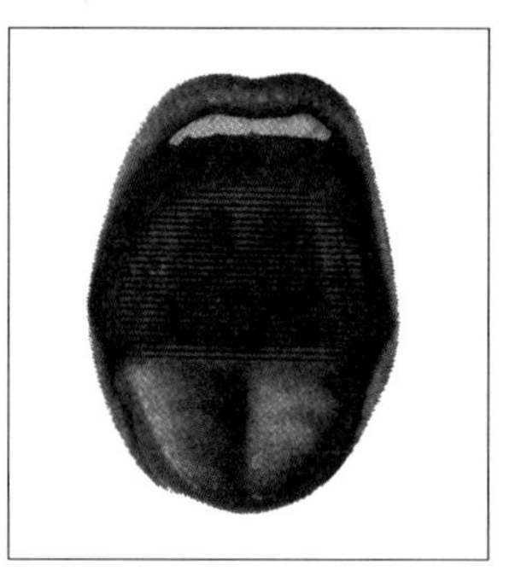

되도록 가로선 부위(연하반사 유도 부위)를 면봉으로 3~4회 문지릅니다.

④ 찻숟가락으로 1술씩 냉수를 마시게 합니다(전부 30mL 정도). 반드시 '꿀꺽'을 확인합니다(신체를 30~40° 눕혀서, 경부를 전굴시킵니다).

⑤ 심하게 사레들어 목이 윙윙거린다든지, 열이 난 경우는 중지합니다(다음날부터는 ① ②만 시행합니다).

부록

앞서 소개했던 내용을 잘 숙지하셨는지요?
본문에서 자세히 보여드리지 못했던 주요한 표와 연하체조법을 이곳 부록에 실어드렸으니 부디 참조하시어 도움이 되셨으면 좋겠습니다.
또한 원서의 참고문헌을 빠놓지 않고 실었으니 연구자나 의료진에게 도움이 되시길 기원합니다.

섭식·연하의 평가용지

성명		연령	세
날짜	월 일	성별	남 / 녀

	아침	점심	저녁	간식	간식
시간 의식수준 기침 체온	시 분 + ± −	시 분 + ± −	시 분 + ± −	시 분 + ± −	시 분 + ± −
식욕	+ ± −	+ ± −	+ ± −	+ ± −	+ ± −
식사(종류, 칼로리) 섭식량(g 혹은 비율) 사용시간 보조영양(종류, 칼로리)					
식사 장소 몸통 각도 보조의 유무	自 · 半 · 全	自 · 半 · 全	自 · 半 · 全	自 · 半 · 全	自 · 半 · 全
입을 벌린다 혀의 운동 전후 좌우 상하 침 흘림	+ ± −	+ ± −	+ ± −	+ ± −	+ ± −
음식물을 입에 넣음 저작 운동 입술로부터의 흘러나옴	+ ± −	+ ± −	+ ± −	+ ± −	+ ± −
사레듦의 유무 수분 퓨레 젤리상 고형물	 + ± − + ± − + ± − + ± −	 + ± − + ± − + ± − + ± −	 + ± − + ± − + ± − + ± −	 + ± − + ± − + ± − + ± −	 + ± − + ± − + ± − + ± −
삼킨 후의 목소리 변화	有 無	有 無	有 無	有 無	有 無
피로 기타					
평가자 사인					

ㅇ : 좋다, 문제 없다 등 △ : 다소 나쁘다, 수상하다, 의심스럽다 등 X : 나쁘다, 문제 있다 등

연하장애의 평가표

연하장애의 평가에 관해서 섭식, 연하장애의 평가(簡易版) 일본 섭식, 연하 재활학회 의료검토 위원회 판안(版案)이 발표되었다. 표는 이 논문의 평가표를 일부 개정한 것이다. 논문에는 평가의 기준에 대해서도 게재되어 있기 때문에 평가에 명확하지 않은 점은 논문을 참조하여 이용하면 좋을 것이다.

[섭식, 연하장애 평가표]

날짜	년	월 일	이름			성별	남 / 여
ID		연령	세	신장	cm	체중	kg
혈압	/	맥박	회/분	SpO_2		%(room air · O_2투여 %)	

주소 또는 증상			
원인 질환 / 기초 질환		관련된 기왕력	
영양방법	경구섭취 : 평상식·죽·잘게 썬 것·기타( ) 절식		
	수분: 토로미 없음·토로미 넣음·禁		
보조(대체) 영	없음·경비경관·위루·IV·기타	좌위 내구성	충분 · 불충분 · 불가

1. 인지	
의식	청명 · 불청명 · 경면(傾眠)
의사표시	양호 · 불확실 · 불량
명령에 따름	양호 · 불확실 · 불량
먹으려는 의욕	있음 · 없음 · 불명
기타 :	

2. 식사	
섭취자세	의자·휠체어·정좌위·bed up( )°
섭취방법	자립·감시·부분보조·전부보조
식사중 사레듦	없음 · 드묾 · 빈번
구강내 음식물잔류	없음 · 소량 · 다량
기타 :	

3. 경부	
경부가동역	제한없음 · 조금 움직임 · 움직이지 않음
기타 :	

4. 구강	
의치(불필요·필요)	적합 · 불량 · 없음
위생상태(구강)	양호 · 불충분 · 불량
기타 :	

5. 구강인두 기능	
개구량	3손가락 · 2손가락 · 1손가락 이하
구각하수	없음 · 있음(좌 · 우)
연구개운동(/아/발성시)	충분 · 불충분 · 없음
교합력	충분 · 불충분 · 없음
혀운동 혀내밀기	충분·아랫입술을 넘지않음·불능
치우쳐짐	없음 · 있음(우 · 좌)
구강감각이상	없음 · 있음(부위 :)
기타 :	
평가자 성명/직종	

6. 발성·구음(기관절개 : 무 · 있음[cuff 무 · 있음])	
발성	유성 · 무성 · 없음
습성 쉰목소리	없음 · 경도 · 중도
구음장애	없음 · 경도 · 중도
개비성(開鼻聲)	없음 · 경도 · 중도
기타 :	

7. 호흡 기능	
호흡수	회/분
자유로운 기침	충분 · 불충분 · 불가
기타 :	

8. Screening Test

반복 타액 연하 테스트 회/ 30초
인두거상 충분·불충분·없음

개정 물마시기 테스트(3mL, mL)
1. 연하없음, 사레듦 and/or 호흡절박
2. 연하있음, 호흡절박(silent aspiration 의심)
3. 연하있음, 호흡양호, 사레듦 and/or 습성 쉰목소리
4. 연하있음, 호흡양호, 사레들지 않음
5. 4.에 더해 추가 공연하운동이 30초 이내로 2회 가능

기타 :

9. 탈수, 저영양	
피부·눈·입의 건조	없음 · 경도 · 중도
여윈 정도	없음 · 경도 · 중도
기타 :	

10. 정리

섭식, 연하상황의 레벨:
치료방침: 지도만·외래훈련·입원훈련·타병원으로 소개·기타

11. 검사	
VF	끝냄(/)·예정(/ , 미정)
VE	끝냄(/)·예정(/ , 미정)

(연하장애의 평가에 관해서는 일본 섭식,연하 재활학회 의료검토 위원회: 섭식, 연하장애의 평가(간이판) 일본 섭식,연하재활학회 의료검토 위원회판안. 日攝食嚥下リハ會誌15(1):96-101,2011에서 일부 개정)

오랫동안 계속 먹을 수 있게 하기 위한 10가지 조건

✚ 매일 반드시 시행해야 하는 것
1. 식전식후의 구강관리 : 청결하게 하고, 점막에 윤기를 부여한다.
2. 먹기 전의 준비체조(연하체조)를 시행한다.
✚ 먹을 때 절대 지켜야 하는 것
3. 완전히 깨어 있을 때 먹는다.
4. 연하에 의식을 집중한다.
5. 잘 씹고 꿀꺽하는 것을 확인한 후 다음 한입을 먹는다.
6. 사레든다면 쉰다.
7. 지쳤다면 쉰다.
✚ 식후에 지켜야 하는 것
8. 식후 2시간은 눕지 않는다(기껏해야 reclining까지).
✚ 먹을수 없을 때
9. 간식으로 칼로리와 수분을 보충한다.
✚ 건강관리
10. 규칙적인 생활과 병의 예방 치아의 질환도 조기에 치료받는다.

연하(조정)식(세레미카타하라(聖隷三方原) 병원)

개시식	젤라틴, 푸딩, 계란 두부찜
연하식 Ⅰ	젤라틴 type식(젤라틴 모음) 통째로 삼켜도 안전한 식품
	음식물을 믹서로 갈아서 충분히 분쇄,
	젤라틴 모음으로 만든다.
	계란 흰자위의 이용도 좋다.
	생선회를 갈아 으깬 것도 가능
	세 끼에 450kcal, 수분함량 900mL
연하식 Ⅱ	섬유분이 다소 많고 점막부착이 Ⅰ보다도 높다.
	젤라틴 모음 중심
	식품에 변화를 주고, 메뉴를 늘린다.
	세 끼에 900kcal, 수분함량 1,500mL
연하식 Ⅲ	젤라틴 type 식에 더하여 죽, 퓨레(포타주 등)을 추가한다.
	수분은 토로미를 가하여 믹서식으로 대용하는 것도 가능
	세 끼에 1,400kcal 이상, 수분함량 2,000mL 이상
이행식	연한 야채보다 부드럽고, 수분, 국물에는 토로미를 가하고,
	바삭바삭한 것에는 고물을 치는 등의 고려를 한다.
	연하식 Ⅲ부터 이행식으로 이동할 때는 Ⅲ + 이행식 1 품(品)으로 섭식상황을 보면서 서서히 이행식으로 바꾸도록 한다.

연하(조정)식의 메뉴표

	개시식	연하식 Ⅰ	연하식 Ⅱ	연하식 Ⅲ	소화이행식
주식		중탕젤리 (조미된장배합)	중탕젤리 (조미된장배합) 빵푸딩	중탕 빵죽 죽 칡탕 소면 모음	빵 죽 소면 우동 소바
육류			돈육 테린(terrine)	돈육 테린(terrine) Liver paste	돈육 테린(terrine) Liver 된장국 햄버그
어패류		네기토로(네기나시)	네기토로(네기나시) 연어젤리 모음 흰살생선젤리 모음 새우 무스(mousse) 정어리 무스	네기토로(네기나시) 연어 paste 흰살생선 paste 새우 무스(mousse) 정어리 무스	참치회 삶은 생선 찐생선양념요리 새우 무스(mousse) 정어리 반죽삶음
계란류		삶은계란	삶은계란 계란국물스프젤리 온천계란	삶은계란 계란국물스프 온천계란 스크램블에그 오믈렛 Poached egg	계란두부 계란국물스프 온천계란 스크램블에그 오믈렛 Poached egg 반숙계란
콩류		연두부 두부스프	연두부 두부스프젤리 대두믹서젤리	연두부 대두 paste 부드러운 양갱	두부 맷돌로 간 낫토 삶은 아츠아게 잘게 썬 삶은 간모

토란, 야채류		인삼쥬스젤리	인삼쥬스젤리 시금치젤리 호박젤리 호박푸딩 감자젤리 무젤리	인삼과 밥의 퓨레 시금치 퓨레 호박퓨레 감자퓨레 토마토 퓨레 밀가루 조림 토로로지루	붕어 조림 호박 조림 감자 조림 무 조림 토마토샐러드 배추 가다랑어포 조림 동과(冬瓜) 조림
과일류	포도젤리 오렌지젤리 복숭아젤리	포도젤리 오렌지젤리 복숭아젤리	포도젤리 오렌지젤리 복숭아젤리	복숭아 compote 사과 compote 바나나	복숭아 compote 사과 compote 바나나 키위 후르츠 딸기 귤 통조림
유제품		푸딩 Soft et®	푸딩 요쿠르트 무스(Pecsie)	푸딩 요쿠르트 무스(Pecsie) 플레인 요쿠르트	푸딩 요쿠르트 무스(Pecsie) 플레인 요쿠르트 우유 유산균음료
적절함	아이스크림, 샤베트, Isocal Pudding, Isotonic Jelly®				
기타(수분, 음식물섬유, 보조영양)		차 젤리 V Cresc® Jelly	차 젤리 V Cresc® Jelly 다시마 두부	차 젤리 V Cresc® Jelly 다시마 두부	토로미 차

단계적 섭식훈련

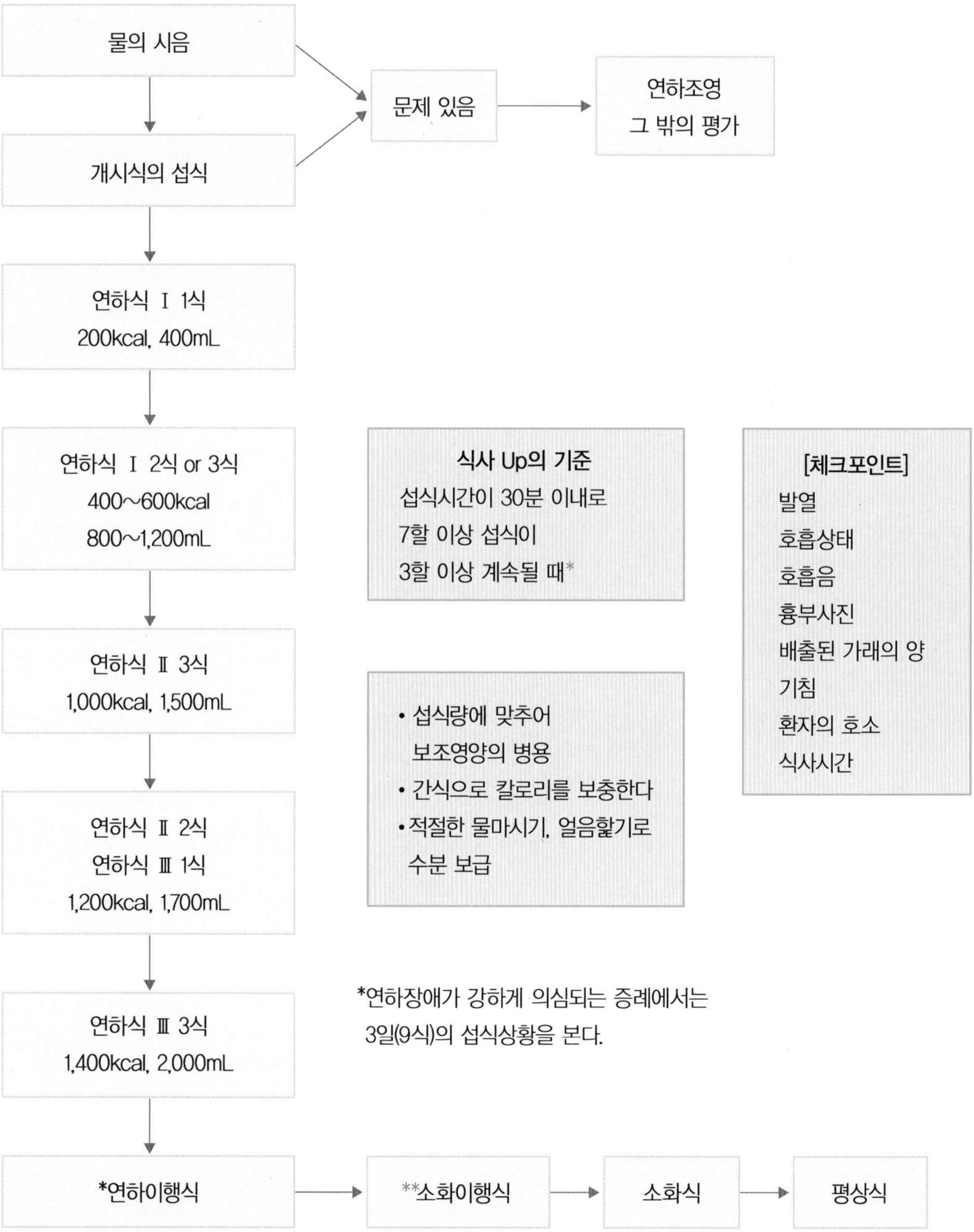

물의 시음 → 문제 있음 → 연하조영 그 밖의 평가

개시식의 섭식 → 문제 있음

물의 시음
↓
개시식의 섭식
↓
연하식 Ⅰ 1식
200kcal, 400mL
↓
연하식 Ⅰ 2식 or 3식
400~600kcal
800~1,200mL
↓
연하식 Ⅱ 3식
1,000kcal, 1,500mL
↓
연하식 Ⅱ 2식
연하식 Ⅲ 1식
1,200kcal, 1,700mL
↓
연하식 Ⅲ 3식
1,400kcal, 2,000mL
↓
*연하이행식 → **소화이행식 → 소화식 → 평상식

식사 Up의 기준
섭식시간이 30분 이내로
7할 이상 섭식이
3할 이상 계속될 때*

- 섭식량에 맞추어
  보조영양의 병용
- 간식으로 칼로리를 보충한다
- 적절한 물마시기, 얼음핥기로
  수분 보급

[체크포인트]
발열
호흡상태
호흡음
흉부사진
배출된 가래의 양
기침
환자의 호소
식사시간

*연하장애가 강하게 의심되는 증례에서는
3일(9식)의 섭식상황을 본다.

* 연하이행식 : 연하식 Ⅲ에 소화이행식을 1품(品) 더한 것
** 소화이행식 : 앞 페이지 참조. 소화식에서 바삭바삭한 것을 제외시킨 것

시판되고 있는 증점제(增粘劑)와 겔화제(Gel化劑)

증점제는 주로 액체에 걸쭉함(토로미)을 가하여 사레들지 않도록 하기 위해 사용되고 있다. 초기의 제품은 너무 걸쭉하게 만들면 끈적끈적하게 되어 오히려 먹기 힘들고 오연해도 흡인하여 제거되지 않기 때문에 위험하기조차 했다. 최근 제품은 이 촉감이 개량되었고 맛과 풍미도 매우 좋아지게 되었다. 현 시점에서 제가 추천하는 것은 다음의 것이다. 이 이외의 제품을 사용하는 경우에는 특히 주의하기 바란다. 토로미를 가한 후 5분 정도면 갑자기 끈적끈적하게 되는 것도 많기 때문에 먹기 직전의 걸쭉함을 반드시 체크하기 바란다.

✚ 추천하는 증점제

Toromikuria	(Healthy food)
Softia	(三共製薬工業)
Throughsoft liquid	(Kissei薬品)
Throughking	(Kissei薬品)
Toromiena	(Well harmony WH)

일상 사용하는 젤라틴과 한천이외에도 아래와 같이 이용하기 쉬운 겔화제가 시판되고 있다.

✚ 시판되고 있는 주요한 겔화제

Ultra kanten(寒天)	(伊那食品工業)
Jelly no moto(素)	(Kewpie Janef)
Jelly perfect	(日清 science)
Gelatin powder quick type	(Food care)
Kantan(簡單) Jelly no moto(素)	(Kewpie Janef)

시판중인 제품으로 '연하식'이라고 부를 수 있는 것을 골라서 사용하는 것도 편리한다. 아래의 표 외에도 계란두부, 푸딩, 요쿠르트 등 평소에 우리가 먹는 것으로 연하식이 될 수 있는 것도 있다. 단, 환자에게 주기 전에 반드시 자신이 한입 먹어보고 정말로 먹기 쉬운 것인가를 체크한다. 또한, 본원의 대략적인 연하식 분류(부록 참조)에 적용시켜 정리하였다.

✚ 시판되고 있는 주요한 연하식 및 연하보조식품

개시식	Blocker Jelly(Nutri)	단백질 보급
	Aqua Gelée(Food Care)	수분보급 젤리
연하 Ⅰ	Isocal Jelly(Novartis Pharma)	완전영양 젤리
	Soft et(Kissei藥品)	고단백 푸딩, 분말 : 뜨거운 물에 녹이면 굳는다
	Okunos Dessert(Orica Foods)	형태가 있는 paste상 음식
	Agar Lolli(Kissei藥品)	고칼로리 젤리
	Jellix(Kissei藥品)	저칼로리 젤리
연하 Ⅱ	Soft cup(Kissei藥品)	고단백 밸런스 영양 푸딩
	Pudding Genki(元氣)(明治乳業)	
	Yawaraka cup(Kissei藥品)	가리비, 게, 장어 등의 테린(terrine)풍 식품
연하 Ⅲ	Isotonic Jelly(三協製藥)	수분보급, 퓨레(purée)상
	Yawaraka Jelly(明治製菓)	수분보급, 퓨레(purée)상
	Gokkun Jelly(三和化學研究所)	수분보급, 퓨레(purée)상
	Isocal Pudding(Novartis Pharma)	완전영양, 물에 녹이면 크림상이 된다
	Pecsie(Healthy Food)	우유에 섞으면 푸딩상이 된다
	Blender Shoku(食)(三和化學研究所)	퓨레(purée)상, 다종류, 소량의 미니도 있다
	Okunos Uragoshi(Orica Foods)	소위 고운체로 거른 것, 야채 메뉴
	Nukumori Mixer(Orica Foods)	위 제품의 자매품, 가자미, 닭, 죽순 등 메뉴 풍부
	Hukkura okayu(亀田製菓)	걸쭉함을 가한 죽
	Kaishoku ohendan(快食応援團) (Healthy Food)	각종 메뉴(고로케, 홍연어의 뫼니에르(meunière) 등)
이행식	Yawaraka Shoku(食)(明治乳業)	죽, 조림, 고기감자, 고기두부 등
	Cut Fruits Jelly(明治乳業)	메론, 사과, 황도 등
	Ai-to(EN Ostuka(大塚))	원형을 보존하고 있다. 15종류나 되고 맛도 좋다

후지시마(藤島)식 연하체조 세트

* 1을 매 식사 전(1~2분) 에 실시
* 2~5를 매일, 1세트 실시(5~10분)
* 길게 계속 먹을 수 있게 하기 위한 10개 조항 과 함께 이 '후지시마식 연하체조 세트'를 부디 계속하기 바란다.

먹기 전의 준비체조 [Q77]

의의 : 경부의 긴장을 풀고 연하를 부드럽게 한다.

❶ 느긋하게 허리를 걸치고 심호흡을 하도록 한다. 우선 코로 숨을 들이 마시고 입으로 천천히 내쉰다. 손을 배에 대고, 들이마실 때는 배가 부푸는 것처럼 하고, 내쉴 때는 배가 들어가는 것처럼 한다. 또한 내쉴 때에는 입을 조그맣게 오므려서 촛불을 끌 수 있도록 한다(입 오므리기 호흡). 천천히 심호흡을 수회 반복한 후 다음으로 넘어간다.

❷ 호흡법을 반복하면서, 천천히 머리의 운동을 한다. 우선 머리를 좌우로 기울인다. 다음으로 옆으로 향한다. 그리고 크게 회전한다.

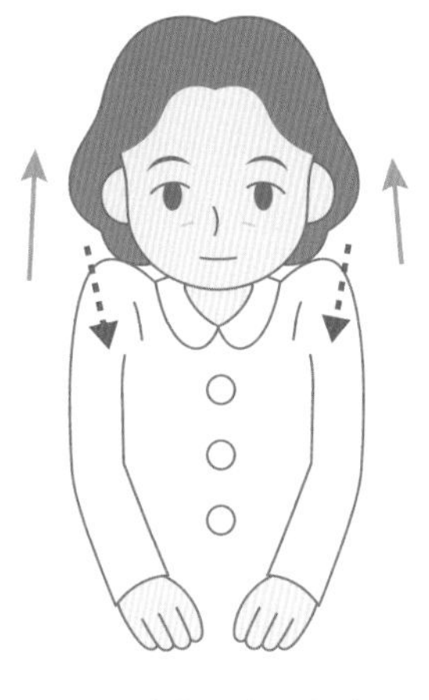

❸ 어깨 운동이다. 양 어깨를 움츠리도록 한 후, 쑥 힘을 뺀다.

❹ 힘을 빼고 상체를 천천히 좌우로 기울이도록 한다.

❺ 입을 다문 채 뺨을 부풀렸다가 느슨하게 했다가 한다(2~3회).

❻ 입을 크게 벌리고 혀를 내밀었다가 집어넣다가 한다(2~3회).

❼ 혀로 좌우의 구각을 만진다(2~3회).

❽ 강하게 숨을 들이 마시어 멈추고, 셋까지 센 후 내쉰다.

❾ 파파파, 타타타, 카카카, 라라라를 발음한다.

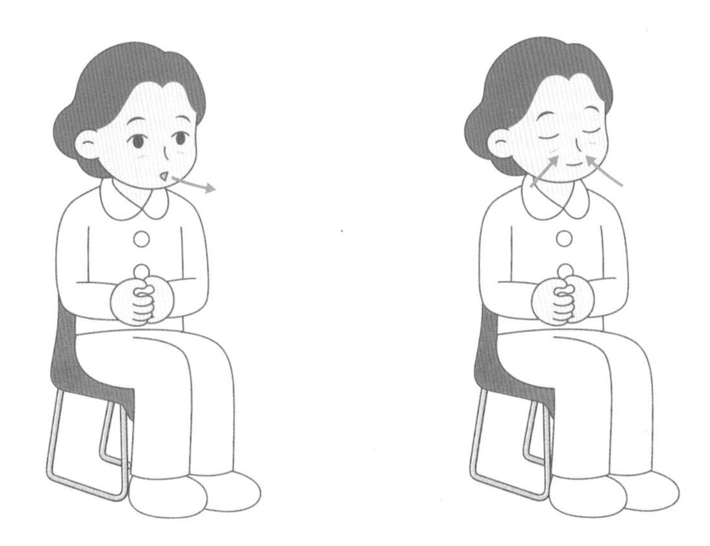

⑩ 마지막으로 한번 더 심호흡을 하고, 마친다.

연하 이마 체조(혹은 두부거상 훈련) [Q80]

의의 : 연하근력 강화

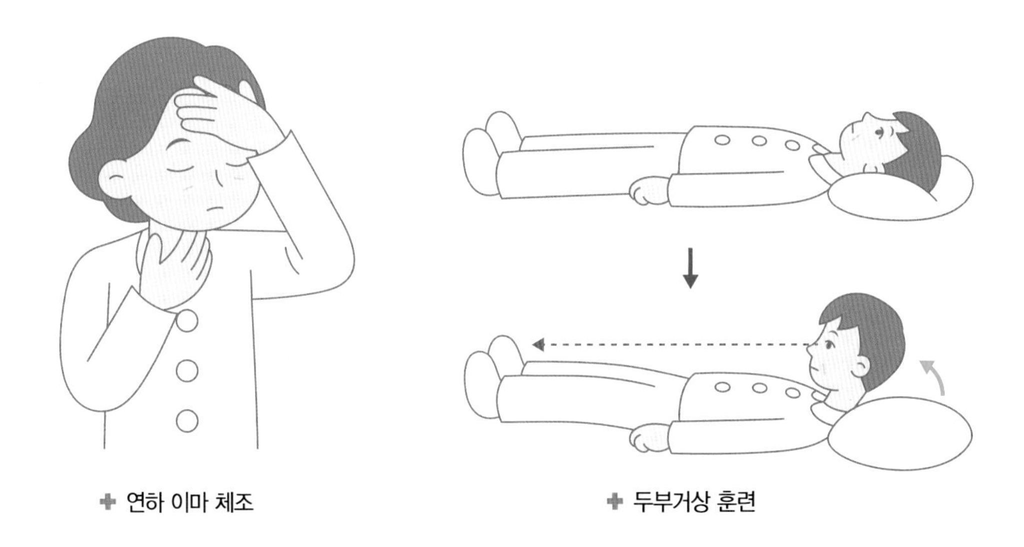

✚ 연하 이마 체조　　✚ 두부거상 훈련

발성훈련 [Q87 칼럼]

의의 : 성문 폐쇄의 개선,
호흡근력 강화훈련

페트병 blowing [Q90]

의의 : 연하개선, 호흡개선, 비인두강 폐쇄기능, 구순폐쇄기능 개선

Active Cycle 호흡법 [Q85]

의의 : 기침능력(咳嗽力) 강화, 인두감각 개선

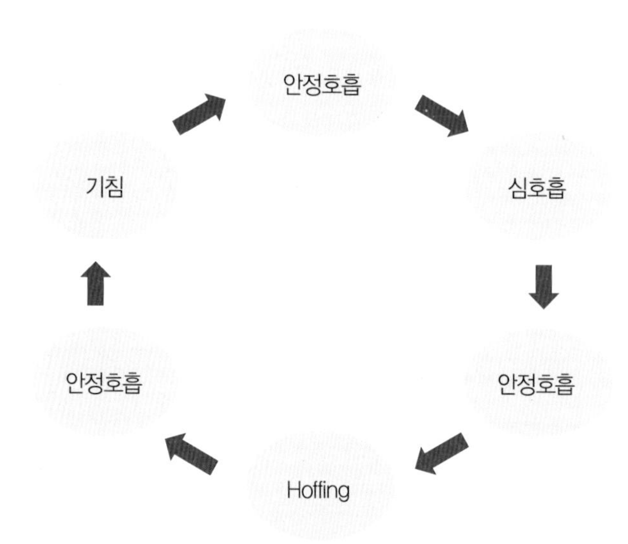

참고문헌 : 학회, 연구회

일본섭식·연하재활학회
(日本摂食·嚥下リハビリテーション学会)
http://www.jsdr.or.jp/

의사, 간호사, 개호(介護)직원, 언어치료사, 치과관계자, 영양사 등 여러 직종이 참가, 연1회의 학술대회에서는 일반 연제와 세미나를 개최, 연3회 학회지가 발행되고 있다. 섭식, 연하장애에 관한 기초지식부터 최신 정보까지 얻을 수 있고, 자극을 받을 수 있는 곳으로서도 최적이다. 부디 많은 분들이 참가하기를 기다리고 있다.
사무국 : 〒458-0817
愛知県名古屋市緑区諸の木1-1704-202

일본연하의학회(日本嚥下医学会)
http://www.c-shop.net/client/enge/

이비인후과, 두경부 외과의사 중심이었지만, 넓게 오픈해 참가가 가능하게 되었다. 기초 연구 발표, 수술 등 수준 높은 발표가 있다.
이사장 : 藤島一郎(浜松市リハビリテーション病院)
사무국 : 九州大学医学部耳鼻咽喉科
〒812-8582 福岡県福岡市東区馬出3-1-1

일본연하장애임상의학회
(日本嚥下障害臨床研究会)
http://www.engeken.com/

언어치료사(ST) 중심의 회원으로 증례검토 등 활발한 토론이 특징.
사무국 : 広島大学大学院医歯薬学総合研究科歯科放射線学研究室
〒734-8553 広島市南区霞1-2-3

하마마쓰섭식연하간담회(浜松摂食嚥下懇話会)
http://enge-konwakai.jp/

세레(聖隷) 연하팀이 주최. 이 책의 필자인 후지시마 이치로(藤島一郎)가 2개월마다 정기적인 강의를 하고 있다. Paramedic 에 의한 기술지도도 있고, 멀리서부터 온 참가자도 있어서 활발하게 활동하고 있다.
사무국 : 聖隷三方原病院地域医療連携室
〒433-8105 静岡県浜松市北区三方原町 3453

기타 각지에 있는 연하관련연구회는 아래의 사이트로 알아볼 수 있다.

http://www.jsdr.or.jp/pub/pub group.html
http://www.jsdr.or.jp/pub/pub group2.html

참고문헌 : 참고도서, 비디오

최근 몇 년은 섭식, 연하장에 관한 출판물이 물밀듯이 다수 나오고 있다. 잡지로는 간호, 개호, 치과, 영양, 재활, 이비인후과, 신경내과 등 많은 분야에서 특집호나 별책이 나오게 되어서 전부를 보는 것은 곤란하다. 혼란을 피하기 위해서 이번 개정에서는 필자의 눈으로 직접 보고 이 책의 독자에게 참고가 될 수 있도록 정리에 도움이 되는 일반서적과 시판되고 있는 비디오를 소개하고 간단한 해설을 추가하기로 했다(역자주 : 독자가 직접 찾아보실 수 있도록 제목은 가능한 원어 그대로 실어드립니다).

A. 연하장애 일반

① 聖隷三方原病院嚥下チーム：嚥下障害ポケットマニュアル. 第2版, 医歯薬出版, 2003

가운 주머니에 들어가는 크기로 임상에서 필요한 지식을 가득 싣고 있다. 훈련법은 일본어 알파벳순으로 배열하여 찾기 쉽게 하였다. 그림도 충분히 많이 사용하고 있기 때문에 이 책과 함께 사용한다면 좋을 것이다.

② 藤島一郎：脳卒中の摂食.嚥下障害. 第2版, 医歯薬出版, 1998

기초적이고 전문적인 내용과 병태 생리의 설명 등을 기술하고 있다. 좀 더 깊이 공부하고 싶은 분은 참고하면 좋을 것이다.

③ 藤島一郎：目でみる嚥下障害一條下内視鏡·嚥下造影の所見を中心として. 医歯薬出版, 2006

VE, VF를 다수 사용하여 보이지 않은 연하장애를 보이도록 설명한 획기적인 책이다. 동화상을 본 적 없는 사람은 꼭 보시기 바란다. 백문이 불여일견임을 체험할 수 있다고 생각한다.

④ 藤島一郎編著：よくわかる嚥下障害. 第2版. 永井書店, 2004

기초부터 임상까지 균형잡힌 기술로 연하장애의 교과서적인 배열을 취하고 있다. 다소 고급수준의 내용이다. 일본 연하장애 연구임상의 역사에 대해서도 쓰여져 있기 때문에 흥미가 있는 분께 권한다.

⑤ 宮川哲夫：動画でわかるスクイージング ― 安全で効果的に行う排痰のテクニック. 中山書店, 2005

Squeezing은 호흡이학요법에서 기도 clearance법의 한 기술이다. 연하장애로 오연한 경우, 연하성 폐렴으로 가래가 많은 경우 등 squeezing을 조합한 가래배출 기술은 매우 효과적으로 이것 없이는 안전한 연하재활은 할 수 없다고도 말할 수 있을 것이다. 이 책은 일본에서 squeezing의 제일인자인 저자가 이론부터 실천까지 매우 알기 쉽게 해설해 놓았다. DVD로 기술도 마스터할 수 있게 하였다. 필독서로 말할 수 있는 책이다.

⑥ 里宇明元, 藤原俊之監：ケーススタディ 摂食·嚥下リハビリテーション50症例から学ぶ実践的アプローチ. 医歯薬出版, 2008

증례를 많이 알고 있는 것이 임상능력을 높이는 것으로 이어지게 된다. 차분히 음미하기 바란다.

⑦ 吉田哲二·他編：嚥下障害Q&A. 医薬ジャーナル, 大阪, 2001

같은 Q&A이지만 본 책과는 달라서 상당히 높은 수준의 전문적인 책이다. 기초지식부터 최첨단 연구까지 100가지 질문으로 정리된 해설로 되어 있다. 각각의 문헌의 기재도 있어서 상세하게 알고 싶은 분에게 실마리로서 역할을 할 것이라 생각한다.

⑧ 本多知行, 溝尻源太郎編：医師·歯科医師のための摂食.嚥下障害ハンドブック. 第2版, 医歯薬出版. 2002

관서지구에서 의사, 치과의사 대상으로 시행하였던 섭식,연하 세미나의 텍스트를 편집한 책이다. 표가 많고 지식이 정리되어 있다.

⑨ 溝尻源太郎, 熊倉勇美編著：口腔·中咽頭癌のリハビリテーシヨンー構音障害, 摂食·嚥下障害. 医歯薬出版, 2000

기초, 병태, 술식 등도 포함하여 상세하게 기재되어 있다. 내용은 어렵지만 두경부 술후의 연하장애를 취급할 때에는 필독해야 할 책이라고 할 수 있다. 두경부 환자를 다루는 병동에는 한 권 비치해 두고 싶은 책이다.

⑩ 湯本英二編：嚥下障害を治す. 耳鼻咽喉科診療プラクティス7巻, 文光堂, 2002

고도의 내용이 compact하게 정리되어 있다. 칼라 사진이 충분히 사용되어 있는 것도 특징. 연하장애의 수술치료가 특히 상세하게 설명되어 있다.

⑪ 山脇正永, 野村徹編著：HAZOP誤嚥·嚥下障害のリスクマネジメント Hazard and Operability study法による評価と対策. 医歯薬出版, 2009

HAZOP이라는 것은 영국화학산업협회가 1974년에 공개한, 생산공정에서 risk를 산출하는 방식으로, 이 책은 연하 HAZOP(오연·연하장애의 risk를 HAZOP에 의한 평가, 관리하는 수법) 에 대해 설명하고, 그 임상응용에 대해서도 상세히 서술하고 있다. 상당히 수준높은 내용이다.

⑫ 日本耳鼻咽喉科学会編：嚥下障害診療ガイドライン2008年版. 金原出版, 2008

일본이비인후과학회의 가이드라인이지만, 재활을 포함해 폭넓게 임상가들에게 참고가 된다.

⑬ 日本嚥下障害臨床研究会編：嚥下障害の臨床-リハビリテーシヨンの考え方と実際. 第2版.医歯薬出版, 2008

통독하는 것은 무척 어렵고, 사전적으로 사용하게 되겠지만, 부분부분이 매우 함축적인 기재가 되어 있다.

⑭ 才藤栄一. 向井美惠監：摂食.嚥下リハピリテーシヨン. 第2版, 医歯薬出版. 2007

소아부터 성인까지를 커버하고 있는 매우 우수한 교과서이지만, 상당히 커서 책상에 두고 꼼꼼이 공부하는 사람을 위한 책이라고 할 수 있다.

B. 개호(介護), 간호사 용

① 藤島一郎監, 青木智恵子著：高齢者の楽しい摂食·嚥下リハビリ&レク. 黎明書房, 名古屋, 2009

재미있는 그림으로 해설한 섭식, 연하의 입문서. 레크레이션을 도입하는 훈련에도 크게 참고가 된다고 생각한다. 본 책의 다음으로 쉬운 책을 구입하고 싶은 개호, 개호계의 분들에게 가장 추천한다.

② 藤島一郎編著：ナースのための摂食·嚥下障害ガイドブック. 中央法規出版, 2005

일본간호협회인정 간호제도에 의한 '섭식, 연하장애 간호'가 시작된 해에 발행된 책이다. 쉽게 쓰여져 있어 꼼꼼이 공부하고 싶은 간호, 개호직을 위해 쓰여진 책이다. 기초지식부터 평가, 치료에 대한 이론과 그 실천을 연결하는 가이드북으로서는 최적이다. 부록으로 DVD도 있어서 이해를 돕고 있다. 이 책을 읽은 분이 다음으로 읽을 만한 책으로 추천한다.

③ 藤島一郎, 柴本 勇監：動画でわかる摂食·嚥下リハビリテーション. 中山書店, 2004

연하의 테크닉을 주체로 사진을 충분하게 사용하여 알기 쉽게 해설한 책이다. 사진은 DVD와 일대일 대응하고 있고, 책에서 알지 못할 때는 DVD를 보면 이해할 수 있다. 또한, DVD를 일단 본 후는 책으로 확인하고 그 장면을 생각해 낼 수 있다. 무엇을 시행할까에 대해서의 기재뿐만 아니라 무엇을 행하면 안될까의 기재도 있는 것도 독자에게 도움이 된다고 생각한다.

④ 藤島一郎, 柴本 勇監：動画でわかる摂食·嚥下障害患者のリスクマネジメント. 中山書店, 2009

앞의 책의 자매편이다. 섭식, 연하장환자가 안고 있는 risk에 초점을 맞추고, 평가나 처치방법을 현장의 시점에서 사진을 이용해서 해설. 이 책도 동화상(DVD)가 들어 있어서 본문의 사진과 대응하고 있기 때문에 알기 쉽다.

⑤ 藤島一郎, 藤谷順子編著：嚥下リハビリテーションと口空ケア. メヂカルフレンド社, 2006

간호사용이지만 넓게는 일반의료종사자에게 도움이 되는 지식과 기술을 가득 싣고 있다. 필자들이 요소요소에 칼럼을 넣어 읽기 쉽게 했고, 질환별 대응이 될 수 있도록 배려하고 있다. 섭식, 연하장애와 구강관리라고 하는 끊으려 해도 끊을 수 없는 두 가지 주제를 대등하게 다룬 책이다. 환자, 가족 지도를 위한 팸플릿이 부록으로 들어있어서 편리하다. 이전에 n-book으로 나와 있던 것의 개정판.

⑥ 鎌倉やよい編著 : 嚥下障害ナーシング. 医学書院, 2000

간호사의 시점으로 연하장애에 대한 접근이 포인트를 짜서 정중하게 기재되어 있다. 증거중시로 문헌의 기재가 적절하게 되어 있다.

C. 소아의 연하장애

① 金子芳洋監, 尾本和彦編：障害児者の摂食·嚥下·呼吸リハビリテーション-その基礎と実践. 医歯薬出版, 2005

최신의 지식이 가득 들어있는 훌륭한 책이다. 상당히 전문적인 내용이어서 꼼꼼이 읽으면 연하의 깊이와 재미가 전해진다. 소아의 책이지만 증령 현상에 대한 기재도 있고 고령자의 섭식, 연하장애 치료에 도움이 되는 지식을 얻을 수 있다. 저변이 넓어졌구나 하는 실감을 하게 되었다.

② 北住映二, 尾本和彦·藤島一郎編著：子どもの摂食·嚥下障害-その理解と援助の実際. 永井書店, 2007

소아의 연하장애에 대해서 이론적 배경에 기초한 구체적인 도움을 줄 수 있도록 상세하게 쓰여져 있다. 소아의 연하장애에 관심이 있는 분은 꼭 보시기 바란다.

③ 田角 勝, 向井美惠編：小児の摂食·嚥下リハビリテーション. 医歯薬出版, 2006

이 책도 소아의 섭식, 연하에 대해서 기초부터 임상까지 폭 넓게 공부할 수 있도록 쓰여져 있다.

④ 金子芳洋編, 金子芳洋·向井美惠·尾本和彦著：食べる機能の障害-その考え方とリハビリテーション. 医歯薬出版, 1987

소아의 섭식, 연하장애에 대한 접근을 계통별로 정리한, 일본에서는 이미 고전이라고 할 수 있을 명저이며, 그림과 사진이 많이 사용되어 있고 병태 생리에 따라 실례에 기초하여 설명되어 있다. 소아의 연하기능의 발달과정을 알고 그 훈련법을 아는 것은 성인의 연하장애의 이해에도 불가결하다. 특히 구강에서의 음식물 처리의 발달과정은 우수하여 공부가 된다.

D. 구강관리

① 日本口腔疾患研究所監, 施設口腔保健研究会：口腔ケアQ&A-口から始まるクオリティ·オブ·ライフ. 中央法規出版, 1996

연하장애와 끊을래야 끊을 수 없는 것이 구강관리이다. 최근, 치과영역에서의 섭식, 연하장애의 처치도 매우 진전되어 있다. 이 책은 구강관리의 이념, 기초, 실천을 다수의 집필자에 의해 Q&A형식으로 분담하여 써 놓고 있다. 연하장애의 기재도 있고, 참고문헌도 풍성하여 곁에 두었으면 하는 책 한권이다. 필자가 연하장애 재활의 의뢰를 받고 환자를 진찰 후 우선 처음으로 지시하는 것은 '충분히 구강관리를 해 주세요'라는 한마디이다. 구강관리에 진검으로 승부하게 된다면 경증 연하장애 환자의 호흡기 합병증은 반드시 감소할 것이라고 생각한다.

② 牛山京子：在宅訪問における口腔ケアの実際. 第2版増補. 医歯薬出版, 2007

필자에게 구강관리 프로의 기술을 가르쳐 준 분이 牛山京子 선생이다. 그녀의 실천적 테크닉을 소개하는 책이다. 구강관리는 안하면 안된다고 하는 열정을 느끼게 한다. 긴 방문진료의 현장에서 길러온 경험을 바탕으로 구강관리를 실시할 때 도움이 되는 테크닉이 가득하다.

③ ぎもん·しつもん歯と口の辞典編集委員会編：ぎもん·しつもん歯と口の辞典第1巻·第2巻. 東山書房, 2004

이 책과 같은 Q&A 스타일을 갖고 있다. 초등학교 고학년부터 읽을 수 있도록 쉽게 쓰여져 있지만 내용은 훌륭하고 골라서 읽고 있는 동안에 모든 지식을 몸에 익히게 된다. 구강기능에 관한 것은 대부분 기재되어 있기 때문에, 꼭 읽어보시기 바란다. 구강관리의 기재도 있고 섭식, 연하장애의 치료에 반드시 도움이 된다.

④ 日本老年歯科医学会監, 下山和弘, 米山武義, 那須郁夫編：口腔ケアガイドブック. 口腔保険協会, 2008

일본노년치과의학회가 중심이 되어 간행한 책. 구강관리의 기초지식으로부터 질환, 증상에 대응하는 구강관리 방법에 대해 이론에 근거해서 정리되어 있다.

⑤ 新庄文明, 植田耕一郎, 牛山京子, 大山篤, 菊谷武, 寺岡加代編著 : 介護予防と口腔機能の向上Q&A. 医歯薬出版. 2006

개호(介護)예방 중에 도입된 구강기능의 향상과 구강관리에 대해, 그림과 Q&A형식을 많이 도입하여 알기쉽게 해설되어 있다.

⑥ 岸本裕充 : よくわかる ! 口腔ケア. メヂカルフレンド社, 2007

저자의 풍부한 임상경험에 기초하여, Q&A 형식으로 알기 쉽게 기재되어 있다. 연하장애 환자에 대해서의 기재도 물론 있지만, 그 이외의 증례의 구강관리에 대해서도 많이 기재되어 있어 참고가 된다.

E. 번역

① Crary MA, Groher ME著, 藤島一郎訳 : 嚥下障害入門. 医歯薬出版, 2007

입문이라고 하지만 내용이 상당히 풍부하다. 꼼꼼이 읽고 공부할 수 있다. 훈련에 대한 이론이나 의미를 알고 싶은 사람에게는 최적이다.

② Groher ME編, 藤島一郎監訳 : 嚥下障害-その病態とリハビリテーション. 原著 第3版, 医歯薬出版, 1998

1984년 초판 Dysphagia diagnosis and management, 1997년에 원저 제3판이 나온 것을 일본어로 번역했다. 의사, 생리학자, 작업치료사, 음성언어학자에 의한 공저로, 어느정도 지식을 갖고 있는 분에게 추천하는 매우 훌륭한 내용이다.

③ Langmore SE編著, 藤島一郎監訳 : 嚥下障害の内視鏡検査と治療. 医歯薬出版, 2002 (Langmore SE : Endoscopic Evaluation and Treatment of Swallowing Disorders. Thieme, NY, 2001)

최근 유행하는 연하 내시경 검사에 관해 매우 상세하게 해설하고 있다. 그림도 많고, 매우 수준 높은 내용이지만 공부가 된다.

④ Logeman JA著, 道 健一, 道脇幸博監訳 : Logeman摂食·嚥下障害. 医歯薬出版, 2000

유명한 미국의 교과서, 대망의 번역으로 나온 것이다. Logeman 선생은 미국에서는 신과 같은 존재. 일본에 방문하여 강연할 때 많은 일본 연구자에게 영향을 주었다.

⑤ Murray J著, 道 健一, 道脇幸博監訳 : 摂食·嚥下機能評価マニュアル. 医歯薬出版, 2001

수많은 평가법을 간결하게 정리하였다. 참고가 되는 그림, 표도 많이 쓰여져 있다.

⑥ Frank H. Netter著, 相磯貞和訳 :ネッター解剖学アトラス. 原書第4版, 南江堂, 2007

유명한 의학서적이다. '백문이 불여일견이다'. 연하는 소화기라는 곳에 나와 있는데 컬러가 이쁜 그림을 보는 것만으로도 정상연하의 메카니즘을 알게 된다. 또한 이전에는 일본어 번역판 'Netter 의학도감집 소화기편(I)'로 나와 있었다. 도서관 등에는 이것이 놓여 있을지 모르겠다.

⑦ Kindell J著, 金子芳洋訳 : 認知症と食べる障害-食の評価·食の実践. 医歯薬出版, 2005

'드디어 나왔다'고 할만한 책일 것이다. 많은 개호현장에서 어려움을 겪고 있는 인지증에 의한 섭식, 연하장애를 정면으로 다룬 저서이다. 金子선생의 번역과 주해가 적절하게 배치되어 있어 매우 읽기 쉽게 되었다. 인지증은 매우 어려운 문제이므로 이 책을 읽는다면 이제 괜찮다! 라고 할만한 것은 아니지만 임상에 도움이 많이 되는 힌트를 얻을 수 있다고 생각한다. 추천하는 한 권의 책이다.

F. 연하식 관계

식품 관계의 책은 다수 출판되어 있어 현장의 상황이나 환자의 상태에 맞게 각각 이용한다면 좋을 것이라고 생각한다. 다음은, 필자의 독단과 편견이 어느 정도 들어있는 해설이다.

① 江頭文江, 栢下淳編著, 金谷節子·他著 : 嚥下食ピラミッドによる嚥下食レシピ125. 医歯薬出版, 2007

이 책에서도 소개되고 있는 聖隷三方原病院의 연하식에 따른 5단계 식사에 대해 金谷節子 선생이 연하식 피라미드로 보급활동을 하고 있는 것을 아는 분도 많을 것이라 생각한다. 이 책은 연하식 피라미드의 설명과 함께 실제 물성을 표시하면서 구체적인 레시피를 소개하고 있어 매우 참고가 된다.

② 栢下淳編, 金谷節子, 神野典子, 山縣誉志江著 : 嚥下食ピラミッドによるレベル別市販食品250. 医歯薬出版, 2008

앞의 책의 자매편. 연하식을 만드는 것은 어려워 시판되고 있는 제품을 현명하게 이용하고 싶은 법이다. 이 책은 이에 상당히 참고가 된다.

③ 藤谷順子, 金谷節子, 林静子著 : 嚥下障害食のつくりかた. 改訂新版, 日本医療企画, 2002

전반에는 연하장애의 해설이 있고, 연하장애식의 정의 등도 설명되어 있으며 구체적인 사진이 있고 연하의 난이도별 레시피가 소개되어 있다.

④ 黒田留美子 : 黒田留美子式高齢者ソフト食標準テキスト 上巻·下巻. リベルタスクレオ, 2009

영양사 여러분의 연하장애에 대한 이해가 나아지고 있지만 여기에서 soft식이라고 부르고 있는 것은 이 책에서 이행식으로부터 부드러운 야채에 해당한다고 생각하면 좋을 것이다. 컬러 사진도 이쁘고 레시피도 충실하다.

G. 비디오

① 藤島一郎監 : ビデオ こうすれば食べられる. 中央法規出版, 1994

이 책의 비디오 판이다. 연하조영을 이용해 삼키는 모습, 인두잔류나 오연의 장면 등을 리얼하게 설명하고 구체적인 섭식, 연하훈련 테크닉을 공부하도록 하고 있다. 이 책과 함께 본다면 보다 이해가 깊게 될 것이라 생각한다.

② 藤島一郎監 : 嚥下障害ビデオシリーズ. 医歯薬出版, 1998

① 연하의 비디오 내시경 검사 ② 가성 구마비의

훈련 ③ 구마비의 훈련 ④ 연하장애에 있어 경관영양법 ⑤ 연하장애에 있어 폐이학요법 ⑥ 연하식 ⑦ 연하조영과 섭식훈련(2001) ⑧ 구강관리(2004)
자체 제작으로 저가격을 실현(분납가). 즉시 임상에 도움이 되는 지식과 기술이 가득차 있다. 구강관리가 더해져 보다 충실해졌다. 백문이 불여일견. 聖三方原病院의 현장에서 시행되고 있는 임상을 그대로 공부할 수 있는 우수한 비디오 시리즈이다. 꼭 한번 보시기 바란다.

③ 藤島一郎監：DVD版 嚥下障害. 医歯薬出版, 2004

전술한 연하장애 비디오 시리즈 전8권을 1개의 DVD에 정리한 것이다. 검색의 손쉬움, 정지화상의 화질 향상, 슬로우 재생 등 사용의 편리성이 향상되어 전 시리즈를 구입하는 경우는 비디오보다 가격도 저렴하다. 환자나 스태프 교육용으로도 도움이 된다고 생각한다.

④ 藤島一郎監：DVD VIDEO 全10巻 症例に診る嚥下障害の病態と評価·治療. フリーク·セブン, 2008

VOL. 1 연하장애의 병태와 평가·치료
VOL. 2 가성구마비와 재활훈련 각종 훈련수기
VOL. 3 치과적 대응 의과치과 연계
VOL. 4 구강관리의 실제(테크닉)
VOL. 5 제1부 재택요양환자의 지도
제2부 재택 재활의 실제
VOL. 6 전신관리 오연성 폐렴 리스크 관리
VOL. 7 이학요법사에 의한 연하훈련과 호흡이학요법
VOL. 8 연하식 피라미드로 연하식을 기준화한다~최후의 1스푼까지~
VOL. 9 제1부 구마비의 치료 풍선법~술전·술후 훈련~
제2부 聖隷三方原病院에서 구마비의 치료 전략과 수술
VOL.10 제1부 聖隷三方原病院의 연하치료 시스템
제2부 연동학습과 훈련

매우 충실한 내용으로 연하장애의 임상을 한 번에 공부할 수 있는 비디오이다. 聖隷三方原病院에서 수년간 대응해 온 필자들이 집대성한 것이라 할 수 있고 전부를 보는 것은 힘들지만, 공부가 되고 임상의 힘도 될 것이라 생각한다.

⑤ 高橋浩二企画·監：頸部聴診による嚥下障害の診断法 ビデオ版. 医歯薬出版, 2002

경부 청진의 고려방법부터 실기까지 매우 상세하고 정중하게 해설된 상당히 훌륭한 비디오이다. 연하장애 임상을 시행하는 사람은 반드시 보아야 한다고 생각한다.

H 기타

① 藤島一郎監, 倉田なおみ執筆：内服薬 経管投与ハンドブック-簡易懸濁法可能医薬品一覧. 第2版, じほう, 2006

연하장애의 치료에는 경관 영양의 지식이 불가결하지만, 이 책에서는 정제를 분쇄하지 않고 경관투여하는 획기적인 방법을 소개하고 있다. 이제 꽤 많은 병원에서 이 방법이 채택되어 일본의 의료를 바꾼 책이라고도 말할 수 있다고 생각한다. 혹시 모르시는 분이 계시다면 꼭 참고하시기 바란다.

② 合田文則著：胃瘻からの半固形短時間摂取法ガイドブック-胃瘻患者のQOL向上をめざして. 医歯薬出版, 2006

연하장애 치료에 필수인 경관영양에는 문제점이 많

고 그 중에서도 구토나 설사의 대책으로 겔화시킨 영양제를 주입하는 방법이 급속하게 확대되고 있다. 이 책은 그 방법을 처음 소개하여 지금의 의료기술에 변혁을 가져온 책이라고 할 수 있다. 꼭 한 번 읽어보시기 바란다.

③ 蟹江治郎著：胃瘻PEGハンドブック. 医学書院, 2002

위루의 책도 많이 있지만 이 책은 기본부터 응용까지 쓰여져 읽기 쉬운 책이다. 우선 이 책을 읽어두면 여러 가지 문제에 대처할 수 있는 응용력이 생길 것이다.

④ Carl LL, Johnson PR著, 金子芳洋, 土肥敏博訳：薬と摂食·嚥下障害-作用機序と臨床応用ガイド, 医歯薬出版. 2007(原著 Carl LL, Johnson PR ： Drug and Dysophagia)

약의 부작용으로 연하장애가 일어난다. 사실은 이것이 상당히 많고, 고령자에서는 큰 문제가 되고 있다. 이 책은 망라적으로 조금 읽기 어렵지만 현재 사용되고 있는 약제가 연하에 어느 정도 영향을 주는가에 대한 기준을 부여하고 있는 점으로 크게 주목해야할 내용이 되고 있다.

⑤ 井上邦彦著：摂食·嚥下リハビリ最前線. 日本評論社, 2006

탐방 기자인 저자가 일년 이상에 걸쳐 단념하고 취재를 거듭하여 쓴 책이다. 현재의 섭식·연하장의 대처가 일반인들에게도 읽기 쉽게 쓰여져 있어 즐겁게 단숨에 읽어 버리게 된다.

⑥ 藤島一郎編集企画：特集 摂食·嚥下リハピリテーシヨンと栄養管理. Monthly Book Medical Rehabilitation, No.109. 2009

연하장애와 영양관리는 같이 붙어다니는 것이지만 NST의 책은 있어도 좀처럼 연하장애와 영양에 초점을 맞춘 서적은 많지 않았다. 영양에 흥미가 있는 사람은 반드시 참고할 필요가 있지 않을까?

INDEX

ㄱ

ㄴ

ㄷ

ㅁ

ㅂ

P

S

T, V